D1650567

10
18

12, AVENUE D'ITALIE. PARIS XIIIe

Sur l'auteur

Né à Washington D.C. en 1944, Armistead Maupin passe ses premières années en Caroline du Nord. Après avoir servi dans la marine au Viêt Nam, il s'installe à San Francisco en 1971. C'est en 1976, dans les colonnes du quotidien *The San Francisco Chronicle* – renouant ainsi avec une vieille tradition littéraire du XIXe siècle –, qu'il commence à publier ses *Chroniques de San Francisco* : elles connaissent un succès immédiat. Puis, avec leur publication sous la forme d'une série de six romans, traduites dans toutes les langues et adaptées à la télévision, un événement local s'est transformé en véritable phénomène international. Armistead Maupin a depuis écrit deux autres romans, *Maybe the Moon*, et *Une voix dans la nuit*, ainsi qu'une suite aux *Chroniques de San Francisco*, *Mary Ann en automne*, paru en 2011, aux éditions de l'Olivier.

ARMISTEAD MAUPIN

MAYBE
THE MOON

Traduit de l'anglais (États-Unis)
par François Rosso

10
18

Titre original :
Maybe the Moon

Première traduction parue au Passage du Marais en 1999.

© Armistead Maupin, 1992.
© Éditions 10/18, Département d'Univers poche, 2007
pour la présente édition.
ISBN 978-2-264-03220-1

Note de l'éditeur

Ce roman contient, naturellement, une multiplicité de références — pour la plupart intraduisibles — propres à la culture américaine et à l'époque des années 80 et 90. Nous en avons volontairement gardé beaucoup — en anglais — dans l'espoir qu'une telle démarche favorise le dépaysement du lecteur et son immersion dans l'univers de Los Angeles. Notre souci constant a néanmoins été de bien veiller à ce qu'elles ne constituent en aucun cas un obstacle au plaisir de la lecture.

Dans le même esprit, nous avons tenu à garder sous sa forme originale le titre choisi par l'auteur.

Enfin, nous remercions Colette Carrière et Tristan Duverne pour leur contribution à l'édition de cet ouvrage.

Mr. Woods *(1981) Américain (Couleur, 112 mn.)***** *Réalisation : Philip Blenheim. Scénario : Dianne Hart-wig. Avec : Mary Lafferty, Roger Winninger, Callum Duff, Maria Koslek, Ray Crawford. Un timide écolier de onze ans (Callum Duff) découvre un elfe perdu qui vit dans les bois derrière le lotissement de banlieue où se trouve la maison familiale. Une fable tendre, chaleureuse et éternelle sur la nature de la différence, à l'attraction universelle. Les décors ensorceleurs de Kevin Lauter, où figurent les arbres les plus magiques depuis* Le Magicien d'Oz, *lui ont valu un Oscar.*

TV Movies and Video Guide
Leonard Maltin
Édition 1992

Le cahier à spirale

1

Ce journal, c'est l'idée de Renée. La semaine dernière, à Walgreens, elle est tombée sur ce cahier et a immédiatement décidé qu'il était temps que je me mette à écrire. À titre d'information, c'est un de ces cahiers « Mr. Woods » à spirale, avec une couverture cartonnée verte et cet affreux petit bonhomme qui vous regarde d'un air désolé depuis son trou dans le tronc d'arbre. Renée a considéré cela comme un présage de première importance. Ce soir-là, pendant le dîner, elle m'a donné le cahier avec un air si cérémonieux que j'ai eu l'impression d'être Moïse recevant les Tables de la Loi sur le mont Sinaï. Depuis, elle ne cesse de me jeter des coups d'œil en coin, guettant le moindre de mes gestes et attendant en retenant son souffle que la Muse vienne susciter mon inspiration.

Sans doute ne devrais-je pas commencer avant la fin de mes règles, histoire de limiter au maximum les plaintes et les pleurnicheries, mais Renée prétend que non, au contraire. Selon elle, c'est justement le meilleur moment pour m'y mettre : elle a entendu je ne sais quel expert invité au talk-show d'Oprah Winfrey affirmer que les événements les plus forts de la vie se produisent toujours quand on se sent à ramasser à la petite cuillère, et qu'on n'en prend conscience qu'après. Là-dessus, j'ai quelques doutes. Des doutes sérieux, même. Mais si vous êtes prêts à prendre le risque, moi aussi.

Pour l'instant, Renée fait semblant d'être plongée dans

America's Most Wanted. Seulement, elle a beau se tenir à l'autre bout de la pièce, pelotonnée sur le canapé comme un énorme chat de l'Himalaya, c'est comme si je la sentais me souffler dans le cou dès que mon stylo touche le papier. C'est une pression terrible, mais enfin je vais essayer de m'en tirer du mieux que je peux puisque visiblement elle y tient tant.

Qui sait ? Peut-être a-t-elle raison. Peut-être y a-t-il matière à faire de ma vie un film. Il se pourrait qu'un jour, en découvrant ces pages, un brillant scénariste-réalisateur y voie exactement la petite merveille de film qu'il a toujours eu envie de faire. Et si cela se produisait, qui d'autre que moi pourrait tenir mon propre rôle ? (Du moins, en perdant quelques kilos et en me faisant soigner les dents.) Alors, Cadence Roth rejoindrait Sophia Loren, Ann Jillian, Shirley MacLaine et quelques autres, celles qui forment le petit cénacle des actrices ayant eu l'honneur d'incarner leur propre personnage à l'écran. Et vu le caractère « spécial » du sujet, le jury des Oscars serait en ébullition au moment de désigner la lauréate de l'année. Sans compter les animateurs de talk-shows, qui s'arracheraient bien évidemment ma petite personne. Et si j'imagine qu'on pourrait faire une série télé à partir du film, eh bien... l'idée est-elle si extravagante que cela ?

Bien sûr, la véritable raison pour laquelle Renée insiste tant, c'est qu'elle sait qu'elle est l'un des personnages de l'histoire. Hier, en triant le linge sale, elle m'a déclaré le plus sérieusement du monde que pour jouer son rôle dans le film, elle ne voyait pas mieux que Melanie Griffith ! À la réflexion, c'est peut-être moins absurde qu'on pourrait le croire. Renée a les hanches plus larges, c'est vrai, et les traits moins délicats ; mais enfin l'impression d'ensemble — une douceur de gros bébé rose — n'est pas tellement différente (si jamais tu tombes là-dessus, Renée, ça t'apprendra à fourrer ton nez dans mes affaires !). En tout cas, pour les seconds rôles, nous n'aurons que l'embarras du choix parmi les blondes sensuelles, à supposer bien sûr que nous disposions d'un bon script et d'un bon réalisateur. *À supposer que.* J'insiste. Je sais bien que ça n'est pas gagné d'avance, loin de là, mais après tout, ça n'a jamais fait de mal à personne de rêver un peu...

Ce qui est certain, c'est que les espèces sonnantes et trébuchantes seraient les bienvenues. La dernière fois qu'on m'a engagée, c'était en novembre, il y a quatre mois. Une demi-heure de film publicitaire, où je jouais — oui, oui, j'ose le dire — un pot de crème anticellulite. Je ne l'ai d'ailleurs vue sur aucune chaîne, cette épopée. À mon avis, la Direction de la Santé publique a coincé l'ignoble crapule qui voulait lancer cette saloperie et l'a obligée à retirer le produit du marché. Tant mieux. Et cette pauvre Renée, qui s'obstinait à y croire, s'en est enduit les cuisses pendant trois semaines ! Le résultat de cette belle persévérance ? Rien, sauf qu'à la fin elle avait la peau constellée de petits boutons rouges.

Je dois préciser que Renée travaille à *La Grange aux tissus*, ce qui lui permet de rapporter un modeste salaire à la maison — grâce à elle nous arrivons pour le moment à survivre en mangeant des corn flakes et pas grand-chose d'autre. Ni loyer à payer ni prêt à rembourser, Dieu merci : j'ai acheté cette maison au comptant il y a dix ans, avec le misérable cachet que j'ai reçu pour *Mr. Woods*. Mais c'est la crise et nous la sentons passer. La famine n'est pas encore là, mais elle se rapproche, c'est clair. Ils sont loin, les jours où Renée et moi ne lésinions pas sur les visites au pédicure et les nettoyages de peau chez Elizabeth Arden avant de filer à Hollywood pour passer la nuit à faire la fête...

Honnêtement, je commence à me sentir comme un animal pris au piège, ici. Comme je ne conduis pas, je n'ai guère la possibilité de bouger de la maison pendant que Renée est à son travail. À moins que quelqu'un ne fasse un détour pour me prendre en allant je ne sais où. C'est le gros problème quand on habite la Vallée : on est loin de tout. Je m'y suis installée quand j'avais à peine vingt ans sur les instances de ma mère, laquelle s'était fourré dans sa tête dure de Juive que Studio City serait beaucoup plus sûr pour moi que, par exemple, West Hollywood — que j'aurais cependant préféré, et de loin. Maman et moi, nous avons vécu ensemble ici pendant sept ans, jusqu'au jour où elle est tombée morte d'une crise cardiaque sur le parking du supermarché.

Renée, je l'ai rencontrée à *La Grange aux tissus*, un jour que je cherchais de quoi me faire une veste en faux léopard. (Je fais mes vêtements moi-même, aussi ai-je fouiné dans la plupart des boutiques de tissus entre West Los Angeles et ici.) J'ai marché droit vers elle, vu qu'elle était la seule vendeuse de tout le magasin à ne pas avoir l'air complètement paniqué en me voyant entrer. Elle s'est montrée serviable, très gentille, et, tout en coupant mon métrage de fausse fourrure, elle m'a raconté une « histoire cochonne » qui n'aurait hélas semblé vraiment cochonne qu'à un enfant de douze ans élevé parmi les Mormons de Salt Lake City. Quand je lui ai expliqué pourquoi j'avais besoin de cette veste en léopard — maman et moi avions l'intention de nous glisser en douce parmi les invités de la première d'*Out of Africa* —, elle en a été tout excitée, à croire que c'était Meryl Streep en personne qu'elle servait.

— Aâââh ! a-t-elle soupiré. Ça fait rêver !

Je lui ai rappelé que nous n'étions pas vraiment invitées, et que mon déguisement n'était qu'un stratagème dont les chances de succès étaient assez limitées.

— N'empêche que vous y serez, a-t-elle rétorqué. Vous pourriez même rencontrer Robert Redford !

J'ai résisté à l'envie de lui dire que j'avais déjà rencontré Robert Redford (et que je l'avais trouvé très ennuyeux). C'était à l'époque où maman faisait de la figuration dans *Le Cavalier électrique*. À la vérité, je désirais que Renée me trouve sympathique non pas en raison des gens que je connaissais, mais pour ce que j'étais.

— En fait, lui dis-je, j'y vais surtout pour faire ma promo. Moi aussi je suis actrice.

— Vraiment ? Dans quoi ai-je pu vous voir ?

Sans que mon visage trahisse rien, j'ai essayé de marquer un point :

— Vous avez vu *Mr. Woods*?

De stupéfaction, la grande bouche molle de Renée s'est ouverte toute grande.

— Vous voulez rire? De tous les films que j'ai vus, c'est mon préféré! Je l'ai vu quatre fois, quand j'avais treize ans.

Je haussai les épaules d'un air dégagé :

— Eh bien, c'était moi.

— Où? Quel personnage?

— Allons!

Je partis d'un petit rire et la fixai avec des yeux ronds.

— À votre avis, combien de rôles y avait-il pour des gens de ma taille?

La pauvre chérie est devenue rouge comme une pivoine.

— Vous voulez dire...? Oui, ça paraît évident, mais j'ai toujours cru que c'était... Ce n'était pas un de ces trucs mécaniques?

— Pas tout le temps. Quelquefois, c'était un costume en latex.

Je souris.

— Et sous le costume en latex, il y avait moi.

— Non... Vous me le jurez?

— Vous vous rappelez la scène où Mr. Woods conduit les enfants jusqu'à sa cachette près de la crique?

— Bien sûr!

— Là, c'était moi.

Ébahie, Renée posa ses ciseaux et me regarda fixement.

— Vrai de vrai?

Je hochai la tête.

— Pire qu'un sauna!

Elle pouffa de rire.

— Et à la fin, quand ils le serrent tous dans leurs bras pour lui dire adieu, c'était moi aussi! ai-je ajouté.

À cette évocation, ses yeux, qui sont immenses et brun

noisette, sont devenus vagues. Elle s'est appuyée au mur un moment, et a poussé un soupir de bonheur en croisant ses mains sur son imposante poitrine. Dans son immobilité, elle me rappelait un peu une sculpture médiévale.

— J'adore cette scène... finit-elle par avouer.

— Vous êtes très gentille.

Et j'étais sincère en le disant, même si j'avais prononcé ces mots avec le ton qu'aurait probablement pris Joan Crawford tâchant d'être aimable avec un éboueur. Il faut dire que j'entends ce genre de choses depuis si longtemps que mes réponses me font l'effet d'avoir été préenregistrées.

Mais Renée n'a bien sûr rien remarqué ; toute à sa rêverie, elle avait le regard perdu dans le lointain.

— Et le lendemain, murmura-t-elle, quand Jeremy trouve un gland dans la boîte de son déjeuner... Oh, c'est tellement triste ! J'en ai pleuré tout l'après-midi.

Après un silence mélancolique, son regard revint se poser sur moi.

— J'ai même acheté la poupée. Une de ces poupées grandeur nature, vous savez. Je l'ai toujours, d'ailleurs. C'est incroyable !

— Est-ce que les yeux sont tombés ?

— Pardon ?

— Votre poupée... expliquai-je. Les gens m'ont souvent dit que leurs yeux tombaient.

Elle secoua la tête, l'air navré et légèrement offensé, comme une mère à qui l'on demande si son enfant présente des signes de malnutrition.

— Non, répondit-elle. Les yeux tiennent très bien.

— Tant mieux.

— Mais... Vous me jurez sur ce que vous avez de plus sacré que c'était vraiment vous ?

Je levai la main droite, et :

— Sur ce que j'ai de plus sacré ! lui déclarai-je.

— C'est tellement incroyable...

Quand je me décidai à quitter enfin le magasin, Renée me raccompagna jusqu'à la porte, essayant maladroitement d'adapter son pas au mien mais visiblement aux anges d'être vue en ma compagnie. Je sentais les yeux des autres vendeurs fixés sur nous tandis que nous nous frayions un chemin entre les rouleaux de soie et de satin. Évidemment, je me doutais que Renée allait leur parler de moi ensuite, et cela m'a fait plaisir pour elle. Ces imbéciles qui nous regardaient bouche bée allaient découvrir que son bon cœur lui avait servi à quelque chose, tout compte fait, et que d'eux tous, c'était elle qui avait ri la dernière ; qu'elle n'était pas la blonde idiote pour laquelle ils la prenaient sans doute.

Je devins une cliente régulière de *La Grange aux tissus*. Comme aucun de mes vêtements ne demande plus d'un mètre d'étoffe, Renée mettait de côté pour moi des chutes dont elle pensait qu'elles pourraient me plaire : des coupons de riche velours sombre, de satin à motif de plumes de paon ou de flanelle rose pour pyjamas imprimée de flamants encore plus roses. Elle conservait ces trouvailles dans une boîte sous le comptoir, et dès que j'arrivais nous les emportions à toute vitesse dans l'entrepôt, gloussant comme deux flibustières ayant mis la main sur une malle remplie de doublons. Tandis que je m'entortillais dans les tissus, ne reculant devant aucune clownerie pour divertir ma nouvelle « fan de toujours », Renée se perchait sur une caisse pour me raconter de longues histoires embrouillées au sujet de Ham.

Ham était le type avec qui elle vivait, un réparateur de télés costaud, aux cheveux roux, et elle arborait un énorme badge à son effigie épinglé à son sac à main. Son nom véritable était Arden Hamilton, ce qui sonnait chic, trouvait-elle, mais aucun de ses amis ne l'appelait jamais ainsi. D'après ce que j'ai compris, il passait le plus clair de son temps à faire du VTT, mais Renée était absolument folle de lui. Chaque matin, elle lui empaquetait amoureusement son déjeuner, et — plus étonnant encore, à mon avis — n'était nullement gênée que tout le monde le sût.

Quand maman est morte, ce fut un coup terrible pour moi. Non seulement j'avais perdu ma meilleure amie et mon meilleur agent, mais ma terrible Tante Edie — la sœur de maman et la plus incurable des pisse-vinaigre — surgit de son désert et descendit en piqué sur la maison pour « s'occuper de tout ». L'une des premières choses dont elle comptait s'occuper était mon transfert immédiat vers Baker, en Californie — c'est-à-dire vers le théâtre de mes plus lugubres souvenirs d'enfance. Désormais, j'avais besoin de quelqu'un pour prendre soin de moi, avait-elle déclaré, et elle possédait, garé juste derrière sa maison, une adorable caravane scandaleusement inutilisée. Pourquoi diable ne vendais-je pas cette vilaine petite baraque délabrée et ne revenais-je pas habiter la ville qui m'avait vue... grandir (si l'on peut dire), et où les gens se souvenaient toujours de moi avec affection ?

Le drame, c'est que je n'avais aucune objection valable à lui opposer. Effectivement, j'avais besoin de quelqu'un qui prît soin de moi, même si je n'aurais jamais formulé la chose en ces termes, bien sûr ! Mais sans une personne pour me conduire en voiture et se charger des tâches ménagères les plus lourdes, il ne se passerait pas longtemps avant que je ne fasse naufrage sur une montagne de boîtes vides de plats préparés « Cuisine Minceur ». De surcroît, aucun de mes amis n'avait le moins du monde besoin d'une colocataire pour le moment. Mon meilleur copain, Jeff, le premier à qui j'avais pensé, n'était plus célibataire au sens strict du terme, puisqu'il avait depuis quelques années une liaison avec un pépiniériste de Silver Lake. Quant aux autres, ils étaient soit officiellement mariés, soit des solitaires endurcis, ou encore croulaient déjà sous les hypothèques.

C'était à tout cela que je pensais lorsque Tante Edie me déposa à *La Grange aux tissus* deux jours après la mort de maman. Je n'étais guère d'humeur à faire du shopping, on s'en doutera, mais il me fallait une tenue sombre et austère pour l'enterrement, et ce qui s'en rapprochait le plus dans ma garde-robe était une robe de cocktail noire à paillettes. Quand j'expliquai à Renée ce dont j'avais besoin et pourquoi, elle me conduisit dans la réserve, le visage dénué d'expression. Là, elle éclata en sanglots, tomba à genoux et me prit dans ses bras. Je ne voulais pas la repousser, bien sûr, mais il fallait que je garde le contrôle de mes émotions. Je savais que si jamais je me laissais aller à pleurer comme une Madeleine, je ne pourrais plus m'arrêter.

— Ne vous en faites pas, lui dis-je en lui tapotant l'épaule.

Renée me lâcha, mais resta agenouillée sur le sol en ciment froid, essuyant du dos de sa main ses joues barbouillées de rimmel. Je me souviens même d'avoir alors pensé, dans mon chagrin si péniblement réprimé, qu'elle ressemblait à une créature de Fellini, une belle fille de mauvaise vie prosternée devant un autel et implorant de la Très Sainte Vierge le pardon de ses péchés.

Pour être franche, sa réaction, si spectaculaire, me prit au dépourvu. J'étais venue une demi-douzaine de fois, tout au plus, faire des achats à *La Grange aux tissus,* et mes relations avec Renée, quoique amicales, étaient en fait demeurées strictement commerciales. Ce jour-là, pour la première fois, je me demandai comment elle me considérait vraiment : comme une cliente qu'elle appréciait et dont la mère venait de mourir, ou comme une sorte de curiosité tragique, une anomalie de la nature subitement orpheline ? Qu'elle fût devenue ma plus grande fan, c'était une chose ; qu'elle compatît aussi intensément à mon malheur, il m'apparaissait que c'en était une autre, et assez différente.

— Mais qu'allez-vous devenir ? demanda-t-elle.

— Allons, reprenez-vous...

Ces mots n'étaient pas sans dureté, aussi voulus-je les adoucir par un sourire, mais cette intention resta sans effet, car Renée parut plus catastrophée que jamais et se laissa retomber avec un gros soupir sur ses larges fesses de jeune fermière.

— Excusez-moi, bredouilla-t-elle. Je sais que ça ne me regarde pas.

Je lui assurai, le plus gentiment possible, que j'étais très touchée qu'elle s'inquiétât à ce point pour moi. De nouveau, elle s'essuya les yeux.

— Je ne voulais pas vous donner l'impression de m'apitoyer.

— Mais non, voyons.

— Vous vous y attendiez ?

Je finis par comprendre qu'elle parlait de la mort de maman ; aussi lui répondis-je que les accidents cardiaques étaient une constante dans ma famille.

— Mais, je veux dire... reprit-elle. Vous n'aviez pas remarqué que...?

— Non. Rien encore.

Renée secoua la tête un moment, puis demanda :

— Vous ne serez pas fâchée si je reste assise ?

— Pourquoi diable serais-je fâchée ?

Ses yeux larmoyants me regardèrent de biais.

— Je ne suis pas très sure de ce que les gens doivent faire dans ces cas-là.

— Oh, les gens font toutes sortes de choses !

Cela lui arracha enfin un sourire.

— Oui, j'imagine, acquiesça-t-elle.

— Donc, lançai-je soudain, tâchant de revenir à nos moutons, auriez-vous en stock un joli crêpe de Chine ?

— Oh... Je vais voir.

Elle avait l'air désemparé, comme si ses pensées l'avaient emportée très loin.

— Qu'est-ce qui ne va pas ? demandai-je.

— Rien, rien.

— Allons, insistai-je. Avouez-moi tout.

— Oh... Cela risque de vous sembler d'une telle bêtise, en comparaison !

— Renée, dites-moi ce qui se passe.

Elle eut un pitoyable petit haussement d'épaules.

— Eh bien... De mon côté, c'est fini, voilà tout.

— Qu'est-ce qui est fini ?

— Mon histoire avec Ham. Il m'a demandé de quitter l'appartement.

Quand elle recommença à m'arroser de ses pleurs, sanglotant si fort que je ne comprenais plus un mot à ce qu'elle disait, la raison pour laquelle elle s'était si vivement associée à mon deuil m'apparut assez clairement — l'orpheline, c'était elle.

Inutile de recourir à un suspense artificiel : vous avez déjà compris ce qui se passa ensuite. Renée emménagea chez moi une semaine plus tard — cela fera trois ans en juin —, débarquant avec tout son barda, dont dix-sept paires de chaussures, ses cassettes de la Bible et la poupée « Mr. Woods » déjà mentionnée. (Au moment où j'écris ces lignes, cette vilaine petite créature en caoutchouc me lorgne depuis sa niche, à côté de la chaîne hi-fi.) Je précise en passant que c'est Renée qui a insisté pour que nous cohabitions, bien que je lui aie fait part de mes réserves. Après tout, nous nous connaissions à peine, et je craignais qu'elle ne m'eût idéalisée au point de s'aveugler sur ce que représente vraiment la vie avec quelqu'un comme moi. Qu'on le veuille ou non, je n'ai rien d'une colocataire classique. Et je ne croyais pas qu'elle pourrait y faire face.

J'avais tort. Renée entra dans ma vie aussi naturellement et prestement que maman en était sortie. À Tante Edie, je la présentai comme ma meilleure raison de ne pas partir : la « vieille amie » possédant une voiture qui serait ravie de venir vivre avec moi et accepterait volontiers de payer un loyer. Renée me conduisit même à Baker pour les obsèques, où, comme c'était prévisible, elle pleura toutes les larmes de son corps pendant l'oraison funèbre, ce qui déconcerta fort l'assistance. Lorsque nous fûmes de retour à Los Angeles, la « paire » que nous formions fonctionnait déjà. Comme si elle avait fait ça toute sa vie, Renée s'était habituée à patienter pendant ma laborieuse descente de voiture, à demander un annuaire à la serveuse du *Denny's* pour que je puisse m'asseoir dessus, ou à chasser les gamins et les gros chiens que ma présence attire inévitablement dans les endroits publics. Elle s'y prenait, de surcroît, sans jamais adopter les manières d'infirmière, mais avec le plus grand naturel, comme si elle avait les mêmes prévenances pour tous ses amis.

Mieux encore, elle ne cessa pas pour autant d'être une fan enthousiaste. Au contraire : sa fascination pour ma carrière ne fit que croître à mesure que nous nous installions dans notre confortable vie commune. Un jour, je lui montrai l'article que m'avait consacré le *Livre Guinness des records.* Elle fut si impressionnée qu'elle en fit une photocopie qu'elle garda dans son sac à main, afin que les autres vendeuses de *La Grange aux tissus* — ou les employées de la poste, les caissières du supermarché — puissent à n'importe quel moment constater de leurs propres yeux qu'elle, Renée Marie Blalock, habitait désormais la même maison que « L'Être humain le plus petit du monde ».

Sur ce point, d'ailleurs, j'avais quelque peu triché, car l'édition du *Guinness* que je lui ai montrée était périmée depuis quatre ou cinq ans. En 1985, le titre officiel d'« Être humain (adulte et moteur) le plus petit du monde » m'a été scandaleusement ravi par une Yougoslave de soixante-quatorze centimètres, apparue comme par miracle. Maman et moi sommes allées jusqu'à téléphoner au siège des éditions Guinness à New York pour demander si cette prétendante étrangère avait des jambes, et on nous a alors raconté toute sortes de fariboles à son sujet. Un de ces jours, à force de se vanter, Renée tombera sur un enquiquineur disposant d'une édition plus récente, et je me verrai alors forcée de fournir quelques sérieuses explications.

Il fait déjà nuit depuis un bon moment, et une agréable pluie de printemps a commencé de tomber, dépoussiérant les stores et secouant les feuilles des bananiers derrière la porte en verre coulissante. Un spot rose éclaire cette partie du jardin, et, en fermant à demi les yeux, on a l'impression de voir un grand aquarium à l'eau légèrement rosée ; cela m'étonnerait à peine d'y apercevoir soudain toute une théorie d'énormes poissons rouges ou une

pieuvre géante aux tentacules écarlates, glissant mollement le long de la porte.

Renée a éteint la télévision et elle est plongée dans un
vieux numéro de *Us*, avec l'air d'être en train de répondre
à un questionnaire sur la pop musique. Elle a pour l'instant cessé de me surveiller : preuve, sans doute, qu'elle
est satisfaite de mon activité, à moins qu'elle n'ait décidé
qu'une indifférence bienveillante était la meilleure poli-
tique. Je suis couchée sur le ventre, enfoncée dans mon
coussin préféré, ma « couette », comme Renée s'obstine à
l'appeler, bien que je lui aie expliqué cent fois qu'une
couette était soit un grand édredon plat, soit une demi-
queue de cheval sur le côté de la tête. Le coussin est
recouvert d'une tapisserie d'un rose fané où sont repré-
sentées des licornes et une jeune femme coiffée d'un hen-
nin. Ce n'est pas une antiquité, ni un objet de prix, mais
je l'aime parce qu'il a exactement la taille de mon corps,
et parce que maman me l'a offert pour mon anniversaire
l'année qui a précédé sa mort.

Laissez-moi vous décrire le reste de la pièce au cas où
vous en auriez besoin pour le décor du film. Contre un
mur il y a un vieux canapé vert en velours à côtes (où
Renée est assise en ce moment), qui aurait le plus grand
besoin d'une nouvelle housse. Nous avons caché les plus
vilaines déchirures avec des coussins stratégiquement dis-
posés, mais à mon avis, cela ne trompe personne. À côté
se dresse une bibliothèque bon marché en bambou. Les
deux rayons du bas sont réservés à ma collection personnelle : principalement les œuvres complètes de Tol-
kien présentées en coffret, une série de biographies de
stars récemment parues, et un livre de portraits de Map-
plethorpe, si volumineux que je ne le regarde que
lorsqu'il me semble avoir sérieusement besoin d'exercice.

Les murs sont peints d'une couleur qu'on appelle
Corail des Caraïbes. C'est une nuance qui paraît chaude
et délicate quand on la voit sur le catalogue du magasin,
mais qui, une fois posée, fait plutôt penser à un vernis à
ongles pour putains. Elle nous fait horreur à toutes les

deux et nous sommes bien décidées à tout repeindre un de ces jours, mais pour le moment l'argent manque. J'aimerais essayer un décor nu et austère, à la japonaise, mais Renée manifeste un fort penchant pour le chintz vert et rose, un cauchemar façon Laura Ashley. Il se pourrait que je doive faire preuve de fermeté le moment venu.

Il y a trois lampes, dans la pièce : un halogène tout simple, en cuivre, une autre en céramique dont le pied est en forme de panthère noire, et un petit spot moderne en plastique accroché à la niche où est encastrée la chaîne hi-fi, juste à côté de l'antre de Mr. Woods. J'ai acheté cette horrible panthère sur un coup de tête, il y a cinq ans, alors que je flânais dans une brocante, à Melrose — principalement parce que mon ami Jeff, qui m'accompagnait, m'a alors assuré qu'il s'agissait d'un exemple extrêmement précieux du kitsch absolu des années cinquante. D'autres se sont laissés moins facilement convaincre. Maman, dès l'instant où elle l'a vue, n'a plus eu qu'une envie : la jeter à la poubelle, et Renée a réprimé le même désir en plusieurs occasions. Je crois que je commence à être de leur avis : ce truc a quelque chose d'affreusement déprimant.

Plus tard, dans mon lit.

Renée est dans sa chambre, gloussant de rire au téléphone avec son dernier flirt en date, un nommé Royal qu'elle a rencontré au *Sizzler* la semaine dernière. Elle ne l'a pas encore amené ici, mais j'ai déjà en tête une image de lui tout à fait précise : vêtements noirs froissés, bronzage orangé et longs cheveux ramenés en arrière en queue de cheval-queue de rat. Renée m'a dit qu'il appartenait à l'Église de scientologie et fabriquait lui-même sa bière — l'un et l'autre semblant beaucoup l'impressionner. Quelquefois, je ne sais plus quoi penser d'elle.

Il y a un petit moment, elle est entrée pour me dire qu'un chèque que j'avais remis au docteur Baughman, mon dentiste, pour des soins datant de trois mois déjà, lui était revenu impayé. Je lui ai objecté que personne n'avait téléphoné. Elle a eu l'air troublé un instant, puis s'est expliquée :

— Euh... Non, on n'a pas téléphoné ici. C'est moi qu'on a prévenue, mais je ne t'en ai pas parlé pour ne pas te faire perdre ta concentration.

Car je rédigeais notre grand œuvre, on l'aura compris. Maintenant, je ne vais pas en dormir de la nuit, c'est tout ce qu'elle aura obtenu.

— Son assistante, a-t-elle poursuivi, la fille aux gros sourcils...

— Wendy.

— C'est ça, Wendy... m'a appelée au magasin ce matin.

J'ai senti mon visage virer au rouge pivoine.

— Elle n'a pas d'abord essayé de me joindre ici ?

— Euh... Non. Enfin, il se peut qu'elle ait essayé, mais...

— Non. Je ne suis pas sortie de la journée.

— Ah bon ?

— À l'avenir, Renée, voudrais-tu avoir l'obligeance de lui dire que je suis une grande fille et que je peux m'occuper de mes finances toute seule ?

Bon, d'accord, c'était peut-être un peu agressif ; mais je suis tellement fatiguée de ce paternalisme, de tous ces gens qui s'imaginent que « petit » signifie forcément « dépendant » !

Même ma propre mère (Dieu ait son âme !) ne m'épargnait pas toujours ce genre d'avanies. Une fois, alors que j'avais dans les vingt-cinq ans et que nous nous trouvions dans les studios de l'Universal, une directrice de casting, une fille terriblement branchée qui paraissait m'aimer beaucoup, a proposé de nous emmener déjeuner à la caféteria des administrateurs. Aussitôt, maman a pris son air de Donna Reed et a répliqué :

— C'est très aimable, mais je viens justement de lui donner à manger.

Je n'ai rien dit sur le moment, mais je n'ai pas décoléré durant des jours. Comment avait-elle pu si résolument choisir de me faire passer pour un hamster guetté par l'anémie ?

Renée a pris un air de chien battu :

— Elle ne m'a pas téléphoné pour me parler de toi : elle voulait me confirmer mon rendez-vous pour demain.

— Ah ?

— Mais elle a dû se dire que... enfin, qu'elle pouvait faire d'une pierre deux coups, tu comprends ?

Cela m'a un peu réconfortée, mais pas beaucoup. De toute façon, Wendy aurait dû m'appeler personnellement.

— Je leur dois combien ? demandai-je.

— Deux cent soixante-quatorze dollars.

— Merde !

Renée a baissé la tête, et j'ai tout de suite deviné ce qui allait suivre.

— Je pourrais te les prêter...

— Non, ai-je répliqué fermement. Merci.

— Et puis, je devrais commencer à te payer un loyer. Ce n'est pas juste que je...

— Laisse tomber, Renée. Tu en fais déjà assez comme ça.

J'ai lissé machinalement mes draps en passant en revue les possibilités qui s'offraient à moi. Trois chèques sans provision en une semaine, et pas de rentrées à l'horizon. Dans le meilleur des cas, un autre prêt de Renée ne serait qu'une solution temporaire. Inutile de chercher midi à quatorze heures : si je voulais conserver ma sacro-sainte indépendance, j'avais besoin de travailler, et vite !

— Au fait, et ta Tante Edie ? a risqué Renée.

— Quoi, ma Tante Edie ?

— Elle ne pourrait pas te prêter un petit quelque chose ?

Je lui ai lancé un regard lourd de menaces. Renée connaissait bien le problème, pourtant. À la moindre allusion à de quelconques difficultés financières, Tante Edie serait sur le pas de la porte dans les trois minutes. Et rien ne lui ferait plus de plaisir. Je suis peut-être sans le sou, mais pas au point d'en arriver là ! Et puis, il y a des sorts bien pires que la famine.

— Bon...

À court de solutions, Renée a tripoté le col de son pull.

— Je t'apporte un chocolat chaud?

— Fiche-moi le camp. Rappelle plutôt ton étalon!

— Mais qu'est-ce que tu vas...?

— Ne t'en fais pas, ai-je rétorqué en lui montrant la porte. Demain matin aux aurores, j'appelle Leonard.

Leonard Lord est mon agent, la cause de tous mes espoirs et de tous mes désespoirs. J'ai signé un contrat avec lui à la fin du tournage de *Mr. Woods*. Le premier engagement qu'il m'a décroché était un rôle dans un film d'horreur de série Z intitulé *Bugaboo*, où je jouais un zombie et apparaissais sur l'écran pendant très exactement quatre secondes, vers la fin. Une ménagère imprudente — Suzi Kenton, vous vous souvenez? — ouvre la porte de son réfrigérateur, et que croyez-vous qu'elle y trouve? Votre servante, eh oui! tapie tout au fond, à côté du jus d'orange.

Pour moi, croyez-le ou non, c'était une réelle avancée, car on voyait bel et bien mon visage (couvert d'écailles grises, mais tout de même!), et l'espace d'un instant il remplissait même l'écran tout entier. Selon Tante Edie, qui ne profère jamais de mensonges, pendant ce bref instant où j'étais illuminée par la lampe du frigo, j'étais si parfaitement reconnaissable que le public de Baker s'était levé pour applaudir. Cela n'est pas possible au sens littéral, puisqu'à Baker il n'y a qu'un vieux drive-in, mais enfin j'ai compris ce que cette vieille chouette voulait me faire comprendre. Aux yeux des gens qui comptaient pour elle, j'étais enfin « légitimée » — une véritable actrice de cinéma, et non plus une naine en costume de latex. Je ne prétendrai pas que cela ne m'a pas un peu flattée.

Depuis lors, il s'est passé beaucoup de choses, autant dire presque rien. Pendant une brève période, à la fin des années quatre-vingt, j'ai tâté du théâtre expérimental. Le milieu des « performances » underground du centre de Los Angeles m'avait plus ou moins adoptée, et j'étais très demandée par les artistes qui montaient des spectacles sur l'absurde ou l'aliénation. Tous étaient de petits jeunes gens très gentils, étonnamment naïfs, qui se donnaient un mal de chien pour ne pas tomber avec moi dans ce qu'ils appelaient l'« exploitation de la différence ». Cela n'a pas tardé à me taper sur les nerfs, aussi en ai-je pris deux à part un beau soir pour leur dire qu'ils feraient mieux de ne pas tant se casser la tête : que j'étais une comédienne, point à la ligne ; et que *bien évidemment* je n'y verrais aucun inconvénient s'ils me demandaient un jour de jouer tout simplement une mutante engluée dans une nappe de pétrole, ou de m'asseoir sur une banane et de tourner dessus en rond, du moment que c'était dans le texte et qu'on me payait pour le faire.

Cela a paru les décontracter un peu, et nous nous sommes entendus magnifiquement par la suite. Ma mère, qui s'imaginait que Liberace était ce qu'il y avait de plus audacieux en matière d'avant-garde, vint à une représentation, pour en repartir horrifiée et affreusement gênée, bien qu'elle eût prétendu par la suite avoir trouvé cela « intéressant ». Je ne doute pas que Renée réagirait exactement de la même façon si elle me voyait dans ce genre de spectacles, aussi vaut-il sans doute mieux que j'aie préféré abandonner. Du reste, les cachets étaient misérables (quand il y en avait) et ce travail était sans aucun lien avec le monde du cinéma, si bien que cela ne m'avançait pas à grand-chose.

À ceci près qu'un soir nous reçûmes la visite d'une star : Ikey St Jacques, le jeune acteur noir qui jouait l'adorable gamin de sept ans dans la série-culte *What It Is !* Le petit Ikey s'assit tout au fond, aux places les moins chères, tout en pourpre et argent, accompagné d'une femme aux jambes extraordinairement longues. La nouvelle qu'il se trouvait dans l'assistance se répandit comme une traînée de poudre. Les autres membres de la troupe firent de leur mieux pour avoir l'air blasé, naturellement, mais de toute évidence ils étaient ébahis qu'une idole aussi aisément reconnaissable se fût aventurée dans notre monde. Honnêtement, je nourrissais depuis quelques années certains soupçons sur ce prétendu enfant, aussi ne fus-je pas le moins du monde surprise lorsqu'il vint me trouver dans les coulisses et m'avoua tout.

D'un point de vue pratique, cela ne lui fut d'ailleurs pas très facile, attendu qu'il lui fallut se frayer un chemin parmi les reliquats du spectacle de la soirée : de grandes bandes poisseuses de gaze chirurgicale imbibées de sang artificiel et environ deux douzaines de baigneurs en caoutchouc dans des états de démembrement plus ou moins poussés. Son amie l'attendait dans la voiture, m'expliqua-t-il, mais il fallait absolument qu'il me dise que j'étais formidable, une grande comédienne, et que mon jeu l'avait complètement captivé, car lui aussi était de très petite taille, alors qu'il avait en réalité non pas sept ans, mais dix-sept.

— Vous m'en direz tant ! répliquai-je en haussant ironiquement les épaules.

Puis nous éclatâmes de rire tous les deux et devînmes aussitôt les meilleurs amis du monde. Avant de nous séparer, nous échangeâmes nos numéros de téléphone. Ses vrais amis l'appelaient Isaac, me confia-t-il, et désormais je devrais en faire autant. Il me raconta quelques histoires très drôles à propos d'autres « faux nabots » d'Hollywood. Croyez-moi, certaines vous feraient tomber à la renverse.

Imaginez mon enthousiasme quand Isaac m'appela la semaine suivante pour m'apprendre qu'il avait proposé un épisode sur les gens de petite taille pour l'émission *What It Is!* et qu'il me voulait en « co-vedette » (c'est l'expression qu'il employa). Je devais jouer une femme clown qui rencontre le petit Ikey dans une galerie commerciale de Dallas et lui fait comprendre ce qu'est la véritable compassion. Comment j'étais censée accomplir cette prouesse de grandeur d'âme si pleine d'enseignements pour les foules, Isaac ne me le dit pas, mais il m'assura que le rôle serait tout à la fois touchant, cocasse et décapant, et ferait immanquablement de moi une favorite pour les Emmy Awards.

À peine avais-je téléphoné à la moitié de la population de Baker pour annoncer la bonne nouvelle qu'Isaac me rappela, pour m'apprendre que le projet avait en fait été tué dans l'œuf et ce, par ses propres producteurs. Ceux-ci avaient une peur bleue que la présence d'un autre personnage de petite taille dans un épisode de la série ne provoquât un débat sur le sujet dans la presse, ce qui ferait courir à Ikey le risque d'être démasqué. C'était trop périlleux, disaient-ils, d'autant plus que la voix du garçon avait déjà considérablement changé et qu'il était « en grand danger de devenir une figure grotesque ». Isaac avait défendu son idée bec et ongles (du moins c'est ce qu'il m'affirma), mais les tout-puissants producteurs s'étaient montrés inflexibles. C'est ainsi que ce rôle en or que je croyais déjà m'appartenir, si longtemps attendu, n'atteignit jamais le stade de l'écriture.

À la décharge d'Isaac, je dois dire qu'il m'a téléphoné il y a environ six mois, à l'improviste, pour prendre de mes nouvelles ; en ce qui concernait ma carrière, je n'avais hélas pas grand-chose à lui raconter. J'avais gagné un peu d'argent en faisant du démarchage par téléphone pour une compagnie de nettoyage de moquettes basée à Reseda, mais ce boulot s'était révélé si assommant que c'en était à peine croyable. Mon chef, toutefois, m'avait fait des compliments sur le son de ma voix au téléphone, et cela m'avait fait envisager la possibilité de travailler pour la radio. Isaac estimant que ce pouvait être un bon tremplin, j'ai ensuite téléphoné à Leonard Lord, mon intrépide agent, pour lui demander de prospecter dans ce domaine. Ce à quoi il m'a répondu que ses contacts dans le monde de la radio étaient quasi inexistants, mais qu'il en parlerait autour de lui et verrait ce qu'il pouvait faire. Depuis, il ne m'a plus donné de ses nouvelles.

Bon, je crois que ça suffit pour ce soir : il se fait tard et je commence à me démoraliser moi-même. Les nuages chargés de pluie se sont écartés, et j'aperçois une étrange petite esquille de lune suspendue dans l'encadrement de ma fenêtre. Je vais me concentrer sur elle, et sur la brise tiède qui fait frissonner mes rideaux. Après tout, les choses pourraient être pires, et j'ai jusqu'ici toujours réussi à me tirer d'affaire. J'ai pour moi mes amis, mon talent, ma passion, et je sais qu'une place m'attend au firmament de Hollywood.

Sinon, je prendrai un autre agent.

2

Une semaine plus tard. Sur mon matelas pneumatique, dans la cour derrière la maison.

Je viens de relire mes premières pages, et je les trouve tellement sinistres que j'ai peine à y croire. Bon, je pourrais prétendre que c'est le mauvais moment du mois, mais je ne crois pas que vous seriez dupes très longtemps. La vérité, c'est que nous sommes à la mauvaise période du siècle. Je ne sais pas quand elle s'est amorcée, ni comment. Le monde a changé à un moment où je ne faisais pas attention, voilà tout. Pendant que j'étais sortie manger un hamburger, peut-être, ou acheter un magazine, ou voir un film à Westwood. Et quand je suis rentrée, il était entièrement différent, un univers étrange peuplé de gens que je n'avais jamais rencontrés et qui obéissaient à des us et coutumes aussi inintelligibles que le tableau de commandes de mon magnétoscope.

Ce matin, par exemple, j'ai regardé par la fenêtre et j'ai vu un énorme ruban en plastique jaune noué autour du réverbère devant chez moi. J'ai laissé de côté mon raccommodage et je suis sortie pour regarder cette horreur, me demandant pendant quelques instants si ça ne pouvait pas être une idée farfelue de Renée. Ce truc était placé juste un peu trop haut pour moi, mais enfin j'ai réussi à l'arracher après quelques bonds disgracieux. À peine y étais-je parvenue, cependant, que Mrs. Bob Stoate, ma voisine, dans un chemisier en crépon de coton impeccablement repassé, est arrivée en traversant au pas de course sa pelouse impeccablement tondue.

— Cady, voyons, qu'est-ce que vous faites ? s'est-elle écriée, l'air scandalisé comme si elle m'avait surprise en train de vendre de la marijuana à ses enfants.

Je lui ai répondu que j'allais m'en débarrasser.

— Mais Bob et moi avons décoré comme ça toute la rue !

Je tournai les yeux à droite, à gauche et me rendis à l'évidence : il y avait un ruban jaune devant chaque maison.

— Eh bien, c'était très gentil de votre part, à Bob et à vous, mais... devant ma maison, je n'en veux pas.

Je l'ai vue tressaillir.

— Mais voyons, c'est une vieille tradition américaine !

Je suis retournée vers la maison en traînant mon ruban derrière moi.

— Moi, ça ne me rappelle qu'une vieille chanson idiote, rétorquai-je.

Elle a continué à piailler dans mon dos :

— Nous nous sommes permis d'accrocher le vôtre parce que nous avons pensé que vous n'étiez pas assez...

« Grande », était-elle sur le point de dire ; mais elle s'est rattrapée juste à temps.

— La guerre est finie ! lui ai-je lancé. Plus besoin d'en faire toute une histoire.

— Eh oui !... C'est pour montrer notre joie à tous ces braves garçons !

Effectivement. Comme tout le monde par ici, les Stoate ont peine à refréner leur exultation à la pensée que nos « p'tits gars » ont fini par botter le cul aux métèques qui ont osé se frotter à eux. La honte du Viêt-nam est enfin effacée, gommée comme par magie par cette super-production militaire dont ils ont tous dévoré les images à la télévision. Peu importe que nous ayons ravagé un pays, pollué un océan et carbonisé deux cent mille personnes : les Stoate sont de nouveau fiers d'être américains.

Arrivée à ma porte, je me suis retournée pour apercevoir Mrs. Bob Stoate qui me fixait dans un silence assassin, constatant là que ses plus noirs soupçons se trouvaient justifiés. Je lui ai fait un petit signe joyeux de la main et j'ai claqué la porte. Aucun doute : elle a dû s'empresser d'appeler son mari à son travail (il est concessionnaire Toyota, si je me souviens bien) pour l'informer de ma trahison envers la patrie. Ce soir, toute la famille sera au courant — ce qui n'est pas pour me déplaire, car je préfère de loin leur hostilité ouverte à leur condescendance sirupeuse de bons chrétiens vertueux dont ils me gavent depuis des années.

Si j'avais un peu de jugeote, je vendrais cette baraque et j'irais m'installer à Hollywood ou à Santa Monica ; j'y trouverais peut-être quelques voisins qui persistent à penser que Tony Orlando n'était après tout qu'une mauvaise blague. Je n'aurais pas les moyens de racheter une maison, mais je pourrais louer quelque chose de mignon et il me resterait un peu d'argent de poche à la banque. Mon rêve de toujours, c'est une hacienda des années vingt avec un toit en tuiles et une fontaine au milieu de la cour. Bien sûr, pour Renée, ce serait intenable : de là-bas, le trajet jusqu'à *La Grange aux tissus* serait beaucoup trop long, et puis elle serait sans doute intimidée par l'effrayante perspective d'aller vivre de l'autre côté de Mulholland Drive.

Mais après tout, nous ne sommes pas une paire inséparable ! Vous pouvez me croire : un de ces jours, elle rencontrera un humanoïde de sexe mâle qui lui rappellera son Ham bien-aimé, et elle aura tôt fait pour moi d'appartenir au passé. Quel mal y aurait-il à cela, d'ailleurs ? Renée ne me doit rien et je ne lui dois rien. Au fond, c'est rassurant de savoir qu'elle et moi pouvons habiter ensemble, être aussi proches l'une de l'autre que nous le sommes, tout en préservant l'intimité de nos vies personnelles. Son but dans l'existence est de connaître le grand amour ; le mien, de devenir une star : de cette façon, nous ne risquons guère d'entrer en collision sur le Chemin de la Réussite.

À propos, au cas où vous vous poseriez la question, le scientologue fabricant de bière a disparu de la circulation. La rupture a eu lieu après leur deuxième rendez-vous, quand Renée a découvert un portrait de Ron Hubbard sur sa commode et qu'elle a fini par comprendre quel genre de personnages étaient les adeptes de la scientologie. Jusqu'alors, m'a-t-elle expliqué, elle avait toujours cru que c'étaient des gens qui se consacraient à « des espèces de sciences compliquées », ce qui explique pourquoi elle était tellement impressionnée au début. Seulement voilà : il s'est avéré que ce type voulait simplement l'embrigader, car il a passé toute la soirée à lui vanter la manière dont Ron Hubbard avait su faire de Kirstie Alley une femme nouvelle. Tout ça a plutôt secoué cette pauvre Renée, et j'ai l'impression qu'elle s'est juré de ne plus approcher les hommes pendant quelque temps. Je le dis parce qu'elle a recommencé à dormir avec sa poupée « Mr. Woods » : un signe on ne peut plus révélateur.

J'ai appelé Leonard ce matin, après avoir fini d'écrire, et je lui ai demandé s'il avait réussi à appâter un peu les producteurs de radio.

— Pas vraiment, mon ange.

— Quand les as-tu appelés ?

Il a attendu un rien trop longtemps avant de me répondre :

— Ces jours derniers.

Il n'avait pas passé le plus petit coup de fil, évidemment, puisqu'à son habitude il avait complètement oublié mon existence depuis mon dernier appel. Mais je décidai de ne pas insister. Leonard a beau être négligent, c'est quand même un agent réputé, qui joue sur pas mal de tableaux — et non des moindres. Je l'ai pris comme agent il y a dix ans. À l'époque, il n'avait pas encore la trentaine et traînait souvent dans les studios où l'on tournait *Mr. Woods*, car il représentait Callum Duff, l'adorable bambin qui interprétait le rôle de Jeremy, l'ami humain de l'elfe égaré. Un jour, par hasard, nous avons commencé à bavarder devant la boutique de friandises. Je portais la moitié de mon costume en latex, j'avais le visage ruisselant de sueur : bref, je n'étais pas vraiment en beauté, mais, cinq minutes après, je faisais partie de son écurie.

Je crois que ce qui l'a séduit au début, c'est que lier connaissance avec quelqu'un comme moi avait l'attrait de la nouveauté. Il me téléphonait une ou deux fois par mois pour que je lui raconte mes petites histoires et aussi pour me faire part des derniers potins concernant le petit cercle de ses amis, qui, à l'en croire, était exclusivement constitué de quelques autres gays auxquels venaient de temps à autre se joindre Dolly Parton et Cher. On ne peut pas dire qu'il me trouvait des engagements à la pelle, mais je tournais assez régulièrement, surtout dans des films d'horreur, accomplissant mes pitreries avec enthousiasme au fond d'un réfrigérateur ou ailleurs.

Une fois (c'était environ un an après notre rencontre), Leonard m'invita à chanter au cours d'une réception que son amant et lui donnaient dans leur luxueuse nouvelle maison d'Hollywood Hills. Sur le carton d'invitation, mon numéro était annoncé en lettres gravées, sous le titre « Une soirée avec Mr. Woods ». Je grimpai sur un demi-queue laqué de rouge au milieu d'un patio décoré façon post-moderne, avec toutes sortes de sculptures en plâtre blanc érigées çà et là, et donnai ma plus vibrante interprétation de *Stand by Your Man.* Tous les mecs étaient enchantés, et je dois dire que je m'amusai beaucoup, même si j'étais venue principalement dans l'espoir de rencontrer Dolly Parton ou Cher (et de préférence les deux). Leonard, ce salaud, me l'avait pour ainsi dire promis lorsqu'il m'avait demandé de chanter.

Depuis lors, nos contacts sont restés strictement professionnels, et c'est toujours moi qui ai dû le relancer. Ces dernières années, si j'en juge par le prestige de sa clientèle, l'étoile de ce cher Leonard est montée très haut au firmament de l'industrie cinématographique. Je vois son nom partout, dans les publications sur le cinéma comme dans les rubriques mondaines, associé à ceux de grands pontes comme Barry Diller, Sandy Gallin ou David Geffen. J'en suis contente pour lui, certes, mais le moins qu'on puisse dire, c'est que pour le moment son succès n'a pas vraiment rejailli sur moi.

Je me suis donc abstenue de le mettre sur le gril à propos de ces histoires de radio. Je sais trop bien que lorsqu'on oblige Leonard à mentir, ça n'a pas d'autre effet que de le mettre de mauvaise humeur. Aussi ai-je seulement demandé :

— Alors, toujours rien de nouveau ?

Il m'a gratifiée d'un gros soupir compatissant, puis :

— Hmmm... J'ai bien peur que non, mon ange.

— Je ne voudrais pas t'importuner, mais ma situation commence à devenir critique...

— Je sais.

Je réfléchis aux diverses approches possibles, puis m'enhardis :

— C'est peut-être hasardeux, mais j'ai pensé à *Twin Peaks*.

— Impossible.

— Prends le temps de m'écouter, tu veux ? Je ne sais pas ce qu'ils projettent pour la prochaine série d'épisodes, mais Lynch a déjà employé des petites personnes par le passé, et...

— C'est fichu, Cady.

— Quoi ?

— *Twin Peaks*. C'est fichu. Au rebut. Ça ne passera pas l'été.

— *Twin Peaks* ? Fichu ?

Il ricana.

— C'est vraiment ce qui se dit ? Où es-tu allé pêcher ça ?

— Allons ! répliqua-t-il, sur un ton d'incrédulité amusée. D'où sors-tu ?

— De nulle part, justement !

Je pris une voix aussi sèche que possible sans paraître en colère.

— Je croupis chez moi, Leonard, dans cette maudite

Vallée, je n'en sors jamais. Et si tu ne m'en tires pas rapidement, je finirai par ne plus être au courant de rien !

— Ça m'étonnerait, dit-il. Quoi qu'il arrive, tu es de ces gens à qui rien n'échappe !

Je compris qu'il avait pris le parti de me flatter — ce qui était très mauvais signe, car Leonard n'utilise cette échappatoire que lorsqu'il ne sait plus comment parvenir à ses fins. Un tiraillement dans mon estomac m'avertit qu'il me fallait m'attendre au pire.

— Écoute, lança-t-il. Je crois que je connais un type qui pourrait t'aider.

— Qu'est-ce que tu veux dire ?

Priant le bon Dieu pour être sûre d'avoir mal compris, je retenais mon souffle à présent.

— Il s'appelle Arnie Green. Un très chic type, qui connaît son monde. Il dirige une agence à...

— Je sais parfaitement qui est Arnie Green, Leonard.

— Dans ce cas...

— Il est spécialisé dans les artistes de variétés. Je ne suis pas une artiste de variétés. Je suis actrice.

— Je sais bien, mais...

— Bon sang, Leonard ! Sa clientèle, ce sont les clowns et les fakirs !

— Cady, voyons, j'essaie seulement de te sortir du pétrin...

C'est ça, pensai-je. *Et de me sortir de ta vie par la même occasion. Je ne suis plus qu'une source d'embêtements, et tu veux en finir une bonne fois pour toutes.*

Il prit la voix la plus douce que je lui aie jamais entendue et poursuivit :

— Le fait est que tu as besoin d'engagements réguliers, Cady. À quoi ça t'avance-t-il d'être aussi fière ? Tu en es à faire du démarchage téléphonique ! Arnie Green, ce n'est peut-être pas le cinéma, mais il te donnerait au moins des occasions de te produire en public.

— Dans des concours de lancer de nains ?

Leonard soupira :

— C'est tout de même moins craignos que ça...

— En somme, tu me laisses tomber ? coupai-je.

— Est-ce que j'ai dit ça ?

— Oh, non ! De toute façon, tu ne *dis* jamais rien.

— Je ne sais pas pourquoi tu t'en prends à moi. J'essaie seulement de t'aider.

Je m'efforçai de prendre un ton contrit.

— Je sais.

— Il faut que tu te rendes compte...

Il s'interrompit presque aussitôt : de toute évidence, il avait peur d'avancer en terrain miné.

— Quoi ?

Je n'obtins pas de réponse.

— Quoi, Leonard ? De quoi faut-il que je me rende compte ?

— Eh bien ! De ce qu'il n'y a pas de demande concernant les gens comme toi. Je préfère ne pas te mentir, Cady. On n'écrit pas de rôles pour les petites personnes. Crois-moi, ça ne me fait pas plus plaisir qu'à toi.

— Je ne veux pas de rôle écrit pour moi. Je veux un rôle, c'est tout. Pourquoi ma taille devrait-elle forcément être un obstacle ? Je fais partie du monde réel, Leonard ! On peut rencontrer des nains n'importe où, exactement comme les rouquins ou les pédés.

Belle tirade, mais grosse erreur. Aujourd'hui, la plupart de mes amis gays adorent se désigner par le terme « pédé », mais à l'évidence il n'est pas du goût de Leonard. Il lui a fallu une pleine décennie pour accepter « gay », alors « pédé »... Le long silence qui suivit me fit éloquemment comprendre que je l'avais vexé.

— Tu sais, continuai-je avec peine, je ne cherche pas à être une deuxième Julia Roberts... Mais on pourrait m'employer pour n'importe quel rôle de composition. Je peux jouer tout ce que joue Bette Midler. Ou Whoopi Goldberg. On aurait pu m'engager pour l'extra-lucide de *Ghost,* par exemple.

En guise de réponse, Leonard poussa un grognement.

— Pourquoi pas ? insistai-je.

— Trop Zelda Rubinstein.

J'en étais sûre : s'il me balançait ça dans les dents, c'était pour se venger de ce que j'avais osé utiliser à son adresse un certain mot commençant par un « p ». C'était sa façon mesquine de me faire remarquer que les gens de petite taille n'étaient pas tous des ratés ; mais je refusai de laisser mes nerfs prendre le dessus.

— Quoi qu'il en soit, tu vois ce que je veux dire, repartis-je. C'est uniquement une question d'imagination au moment du casting.

— Non. C'est plus que ça.

— C'est quoi, alors ?

— Il faudrait t'assurer, Cady.

— Et alors ? Il faut assurer tout le monde.

— Eh bien... Je ne suis pas sûr qu'on le ferait pour toi, maintenant.

— Et pourquoi ça ?

Leonard ménagea un autre long silence douloureux, puis :

— Combien de kilos as-tu pris ? laissa-t-il tomber.

Je n'en croyais pas mes oreilles.

— Pardon ? demandai-je.

— Je ne voudrais pas être indiscret, Cady.

— Vas-y. Ne te gêne pas.

— Écoute...

— Qu'est-ce que c'est que cette histoire, Leonard ? Ça fait deux ans que tu ne m'as pas vue ! Est-ce que j'ai la *voix* de quelqu'un de gros ?

— Eh bien, les gens racontent... des choses. Tu saisis ?

Brièvement, délicieusement, je laissai mon imagination me représenter une scène où Bruce Willis et Demi Moore, ou peut-être les sœurs Redgrave, bavarderaient au cours d'un dîner chez Spago : *Vous avez-vu Cadence Roth récemment ? On l'engraisse comme un porcelet ou quoi ?* De retour sur terre, je m'avisai qu'un des petits chéris de Leonard avait dû m'apercevoir à un brunch quelque part dans West Hollywood, un dimanche.

— Et qu'est-ce qu'ils te racontent, ces gens ? m'enquis-je d'un ton glacial.

— Ne va pas te mettre dans la tête que je ne peux pas comprendre, dit-il, éludant la question. Dieu sait que pour moi aussi, cette histoire de poids est une bataille perpétuelle !

— Arrête tes conneries ! Tu es quasiment anorexique.

— Ça revient au même. Le fait est que tu ne peux pas te permettre de prendre un seul kilo supplémentaire, mon ange. C'est trop fatigant pour ton organisme. Dangereux pour ta santé, voilà. Et c'est ce qu'ils diront.

— Qui ça, « ils » ?

— Les studios.

— Ah ?

Je fis une pause d'une seconde.

— Bon, reprenons. Primo, je suis trop petite. Secundo, je suis trop grosse.

— Ne le prends pas comme ça, Cady. Tu sais que je te considère comme quelqu'un d'exceptionnel.

— Et c'est parce que tu me considères comme quelqu'un d'exceptionnel que tu m'appelles aussi souvent ?

Silence.

— Ne fais pas attention, repris-je, soudain effrayée à l'idée de le perdre complètement. Ce sont mes hormones qui se déchaînent. Je suis tellement énervée aujourd'hui que je pourrais étrangler une portée de chatons.

— Est-ce que tu veux bien le numéro de téléphone d'Arnie Green ?

— Non, merci. Je sais comment le joindre.

— C'est un chic type, je t'assure.

— Je n'en doute pas.

— Et puis, je reste à l'affût, mon ange !

— Merci.

— Je t'embrasse.

— Moi aussi.

J'ai raccroché, sur le point de fondre en larmes, et les idées plus confuses que jamais. « Je reste à l'affût », avait-il dit pour conclure. Impossible de savoir si c'était une fausse promesse de plus ou, de sa part, une manière équivoque de consommer le divorce. Dans un cas comme dans l'autre, je n'aimais pas cette phrase... car dans un cas comme dans l'autre, j'étais sûre que j'étais fichue.

Ce soir-là, Renée et moi avons commandé chez Domino une grande pizza aux poivrons et nous l'avons mangée par terre dans le salon.

— Après ça, ai-je dit tout en jouant avec les fils de la mozzarella, fini les excès ! À partir de demain : régime !

Renée a pouffé de rire.

— C'est ça ! a-t-elle ironisé.

— Non, Renée. Je suis vraiment décidée.

— Bon, bon.

Elle a haussé les épaules et m'a regardée par en dessous. Elle ne me croyait pas, je le savais.

— Qu'est-ce que c'était déjà, ce dont tu me parlais la semaine dernière ?

— Quoi ?

— Ce régime, là. Avec des milk-shakes protéinés.

— Ah, oui ! s'est-elle exclamée. Le régime de Cher.

J'ai fait la grimace :

— Tu as vu ça dans un livre ?

— Oui. Je l'ai à la boutique.

— Tu pourrais le rapporter ici ?

— Bien sûr.

Elle a pris une lamelle de poivron entre ses doigts et l'a jetée dans sa bouche.

— Qu'est-ce qui t'a mis cette idée en tête ?

— Rien du tout. Je trouve seulement qu'il est temps de me reprendre en main.

Renée a hoché la tête d'un air distrait.

— J'ai quelques idées de boulot, et il faut que je sois présentable.

Je pensais à Arnie Green, bien sûr, mais je n'ai pas eu le courage de le lui dire. Ce que Renée attend de moi, c'est du glamour, des paillettes. Plus que tout, je redoutais de la décevoir.

— Dis-moi, fit-elle, son visage s'éclairant soudain. As-tu parlé à ton agent, aujourd'hui ?

— Oui.

— Et qu'est-ce qu'il a en tête, pour toi ?

Une fois de plus, elle avait son œil émoustillé de fan de choc.

— Oh, seulement... un certain nombre de possibilités.

— Génial !

— Oh, tu sais, Renée, il n'y a rien encore de très précis.

— Tout de même... Si tu te mets au régime...

Le regard qu'elle m'a décoché signifiait que je faisais la coquette, que je lui cachais un projet véritablement fabuleux. Je me suis sentie d'une fourberie sans limites. Honnêtement, ce régime, c'est pour mon propre confort, plus que toute autre chose. Du reste, je n'ai pas tant grossi que cela ; mais à cause de cet excédent de poids, je suis à bout de souffle dès que je marche un peu. En ce qui concerne mon physique, je n'ai jamais été très vulnérable aux piqûres d'amour-propre, mais j'avoue que ces temps derniers, lorsque je me regarde dans la glace, la personne que j'y vois me fait penser à un ballon de plage avec des jambes.

Renée a voulu faire un tour en voiture après le dîner. Nous sommes donc montées dans son vieux cabriolet tout cabossé, et avons roulé du côté de Ventura. Le ciel du crépuscule purifié par la pluie était d'un rose nacré, et l'air particulièrement tiède pour un mois d'avril. Avec ses flots de cheveux blond platine et son pull en angora bleu, Renée a fait des ravages parmi les petits mecs qui traînaient le long de la route. Comme ces jeunes dragueurs ne pouvaient pas me voir de loin — pas plus que je ne pouvais les voir, d'ailleurs —, ils se sont tout naturellement mis en tête que cette blonde à gros nichons était sortie toute seule courir la prétentaine. Ils poussaient des glapissements de concupiscence effrénée chaque fois que nous nous arrêtions à un feu rouge.

— Ils sont vraiment insupportables, soupira Renée, après la troisième ou quatrième fois.

Je levai les yeux vers elle.

— Allons donc ! la taquinai-je en ricanant. Tu adores ça.

— Pas du tout !

— Il y en a de mignons, dans le tas ?

— Non. Trop vulgaires ! À moitié nus, en plus.

— Où ça ?

Je défis ma ceinture de sécurité, m'agenouillai sur le siège et jetai un coup d'œil par-dessus la portière. Quatre petites frappes au torse nu, leurs skate-boards à leurs pieds, étaient assises sur un mur longeant un petit centre commercial. Tous un peu le genre Matt Dillon : autrement dit, pas vraiment mon type.

— Si je leur montrais mes fesses ?

— Oh, Cady !

Renée leva les yeux au ciel, en pouffant.

— Pourquoi pas ? ai-je insisté.

— Écoute, voyons ! T'as presque trente ans !

J'ai feint l'indignation :

— Oserais-tu prétendre que mes fesses ne sont plus ce qu'elles étaient ?

— S'il te plaît, tiens-toi tranquille !

— Ce serait très facile, tu sais ? Il n'y a qu'à ouvrir la portière et...

Elle se pencha pour arracher ma main de la poignée.

— On peut savoir ce qui te prend ? s'est-elle écriée, sous le choc.

— Tu crois que je ne suis pas cap' ?

— Oh, je suis sûre que si, justement.

Nous avons échangé un sourire qui tenait plutôt de la grimace. Nous nous comprenions, aussi ai-je abandonné mon petit jeu. J'aurais voulu lui dire que nous n'étions pas forcées de nous conduire en victimes, que nous pouvions réagir et leur river leur clou à notre façon, à ces petites gouapes, mais j'ai préféré me taire. Je savais qu'elle se mettrait à pleurnicher et qu'elle m'accuserait de lui faire la leçon une fois de plus.

Je me rassis et bouclai de nouveau ma ceinture. Nous avons roulé encore un moment, tournant à gauche, puis encore à gauche pour faire le tour des pâtés de maisons. Le ciel avait l'air à présent d'une toile de fond couleur de pêche bien mûre sur laquelle se détachaient les palmiers et les pancartes Exxon qui apparaissaient brièvement dans mon champ de vision. Je remplis mes poumons de l'air encore chargé d'humidité et m'affalai sur mon siège, goûtant voluptueusement la promesse de l'été. Dans une autre voiture, une radiocassette jouait *Kiss the Girl*, une chanson tirée de je ne sais plus quelle production de Disney, et qui avait quelque chose de presque païen dans cette soirée pseudo-tropicale.

— Où allons-nous maintenant ? m'enquis-je.

— Sais pas. Un joli coin ? Mulholland ?

— Bonne idée.

Lorsque nous commençâmes à gravir les collines, elles s'assombrissaient dans le couchant dont la couleur avait viré au pourpre. Renée était si taciturne que j'en vins à me demander si quelque chose de grave ne la tracassait pas. Je savais, au demeurant, que si elle comptait aborder un sujet explosif, elle attendrait pour cela que nous soyons arrivées tout en haut, où une tradition bien établie exigeait que nous descendions de voiture pour contempler les lumières de la Vallée.

Puis, alors qu'elle négociait un virage en épingle à cheveux dans une gorge, je levai les yeux et la surpris qui fixait le rétroviseur avec un froncement de sourcils.

— Qu'est-ce qui se passe ? m'inquiétai-je.

— Y a des types, derrière.

— Où ça, des types ?

— Dans une voiture.

— Ils nous suivent ?

— Difficile à dire.

— Comment t'y prends-tu ? ironisai-je. Tu dégages une odeur particulière, toi, ou quoi ?

Trop occupée à regarder dans son rétroviseur, Renée ne répondit pas. Ils s'étaient assez rapprochés pour que je les entende brailler, maintenant, une espèce de chanson aux accents plutôt vulgaires. Le seul mot que j'identifiais sans doute possible était « queue ». Comment se fait-il qu'une bande de mecs qui repèrent une belle paire de nibards ne puissent s'empêcher d'entonner séance tenante un hymne à la gloire de leur quéquette ? Pourquoi, puisque ce sont les beaux nichons qui leur plaisent, leurs chansons ne parlent-elles pas de nichons ?

Sur le visage de Renée, l'effroi se peignit bientôt.

— Oh, non ! gémit-elle.

— Quoi ?

— Ils accélèrent. Ils vont rouler à notre hauteur.

— Et après ?

— Ne les encourage pas, Cady, je t'en supplie !

— Moi ?

— *Ouâââh ! Vise un peu le morceau !*

La voix était à elle seule un pur produit d'Orange County, et résonnait juste au-dessus de ma portière. En fait, je distinguais même un côté du chapeau, décoré d'un drapeau américain.

— *Putain, t'as vu ça ? Elle a un gosse avec elle !*

Regardant droit devant moi, je m'essayai à garder tout mon sang-froid.

— *Mais non, c'est pas un gosse ! Merde alors, qu'est-ce que c'est ?*

— Cady ? geignit Renée à côté de moi.

— Quoi ?

— Qu'est-ce que je fais ?

— Roule, c'est tout. Plus vite.

— Mais...

— Je ne vais pas leur montrer mes fesses. Promis ! Continue à rouler.

— *Putain, mec, tu vas pas me croire ! Elle a même pensé à une petite copine pour toi !*

Sans cesser de regarder droit devant moi, je le gratifiai — oh, très discrètement ! — d'une ébauche de bras d'honneur.

— *Ha, ha ! T'as vu ça ? T'as vu ce qu'elle a fait, la demi-portion ?*

— Cady !

Renée me lança un regard désespéré.

— Ne t'en fais pas, lui dis-je, du même ton désinvolte. Reste calme.

La voiture des deux types s'attarda un moment près de la nôtre, et ses occupants continuèrent à beugler et ricaner comme deux hyènes. Enfin ils accélérèrent brusquement et disparurent au virage suivant. Observant Renée pour prendre toute la mesure des dégâts, je m'aperçus qu'elle avait les joues toutes brillantes de larmes. Pauvre chérie, il faut dire que ce genre de mésaventures la met dans tous ses états. Elle n'en a pas une aussi longue habitude que moi.

— Comment peuvent-ils être aussi ignobles ?

— Simple question d'entraînement, répondis-je.

— S'ils savaient qui tu es, ils seraient morts de honte !

— Nous allons dans le décor, Renée !

— Ooops...

Elle fit une embardée, et la voiture retrouva aussitôt la chaussée.

— Désolée.

— Que voulais-tu dire, avec ton « s'ils savaient qui tu es » ? repris-je.

— Eh bien, s'ils savaient qu'ils disaient ces horreurs à Mr. Woods !

— Oh, je t'en prie ! m'écriai-je, mi-amusée mi-agacée. Tu t'imagines vraiment qu'ils en auraient quelque chose à cirer ?

— Oh, oui... Je crois que oui !

— Ce que tu peux être nunuche, ma pauvre...

— Je te parie qu'ils sont allés voir le film, et je te parie qu'ils ont pleuré !

— C'est ça. Ensuite, ils sont même allés s'inscrire à la Ligue des Droits de l'homme.

Renée se tourna vers moi sourcils froncés, l'air perplexe.

— C'est juste une association, expliquai-je.

Elle semblait plus blessée que jamais.

— Tu te moques de moi, et pourtant je suis sérieuse, protesta-t-elle.

— Mais non, je ne me moque pas de toi.

Quelquefois, elle me donne l'impression d'avoir fait tomber le cornet de glace d'un enfant dans la poussière.

— Je crois en Mr. Woods, ajouta-t-elle d'un ton pénétré.

— Je sais, chérie.

Je trouvai un Kleenex dans la boîte à gants et le lui tendis.

— Mouche ton nez !

Nous nous sommes assises dans notre coin favori et avons contemplé les illuminations de la Vallée. L'air était plus frais, mais encore très agréable. Un hélicoptère voltigeait et tournoyait le long de la pente, au-dessous de nous, déversant sur les broussailles une lumière blanche et crue. La nuit était si calme, si paisible que j'entendis un chien aboyer tout en bas, dans Sherman Oaks.

— J'ai vu Ham aujourd'hui, annonça Renée.

— Ah oui ?

Je m'efforçai de prendre un ton aussi nonchalant que le sien.

— Il mangeait une pomme de terre au four dans ce fast-food, au centre commercial, tu vois ?

— Et qu'est-ce qu'il avait à te dire ? demandai-je.

— Je ne lui ai pas parlé. Je l'ai vu, c'est tout.

— Ah.

— C'était la première fois que je le voyais en presque deux ans, ajouta-t-elle.

— Presque trois, corrigeai-je.

— Il avait l'air en forme.

Elle soupira.

Bon sang, fulminai-je intérieurement, ce petit salaud l'a laissée tomber. Y avait-il vraiment de quoi avoir la larme à l'œil ? Renée se tourna vers moi, et me regarda longuement.

— Tu crois que je devrais l'appeler ?

— Non. Sûrement pas, répliquai-je.

— Il a l'air changé, Cady. Plus triste. Peut-être que je lui manque. Mais comment puis-je le savoir si...

— Ma petite, il a jeté tes affaires dans la cour et changé de serrures !

Conformément à sa vieille habitude, Renée hocha la tête d'un air morose.

— Je crois que ça en dit suffisamment long sur son compte ! ajoutai-je.

— C'est vrai.

— Et puis il ne t'avait jamais manqué, depuis tout ce temps : tu me l'as dit mille fois !

Autre hochement de tête.

— Qu'est-ce qui te tracasse, au juste ? demandai-je.

Elle poussa un gros soupir et scruta lugubrement dans le lointain. L'hélicoptère s'élevait dans le ciel, maintenant ; il s'éloignait et rapetissait de seconde en seconde. J'eus le sentiment qu'elle allait de nouveau se mettre à pleurer, mais non : elle pinça seulement ses lèvres et plissa un peu le front.

— J'ai réfléchi, dit-elle enfin. Peut-être qu'il avait raison.

— Raison de quoi ?

— Peut-être qu'il était *vraiment* le seul type à vouloir de moi sur cette terre...

— Oh, voyons, chérie !

— Tu comprends ce que je ressens ? insista-t-elle.

— Non, je ne comprends pas. Écoute, Renée, ce n'est pas parce que certains hommes sont incapables d'entretenir une relation assez longtemps pour... Enfin, ça ne veut pas dire que...

Je m'interrompis, faute de pouvoir affirmer où était exactement le problème. La vérité, c'est que je n'ai quasiment jamais vu Renée en compagnie de ses amoureux. Quand quelqu'un entre dans sa vie, elle a coutume de passer la plupart du temps chez le type en question. Et inquiète, peu sûre d'elle comme elle est, il est bien possible qu'elle devienne alors trop exigeante, trop collante dès le troisième rendez-vous, au point de mettre inévitablement en fuite même les plus gentils garçons.

Cherchant une autre façon de la réconforter, je me pen-

chai et glissai une main entre les siennes — l'un de mes
« bébés étoile de mer », comme elle les désigne, dans ses
grandes paluches de joueuse de base-ball — et lui dis
qu'un peu de gaieté serait la bienvenue, à présent. La
tenir par la main, c'est quelque chose qui marche presque
toujours, avec elle ; mais c'est une méthode que je garde
comme ultime ressource, pour que l'effet ne s'use pas. Il
y a ainsi un côté « Viens-pleurer-avec-maman » qui se
présente chaque fois que la grande et la petite sont senti-
mentalement en osmose, et qui me trouble, qui m'a toujours mise un peu mal à l'aise.

Renée sourit avec mélancolie :

— Mais comment ça s'explique, sinon ?

— Quoi donc ?

Elle haussa ses larges épaules bleu angora :

— Le fait qu'ils ne restent jamais...

— L'explication, la voilà : ce sont tous des petits
cons !

Elle soupira en s'impatientant.

— Mais comment veux-tu que ce soient *tous* des petits
cons ?

— Je ne sais pas. C'est une des grandes énigmes du
monde moderne. Une grande épidémie de connerie.

Retirant ma main d'entre les siennes, j'écrivis sur le
ciel avec mon index : *La Nuit des mille petits cons.*

Elle se mit à rire. Enfin.

— Ce pourrait être à cause de moi, tu sais...

Je prononçai cette phrase d'un ton léger, comme si
l'idée venait tout juste de me traverser l'esprit. Trop
souvent claquemurée dans cette maudite baraque, passant
beaucoup trop de temps à mariner dans mon propre jus, je
m'étais mis comme ça martel en tête pour une foule de
choses.

— Qu'est-ce que tu veux dire ? s'alarma Renée.

— Eh bien...

Je haussai les épaules.

— C'est peut-être moi qui les fais fuir.

— Cady...

Oh, qu'elle a eu l'air consterné !

— Mais voyons, je passe ma vie à me vanter de ma cohabitation avec toi.

— C'est exactement ce que je veux dire. Tu sais, mon chou, tout le monde n'est pas comme toi ! Tu ferais peut-être mieux de ne pas parler de moi. Du moins, pas dès le départ.

Sa main flotta un instant dans l'air, puis se posa sur sa poitrine, tandis qu'elle me jetait un regard horrifié.

— C'est la chose la plus abominable que je t'aie jamais entendue dire.

— Oh, ce n'était qu'une hypothèse !

— Une hypothèse idiote, alors. Au contraire, cela impressionne les gens, de savoir que nous partageons la même maison, une fois que je leur ai expliqué qui tu étais.

« Qui tu *étais* ». Vous avez saisi ? Quelquefois, elle parle de moi comme si j'étais la Norma Desmond des elfes.

— Je voulais seulement dire, expliquai-je calmement, que certains garçons pourraient avoir le sentiment que tu n'es pas vraiment libre.

— Comment ça, pas vraiment libre ?

— Que toi et moi, nous formons une sorte de paire ! Indissoluble, tu vois ?

Elle ouvrit la bouche et poussa un petit cri enfantin :

— Tu veux dire... des lesbiennes ?

— Mais non, mon ange ! m'écriai-je en riant.

— Quoi, alors ?

— Oh, je ne sais pas...

Décidément, la conversation s'embourbait.

— Tout ce que j'espère, c'est que les gens sont conscients que tu es une personne libre. Je veux dire : que rien ne t'empêche de faire ce dont tu as envie.

À présent, elle avait l'air complètement accablé.

— Qu'est-ce que tu as ? demandai-je.

— Tu veux que je déménage ?

Je me contentai de secouer la tête en lui souriant.

— À t'entendre, on aurait pu le croire, fit-elle d'une voix plaintive.

— Ma pauvre Renée, tu ne sais plus du tout où tu en es.

La lèvre inférieure de Renée se gonfla comme un oreiller pneumatique.

— Toi non plus, tu sais ? me retourna-t-elle.

Après cela, nous étions, je crois, immensément soulagées, l'une comme l'autre.

Depuis ce soir-là, beaucoup de choses se sont passées. Le lendemain, un chèque m'est arrivé pour le tournage de la pub anticellulite, me permettant tout juste de payer le dentiste et mes autres chèques en bois. Apparemment, ils vont enfin la diffuser, cette pub — d'ici à quelques semaines, à ce qu'ils prétendent. Aussi, je me blinde en attendant d'assister à la répétition sans fin de cette monstruosité chaque fois que j'allumerai la télé. Je ne peux même pas me consoler en pensant que ça me fera connaître, car tout ce qu'on voit de moi, ce sont deux petites jambes grassouillettes qui sortent d'un pot en polystyrène. Renée est dans tous ses états, naturellement, et s'évertue à alerter la planète entière.

Cet argent me donne au moins un peu de temps pour voir venir ; je me suis donc lancée dans un programme radical de remise en forme en vue d'une prochaine rencontre avec Arnie Green. Car je l'ai appelé, oui, et à présent Renée sait tout. Voilà pourquoi je suis allongée ici, sur mon matelas pneumatique, à me faire rôtir au soleil comme une folle, avec une infime couche de crème pour bébés pour toute protection, en dépit de tout ce que j'ai entendu au sujet de la couche d'ozone, des mélanomes et que sais-je encore. C'est aussi — puisqu'il faut tout vous dire — la raison pour laquelle j'ai décidé d'essayer le régime de Cher. J'ai prétendu que je ne le faisais que pour moi-même, mais c'est faux : je le fais pour Arnie Green, cet *alte kaker* avec du poil dans les oreilles.

Et, si tout ça ne vous a pas encore complètement écœurés, sachez que je suis aussi en train de me faire un ensemble pour mon entrevue avec Arnie. J'y travaille le matin, en regardant Joan Rivers. (C'était d'ailleurs à cela que j'étais occupée aujourd'hui, lorsque j'ai aperçu cette saleté de ruban jaune noué autour du réverbère.) L'ensemble est en satin noir et blanc, très *Dynasty*, le genre de truc qu'Alexis pourrait porter à un conseil d'administration, vous voyez. Dans le pur style ringard des années quatre-vingt, lequel serait parfaitement grotesque dans le bureau de Leonard, mais pourrait tout à fait bien être du goût du vieil Arnie.

Et j'aimerais autant. Je me suis aussi fabriqué un chapeau pour aller avec.

3

Il est tard, je suis morte de fatigue, mais j'ai décroché un nouveau boulot. Évidemment, je suis tentée d'envoyer promener ce journal, car la seule chose dont j'aie envie pour le moment, c'est de m'extirper de ce costume qui me moule trop et de plonger dans un bon bain chaud. D'un autre côté, cela fait presque deux semaines que je n'ai rien écrit, et j'ai toutes sortes de trucs à raconter. J'ai peur d'oublier des détails importants si je tarde trop à les noter. Et comme Renée vient de me récompenser de ma dure journée avec une tasse de chocolat chaud, je vais mettre à profit le pouvoir énergétique du sucre et faire de mon mieux pour vous décrire ma rencontre avec Arnie Green.

J'ai perdu presque deux kilos et demi au cours des dix jours que je m'étais donnés pour me remettre en forme. Pour moi, le résultat est assez spectaculaire. Ça n'a pas spécialement arrangé mes cuisses, bien sûr, mais j'ai retrouvé beaucoup de mon énergie et mes pommettes sont redevenues saillantes. Renée m'a fait un henné avant le rendez-vous, et j'ai passé deux heures à peaufiner mon maquillage, cherchant surtout à mettre en valeur mes yeux. Tout le monde me dit qu'ils sont ce que j'ai de mieux : vert émeraude pailleté d'éclats bruns et chauds, sensuels mais rassurants. Quand j'étais adolescente, à Baker, je passais des heures à les observer dans le miroir, imaginant à quoi aurait pu ressembler le reste d'une jolie fille dotée d'aussi beaux yeux.

Le bureau d'Arnie Green se trouve à North Hollywood. J'avais pris rendez-vous avec lui à huit heures et demie, de manière à ce que nous soyons complètement frais tous les deux, et que Renée puisse m'y conduire avant d'aller travailler. Étant la première « cliente » de la journée, j'éviterais par la même occasion les exaspérants bavardages de la salle d'attente, faciles à imaginer bien que je ne sois jamais allée jusqu'à ce bureau. Je serais coincée là avec tous les autres, me tournant les pouces avec une angoisse silencieuse, cependant qu'une accordéoniste aux cheveux décolorés me détaillerait fièrement son triomphal come-back lors de la récente convention Amway : pitié ! Pourquoi s'imposer ce genre de stress ?

Nous avons trouvé à nous garer juste devant l'entrée, ce qui m'a semblé de mauvais augure. Nous nous trouvions dans une sorte de ville fantôme, un mini-centre d'affaires plus qu'à demi déserté, où les noms des firmes et des agences étaient peints sur des pancartes en contre-plaqué écaillé, celles-là mêmes qu'avaient laissées les prédécesseurs. Le bureau vitré d'Arnie faisait partie d'une rangée de trois faisant face à la rue. Le premier était une agence d'import-export avec les Philippines et le deuxième, une boutique à rideaux orange dont le soleil avait fait virer les plis au rose crevette. L'écriteau accroché dehors portait une inscription griffonnée à la main : Vid-Mart Enterprises.

— Bon, dis-je. Je laisse tomber le chapeau.

— Pourquoi ? protesta Renée, presque choquée. Il te va si bien !

Le truc en question était une espèce d'insolent bibi triangulaire, du même satin blanc et noir que l'ensemble. J'avais passé toute une matinée à le fabriquer, exulté en contemplant le résultat, mais dans cet environnement miteux, il ne me semblait plus qu'un signe d'enthousiasme déplacé, voire pathétique. Je me sentais comme une baronne ruinée promenant son diadème dans un asile de nuit.

— Ça ne convient pas, lui opposai-je.

— Garde-le au moins un instant, pour qu'il puisse le voir...

— Renée !

Elle bouda un peu, cependant que je défaisais les épingles et fourrais le chapeau dans la boîte à gants. J'essayai ensuite d'examiner quelle tête j'avais maintenant en me regardant dans le rétroviseur.

— Je suis toute dépeignée, je suppose ?

— Mais non.

Elle arrangea quelques mèches autour de mes oreilles.

— Tu es superbe.

Je grommelai quelque chose de peu amène.

— Je te jure, Cady ! Ta peau est éclatante. Tu es radieuse.

Radieuse ou non, je trouvais que j'avais tout d'une idiote. Renée descendit de voiture, ouvrit ma portière et me souleva pour me déposer sur le trottoir. Je lissai ma robe, en maugréant des commentaires inintelligibles sur l'imbécillité de toute cette histoire. Comment avais-je pu écouter les conseils de Leonard, cette espèce de folle vipérine ? Et pourquoi, au nom du Ciel, m'étais-je figuré que du satin blanc et noir ferait une tenue appropriée pour un rendez-vous matinal ?

Une femme en bigoudis et bermuda sortit de la boutique d'import-export et s'arrêta brusquement, me fixant avec des yeux écarquillés. Pour lui montrer que je prenais acte de sa présence, j'esquissai un sourire pincé et lui adressai un signe de la main vaguement royal. Elle n'eut pas l'air le moins du monde embarrassé.

— Vous êtes dans le showbiz? me demanda-t-elle.

— Plus ou moins, répondis-je.

Et je me hâtai vers la porte d'Arnie comme si j'avais le diable à mes trousses.

— Quel genre? Le cirque?

— Elle jouait dans *Mr. Woods*! proclama Renée avec hauteur.

J'explosai :

— Renée, je t'en prie!

Voyant mon exaspération, mon amie rougit violemment, puis se retourna vers la femme.

— Nous devons nous dépêcher, expliqua-t-elle. Nous sommes en retard pour un rendez-vous avec son agent.

— Ce n'est pas mon agent! murmurai-je rageusement, tandis que Renée me tenait la porte.

— Appelle-le comme tu voudras.

Nous battîmes en retraite dans un local pas plus long que notre salon. Au fond, un bureau avec une réceptionniste, et une demi-douzaine de chaises en plastique alignées le long d'un mur. Une rangée de photos publicitaires était la seule chose qui distinguât cet endroit de la salle d'attente d'un quelconque vétérinaire. Je remarquai sur les clichés une fille en costume de cow-girl chevauchant un palomino, un cacatoès habillé, une troupe de caniches dansants... L'espèce humaine, dans l'écurie d'Arnie, rassemblait pour l'essentiel des magiciens, des clowns, des patineurs sur glace, et... oui, des nains également, qui semblaient tous me toiser de leur hauteur. Rien de surprenant jusque-là.

La réceptionniste leva les yeux de son ordinateur.

— Cadence Roth?

Je levai les mains et la gratifiai d'un grand sourire :

— Coupable, Votre Honneur!

Elle me jeta un regard qui voulait sans doute signifier de garder mes pitreries pour son patron. Je ne lui en voulus pas : la pauvre, depuis le temps, avait dû en entendre beaucoup, des âneries de ce genre! Je me demandai s'il se pouvait qu'elle fût Mrs. Green.

— Mr. Green va arriver dans une minute, dit-elle. Il est allé acheter des beignets.

— Très bien.

— Vous avez apporté un CV ?

Je répondis que j'en avais déjà envoyé un par courrier à Mr. Green. Elle fourgonna un moment parmi les papiers étalés sur son bureau, puis s'interrompit :

— Asseyez-vous, je vous en prie.

Puis elle se tourna vers Renée, qui béait devant les photos accrochées au mur.

— Vous êtes avec elle ?

Un instant, je craignis que Renée ne prétendît être mon imprésario. Je lui permets ce petit plaisir lorsqu'elle est entourée de consœurs vendeuses ou bien encore lorsque nous poireautons dans les files d'attente des cinémas ; mais chez un agent, c'est une autre histoire — même si l'agent en question se trouve être Arnie Green. Ils risquent de poser des questions auxquelles Renée serait bien incapable de répondre. Dans la confusion de mes préparatifs du matin, je n'avais pas pensé à l'en avertir.

Renée se borna heureusement à répondre sobrement oui.

— Un café ? proposa la réceptionniste.

— Non, merci, dit Renée.

Je fis non de la tête, en souriant, puis me hissai sur l'unique sofa de la pièce, travaillant dur des fesses et des coudes. C'est une manœuvre que j'effectue depuis de nombreuses années, mais je n'ai toujours pas trouvé une façon gracieuse de la réussir.

— Oh, regarde ! s'exclama Renée, examinant l'une des photos. C'est lui qui s'occupe de Big Bubba.

— Vraiment ? fis-je, d'un ton aussi enthousiaste que je le pus (car la réceptionniste nous regardait), bien que je n'eusse pas la plus petite idée de ce que pouvait bien être Big Bubba.

— Nous le représentons depuis des années, précisa fièrement notre hôtesse.

— C'est magnifique ! m'écriai-je, tout sourire, en parfaite pute que je suis.

— Vous êtes une fan ?

C'était à Renée qu'elle avait posé la question, grâce à Dieu.

— Bien sûr ! s'écria-t-elle.

— Et comment ! renchéris-je. Une fan enragée de Big Bubba, même !

C'est à ce moment qu'Arnie est entré, son sac de beignets à la main. J'ai tout de suite su que c'était lui, car il publie toujours des annonces publicitaires à son effigie au moment de Halloween et il était exactement comme sur sa photo : maigre, chauve, la peau tannée, avec de grosses vilaines chenilles de poils rampant hors de ses oreilles. Toutefois, au lieu du complet écossais des photos, il portait un Sansabelt bleu pâle avec un polo assorti.

Je sautai au bas du sofa pour lui en mettre plein la vue d'entrée de jeu avec ma taille. Habituellement, lorsque je rencontre les gens pour la première fois, cela permet de lancer la conversation. En outre, ils sont moins mal à l'aise quand ils constatent que je peux marcher.

Arnie se pencha pour me serrer la main.

— Très heureux, Miss Roth.

De toute évidence, il avait fait ses devoirs la veille au soir.

— J'avais très envie de vous rencontrer.

— Euh... Merci beaucoup.

Je n'aurais su dire si son amabilité était feinte ou non, mais je lui en fus reconnaissante.

— Est-ce que cette dame...?

Il fit un geste en direction de Renée, toujours debout devant le mur couvert de photos, avec l'air de ne pas savoir quoi faire de sa peau.

— C'est une amie, précisai-je. Elle m'a amenée en voiture.

— Ah. Très bien.

Sa main aux grosses veines bleues trop saillantes se tendit vers la porte de son bureau, invitant Renée à se joindre à nous. J'aurais pu jurer que je sentais dans l'air une légère odeur de testostérone — d'un très vieux millésime, cela va sans dire.

— Je vous en prie, poursuivit-il, après vous.

Renée pointa son doigt vers son sein gauche :

— Moi ?

— Pourquoi pas ? Nous sommes tous amis, ici.

Cela ne faisait pas du tout mon affaire. Premièrement, je voulais l'attention d'Arnie sans partage. Deuxièmement, je n'avais pas envie que Renée me voie ramper à ses pieds. Elle jeta un coup d'œil dans ma direction pour savoir si elle devait accepter, et je fis un geste rapide sur mon cou suggérant un vif désir de l'égorger.

— Il vaut mieux que je vous laisse tous les deux, dit-elle à Arnie.

— Pourquoi cela ?

— Euh... Il faut que je surveille la voiture.

Arnie eut l'air navré, comme si mon chauffeur osait là lui laisser entendre que son quartier était franchement douteux.

— C'est une décapotable, expliquai-je, et nous avons des affaires à l'intérieur.

— Comme vous voudrez.

Je le suivis dans le bureau sans fenêtres, mis à part un étroit vasistas situé en haut d'un mur. Le siège destiné aux clients était d'une hauteur inquiétante, monté sur roulettes, aussi dus-je avoir recours à l'aide d'Arnie pour m'y hisser. Il s'y prit fort maladroitement, faillit trébucher, et j'entendis quelque chose craquer dans son dos lorsqu'il m'y déposa : bravo pour le régime de Cher !

Une fois assis, Arnie boulotta un beignet tout en étudiant mon CV.

— *Mr. Woods*, donc ?

Je hochai la tête, souriant modestement.

— J'y ai emmené mes petits-enfants.

— Mmm...

— C'était votre voix ?

Je lui répondis que non, que la voix de l'elfe avait été créée électroniquement, que je n'avais fourni que sa gestuelle, que parfois Mr. Woods était un robot, parfois moi. (Vraiment, pensai-je alors, je devrais avoir une fiche signalétique à présenter là-dessus, quelque chose de ce genre, car c'est invariablement ces mêmes questions qu'on me pose !)

Au bout d'un moment, Arnie laissa tomber :

— Je ne crois pas avoir vu les autres films.

Je le dévisageai en ébauchant un sourire ironique :

— Je ne crois pas non plus que vous les ayez vus.

Il rit, découvrant une denture de vieux cheval, visiblement impressionné par ma démonstration sans ambages de sincérité professionnelle.

— Mais ils m'ont donné l'occasion de jouer, ajoutai-je. J'étais contente.

Arnie fit tomber de ses doigts le sucre de son beignet.

— Vous savez que je ne m'occupe pas de cinéma, dit-il.

Je fis oui de la tête, et avouai l'inavouable :

— Tout ce que je veux, c'est travailler, Mr. Green.

— Arnie, corrigea-t-il.

— Arnie.

— Vous chantez bien, remarqua-t-il. Vous avez une jolie voix.

Je lui avais envoyé une cassette de démonstration, enregistrée chez moi sur un mode... euh, artisanal, où je chantais *Coming Out of the Dark*, le dernier tube genre « retour-des-rives-de-la-mort » de Gloria Estefan, en faisant, je l'espère, valoir la volonté de vivre envers et contre tout qu'évoque cette chanson.

— L'enregistrement n'est pas fameux, fis-je observer. Je veux dire... la qualité sonore.

— C'est assez bon pour que je me rende compte. Vous m'avez fait penser à... Comment s'appelle-t-elle, déjà ? Teresa Brewer !

Effectivement, ce ne devait pas être très loin de la vérité.

Arnie a souri :

— Mais vous êtes trop jeune pour vous souvenir d'elle.

Je répliquai que je savais pourtant qui elle était, et que je prenais la comparaison comme un compliment.

De nouveau, il avait les yeux fixés sur mon CV.

— Je vois aussi que vous êtes votre propre maquilleuse, et votre propre costumière.

— Qui accepterait de s'en charger ?

— Vous n'avez pas fait ces chaussures vous-même ?

Il regardait mes souliers vernis.

— Non. Elles viennent de chez *K-Mart*. Rayon des tout-petits.

Un autre sourire lui échappa, presque celui d'un grand-père, me sembla-t-il, puis il secoua lentement la tête et se replongea dans mon CV. Après un long silence, il risqua une remarque :

— Je ne vois aucune mention de spectacles de catch.

— Non, répliquai-je. Et vous n'en verrez jamais.

Il hocha la tête, comme si cette phrase lui paraissait raisonnable.

— Et pas non plus de concours de lancer de nains, ajoutai-je.

Le hochement de tête continuait, aussi me jetai-je à l'eau :

— Puis-je espérer quelque chose ?

Il ouvrit un tiroir de son bureau et en sortit un classeur en piteux état.

— Je pense que oui. Peut-être.

Il s'avéra qu'il avait passé un accord avec une petite troupe basée dans la Vallée et appelée *PortaParty*, pourvoyeuse de divertissements « colorés » à l'occasion de réceptions, principalement des fêtes d'anniversaire pour les enfants de familles fortunées. Une artiste de la troupe — une femme clown de taille normale — venait de la quitter pour un engagement sur une chaîne de télévision, et ils cherchaient une remplaçante.

Arnie m'assura que je n'avais pas besoin d'être clown. Je serais libre de créer mon propre personnage, voire de chanter, pourvu que mon numéro plût au directeur. Le plus important était de distribuer des friandises et de savoir s'y prendre avec les enfants. Si l'idée me convenait, conclut-il, je pourrais commencer à travailler dès le week-end suivant.

L'idée, tout bien pesé, ne me semblait pas détestable — étant donné que la fille qui m'avait précédée avait décroché un job à la télé.

Et puis, c'était quand même du showbiz, en quelque sorte.

Je pris une nuit de réflexion comme Arnie me l'avait proposé, et le lendemain, je le rappelai pour accepter.

— Vous savez, ce n'est qu'un début, m'affirma-t-il.

Alors, pourquoi cela me donnait-il pourtant si fort le sentiment d'être la fin ?

Au fur et à mesure que la journée passait, mon humeur allait en s'assombrissant. Je me pris à songer tristement aux Corso, des gens auxquels je n'avais pas pensé depuis des années : un couple de petites personnes retraitées qui avaient travaillé dans le show-business, mais qui, de cette carrière, n'avaient conservé aucune trace, aucun vestige à montrer lorsque j'avais fait leur connaissance, hormis quelques vieux albums de photos et un appartement rempli de souvenirs bizarres. Comme moi, ils avaient joué dans un film qui avait enchanté le monde ; mais personne n'en savait plus rien, à moins qu'ils ne prissent la peine de le rappeler.

Maman s'était entichée d'Irene et Luther Corso au milieu des années soixante-dix, lorsqu'elle les avait rencontrés à un congrès des *Little People of America.* Ils avaient présenté en diapositives une rétrospective de leur carrière depuis longtemps tombée dans l'oubli. Maman était à ce point convaincue qu'elle avait affaire à des êtres extraordinaires qu'elle m'avait emmenée en voiture jusqu'à Phoenix, en Arizona, pour que je puisse les observer dans leur environnement naturel. J'étais à cette époque une adolescente maussade, peinant plus que d'autres à assumer mon identité ; aussi pensa-t-elle sans doute que cette expérience serait pour moi riche en enseignements.

Les Corso approchaient tous deux de la soixantaine et vivaient au septième étage d'une tour, en banlieue. Luther me toisa du haut de son mètre vingt. Il avait le visage pareil à une pomme desséchée et portait un pantalon écossais avec une chemise à col boutonné. Comme une récente attaque avait rendu son élocution difficile, c'était surtout Irene, aux cheveux d'un lilas agressif et encore plus grande que lui, qui faisait les frais de la conversation. Celle-ci, pour autant que je me souvienne, tournait principalement autour de leurs enfants et de leurs parties de bridge ; et aussi, bien sûr, de la gloire fugitive qu'ils avaient connue presque quarante ans plus tôt, lorsqu'ils avaient joué les Munchkins dans *Le Magicien d'Oz.*

Leur salon était un vrai musée de... l'Ozerie (si j'ose dire), où s'entassaient des Tin Men en plastique, des Lions en peluche et des Méchantes Sorcières... Même les briques de leur balcon étaient peintes de cette fameuse couleur jaune reconnaissable entre mille. J'ai toujours adoré ce film (et ça continue), mais rien au monde ne m'aurait fait trouver le moindre point commun entre le mythe qu'il est devenu et ce petit monde prosaïque. C'étaient des Munchkins en pantoufles, oui, et, à jamais privés du décor du film, désastreusement dépouillés de toute magie ! Des Munchkins avec un micro-ondes dans leur cuisine, qui mangeaient des tartes surgelées et regardaient des tournois de golf à la télévision... Cela sonnait complètement faux, un point c'est tout.

Une partie du problème venait de leur taille. Lorsque la MGM les avait engagés, Irene et Luther étaient encore dans l'adolescence, mais depuis cette époque ils avaient tous les deux grandi d'au moins trente centimètres, de même qu'ils s'étaient considérablement épaissis. Nombre de Munchkins étaient à présent plus grands, me confia Irene : une révélation très choquante pour moi, que je reçus sans faire de commentaires, mais qui me procura le sentiment d'avoir été trahie. Du reste, la plupart des Munchkins n'étaient pas des nains à proprement parler : seulement des gens très petits, mais parfaitement proportionnés, en sorte que si leur hypophyse avait pu recevoir le coup de fouet approprié, il leur eût été possible de connaître une croissance normale. Si l'on y réfléchissait bien, les Corso n'étaient en fait pas du tout des créatures semblables à moi.

Irene nous apporta des Coca et des Ding Dong (vous voyez le tableau ?) et gratta le fond de ses souvenirs usés du temps où ils tournaient *Le Magicien d'Oz*. Luther et elle s'étaient rencontrés dans l'autocar affrété par Papa Singer, l'homme (de taille normale) chargé du recrutement des Munchkins à travers tout le pays. Quand ils étaient arrivés en Californie, au début de 1938, on les avait installés au Culver Hotel avec tous les autres. Le bâtiment existe toujours, d'ailleurs, bien qu'aujourd'hui il ait été transformé en immeuble de bureaux. Quand je passe devant et que j'imagine ce qu'il était en ce temps-là, je ne peux m'empêcher de me le représenter comme une sorte d'archipel paradisiaque exclusivement réservé à mes pareils.

Comme bon nombre des autres acteurs engagés pour *Oz*, les Corso avaient d'abord tourné dans un navet intitulé *Terror in Tiny Town*, le premier — et dernier ! — western musical entièrement interprété par des gens de petite taille. Irene portait des jambières de cuir et chevauchait un poney des Shetland le jour où Luther l'avait demandée en mariage. Elle ne se tenait plus de joie, raconta-t-elle, mais elle avait tout de même appelé sa mère à Ithaca avant de dire oui. Luther avait mis sa montre au clou pour pouvoir lui offrir une bague de fiançailles, et lorsque le tournage d'*Oz* commença, ils étaient mariés et partageaient la même chambre au Culver Hotel.

Quand je demandai à Irene combien ils avaient été payés pour jouer les Munchkins, elle se borna à sourire et me répondit : « Pas autant que Toto, le chien de Dorothy. » C'était la pure vérité, j'en eus la confirmation ; mais Luther et elle étaient tellement enthousiasmés par l'expérience nouvelle qu'ils vivaient, et tellement amoureux l'un de l'autre, que, prétendit-elle, la question du cachet n'avait eu aucune importance pour eux. Elle n'avait jamais compté devenir actrice, de toute façon : aussi cette aventure avait-elle été en tout point heureuse. À la vérité, Luther et elle étaient fondamentalement faits pour les affaires, insista-t-elle : c'est pourquoi ils avaient si bien réussi dans leur service de vente par correspondance. Aimerais-je voir la médaille des Citoyens entreprenants que leur avait décernée le *Kiwanis Club* ?

Les Corso ne connaissaient qu'une poignée de Munchkins encore vivants. Trois ou quatre d'entre eux habitaient même à Phoenix, et se montraient, occasionnellement, aux réunions des *Little People of America*. L'un d'eux était sur leur liste noire : un vieux bonhomme — à présent en maison de retraite — qui s'était, pendant des années, vanté à qui voulait l'entendre qu'il avait interprété dans le film le maire de Munchkinland. Or, il n'avait joué qu'un rôle de soldat, affirma Irene, et non le type aux favoris et à l'énorme montre de gousset dont tout le monde se souvient. Cela me semblait un mensonge assez inoffensif, mais Irene prétendit que cela lui avait causé beaucoup d'embarras, car elle avait reçu de nombreuses visites de reporters venus lui demander de ses nouvelles. Le véritable maire avait été de leurs amis, à Luther et à elle, et il était mort depuis des années.

Les Corso en voulaient encore plus à Judy Garland — bien qu'ils eussent conservé sa photo dédicacée sur le manteau de la cheminée. Judy, déclara Irene, avait été un jour l'invitée du talk-show de Jack Paar, et elle s'était répandue en propos peu aimables sur les Munchkins, qu'elle avait traités d'ivrognes et d'obsédés sexuels, et, d'une manière générale, ridiculisés pour s'attirer à leurs dépens les rires gras du public. Cela les avait beaucoup blessés, dit-elle, car Judy s'était montrée particulièrement gentille à l'époque du tournage. Il n'y avait rien de vrai dans toutes ces histoires, mais le mythe des Munchkins dégénérés s'était si bien répandu qu'Hollywood avait fini par faire sur le sujet un film d'un humour scabreux, *Under the Rainbow*. Le studio avait dû engager de vrais nains pour jouer les Munchkins, car, grâce aux miracles de la médecine moderne, il n'existait plus assez d'interprètes seulement de très petite taille pour tenir les différents rôles.

Nous passâmes environ deux heures chez les Corso.

Au moment où nous partions, Irene m'embrassa avec solennité et m'offrit, dans un cadre, un poème sur les personnes de petite taille intitulé *Petites bénédictions.* Après quoi, maman et moi achetâmes des milk-shakes au beurre de cacahuète et fîmes une longue promenade en voiture dans le désert. Elle ne me demanda pas quelle impression m'avaient faite les Corso, aussi n'abordai-je pas le sujet, sachant combien il était facile de la froisser. En fait, elle avait compris ma déception — c'était pour cela qu'elle ne m'avait pas posé de questions — et elle se montra maussade et taciturne pendant tout le reste du voyage.

Lorsque je me remémore cet épisode, j'imagine qu'elle attendait en fait de moi que j'établisse un lien avec Irene et Luther, que j'échange avec eux je ne sais quelles poignées de main mystérieusement complices, voire que je les considère comme de bonnes fées pour moi, et cela, bien sûr, pour le reste de ma vie. À tout le moins, elle aurait trouvé normal qu'après cette rencontre je me sentisse moins seule. Maman était ainsi. Dieu sait si j'ai toujours fait des efforts pour la contenter, mais ce grand œuvre était voué à l'échec, voilà tout. Et ce jour-là, je m'étais senti une parenté plus réelle avec celui qui nous avait vendu nos milk-shakes au *Dairy Queen,* un hippie indien camé jusqu'aux yeux, qu'avec ces has-been mélancoliques et trop grands dans leur tour de banlieue.

Serrant les dents, j'appelai le directeur de *PortaParty* pour que nous parlions du premier spectacle prévu. Son nom était Neil Riccarton, et il se montra plutôt sympathique au téléphone, en dépit d'une petite voix niaise qui m'a fait penser à Kevin Costner. Il me proposa de venir me joindre à la troupe (j'ai aimé la phrase, une vraie phrase de théâtre) sur le parking du centre commercial, au carrefour de Sunset Boulevard et de Crescent Heights. De là, nous nous rendrions sur le lieu de la réception, dans le minibus de *PortaParty.* Je ne pouvais pas le manquer, précisa-t-il : il y avait des clowns et des ballons multicolores peints sur ses côtés. Le spectacle avait lieu à Bel Air, dans la maison d'un gynécologue.

Après réflexion, j'optai pour un look de Pierrot : un costume en polyester noir, avec des ruches de dentelle blanche au cou, aux manches, et de gros boutons rouges sur le devant. À la fois accrocheur et solide, donc très pratique. J'évitai le traditionnel visage blanchi et m'en tins à mon maquillage habituel, sachant que je serais comme ça beaucoup plus à l'aise, surtout lorsque l'été viendrait. Et puis, bien sûr, je tenais à ce qu'on voie quelle tête j'ai.

Quand arriva le grand jour, Renée m'emmena en voiture sur le lieu du rendez-vous.

— Qui sont les autres ? me demanda-t-elle, les cheveux flottant au vent comme du linge sur un fil.

Nous venions d'atteindre le haut de la ville et commencions notre descente vers Hollywood. Tout bien considéré, c'était une matinée superbe.

— Quels autres ?

— Eh bien, les autres artistes du groupe.

Je lui répondis que je ne le savais pas exactement. Des clowns, pour la plupart. Et quelques mimes.

— Ouââh ! Génial ! s'enthousiasma-t-elle.

Je lui décochai un regard torve.

— Ne sois pas si négative, s'impatienta Renée. Si tu le veux vraiment, tout peut très bien marcher pour toi.

J'eus le sentiment déplaisant qu'elle avait appris cette profonde sagesse de son scientologue, mais n'en pipai mot, sachant combien le sujet était sensible. Par un accord tacite, nous bornâmes notre conversation à des considérations sur le paysage environnant, évitant d'aborder tant les misères de sa vie sentimentale que les misères de ma carrière, jusqu'à ce que nous arrivions à Sunset Boulevard et qu'elle aperçoive le minibus de *PortaParty*.

— Ouââh ! s'exclama-t-elle à nouveau, incapable de se contenir. Il est magnifique, ce bus !

Elle arrêta la voiture et ouvrit ma portière pour que je puisse mieux en juger. Plusieurs clowns étaient rassemblés derrière le bus, tirant sur leur dernière cigarette avant le spectacle. Lorsqu'il m'aperçut, l'un d'eux, un clone d'Emmett Kelly chaussé de Air Jordans, marqua un temps d'arrêt involontaire. Puis, se ressaisissant, il cria quelque chose en direction d'un jeune Noir qui se tenait accroupi devant une grande boîte de cotillons.

Neil Riccarton se leva et s'avança vers nous avec un sourire aveuglant. Il portait une combinaison de coton gris dont la fermeture éclair était descendue assez bas pour offrir aux regards une impressionnante étendue de pectoraux puissants et soyeux. À cette vision, je retins mon souffle. Ce fut seulement lorsqu'il parla que j'associai ce long corps de rêve à la petite voix du Middle West que j'avais entendue au téléphone.

— Vous êtes Cadence, c'est ça ?

— C'est ça.

Je fis un geste vers Renée, qui restait debout près de la portière.

— Et voici mon amie Renée.

— Bonjour, fit Neil.

Renée lui rendit son salut, toute rougissante.

Il se retourna ensuite vers moi.

— Vous avez besoin d'un coup de main ?

Normalement, quand Renée est là, c'est elle que je charge de me soulever, car elle est habituée à mon poids et à la manière dont il est distribué, si bien que je n'ai pas de mauvaises surprises ; pour Neil, je fis cependant une exception. Ses grandes mains se glissèrent sous mes bras avec une douce autorité, me transportant sur le sol en un seul mouvement d'une grande souplesse. Je le remerciai d'un mot, puis cachai mon trouble en faisant bouffer les ruches en dentelle de mes manches. Il me fallut toute ma volonté pour empêcher mon regard de dévier du côté de son entrejambe.

Tiens-toi donc un peu! me gendarmai-je. Ne fais pas de ce type un homme-objet. L'image du Noir super-étalon n'est qu'un mythe, et un mythe déshumanisant.

Il se pouvait aussi qu'il fût gay, bien entendu, mais, sérieusement, j'en doutais, et j'ai en ce domaine des antennes assez fiables. Heureusement, mes pensées salaces étaient modérées par sa voix chantonnante à la Kevin Costner, qui avait pour effet que ce pauvre Neil semblait la victime d'un mauvais doublage. En ne focalisant mon attention que sur cette voix, me dis-je, j'arriverai au bout de la journée sans me rendre ridicule.

Neil s'adressa à Renée :

— Malheureusement, se désola-t-il, nous n'avons qu'une seule place dans le minibus.

Décontenancée, Renée ne savait quoi dire, aussi me hâtai-je de répondre à sa place :

— Mais elle ne vient pas. Elle m'a juste déposée en voiture, rien de plus.

— Oh, je vois.

Renée en profita pour gratifier Neil du plus aguicheur des petits sourires. Rien n'était plus facile, décidément, que de percer cette fille à jour !

— Je vais au Beverly Center, roucoula-t-elle. J'ai pris ma journée pour ça.

— En ce cas, parfait.

— Il faudra que nous nous arrangions pour le retour, fis-je remarquer à Neil. Combien de temps pensez-vous que ça durera ?

— Difficile à dire avec exactitude, répondit-il en plissant un peu le front. Ça devrait se terminer aux alentours de cinq heures.

— Je vous attendrai ici, dit Renée.

— Merci, lança Neil. Ou alors...

Son regard se posa sur moi.

— Ou alors, je pourrais vous ramener moi-même.

Je lui avouai que j'habitais dans la Vallée.

— Je sais, répliqua-t-il. Moi aussi.

— Vraiment ?

C'était Renée qui venait de s'exprimer, et avec un peu trop d'entrain à mon goût.

— Aucun problème, donc, continua Neil, en me dévisageant toujours. J'ai l'habitude de le faire pour les gens de la troupe.

L'instant d'après, Renée était partie et j'étais recroquevillée à l'arrière du minibus avec trois clowns, une princesse de contes de fées à l'air hagard prénommée Julie, et tout un bric-à-brac d'accessoires pour la fête. Monopoliser un siège eût été abusif, aussi me blottis-je dans un nid douillet constitué de rideaux de scène en toile peinte. Tandis que le minibus cahotait en direction de Bel Air, Neil rompit la glace en annonçant à la cantonade que la nouvelle recrue de la troupe avait fait ses débuts au cinéma en jouant vous-savez-qui.

— Ah la vache ! dit Julie. Je donnerais n'importe quoi pour un rôle comme ça !

Je lui rétorquai que cela n'avait pas vraiment changé ma vie.

— Tout de même, insista-t-elle, c'est un film-culte !

L'un des garçons — un clown aux favoris rouges, à l'air emprunté, du nom de Tread — me regarda par-dessus son épaule et lança :

— Moi, j'ai adoré la scène où Mr. Woods mange un brownie à la marijuana.

— Et qu'il bouffe n'importe quoi ensuite ! ajouta quelqu'un d'autre.

— Oui. C'était génial, opina un troisième.

— On n'oserait plus montrer une scène comme ça aujourd'hui.

— Sûrement pas !

Neil jeta à Tread un regard en coin.

— Hé ! protesta celui-ci. J'ai rien fumé, moi !

— En tout cas, dit Neil calmement, tout ce que je te demande, c'est de ne pas fumer chez les clients.

— T'es pas cool ! marmonna Tread.

— Dis donc !

Neil avait pris un air doux et plaintif à la fois.

— Est-ce que je ressemble à Marilyn Quayle ? ironisa-t-il.

— À s'y méprendre ! commenta Julie.

Et elle partit d'un petit rire de grenouille, puis donna à Neil une tape sur l'épaule.

— Surtout quand tu fais ta bouche en cul de poule.

— Ma bouche en cul de poule ?

73

— Tu sais bien !...

Julie avança ses lèvres pincées, bientôt imitée par Tread et un autre clown, au grand amusement de tout le monde, sauf de Neil.

— S'il vous plaît, les copains... supplia-t-il d'une voix volontairement geignarde. Pas devant une nouvelle venue.

Julie s'esclaffa, puis fut prise d'une quinte de toux façon Janis Joplin. Emmett Kelly la considéra d'un air navré, lui tapota le dos, mais en vain.

Neil me fixa un moment, puis cligna de l'œil.

— Tu sais, gémit-il, il n'est pas trop tard pour changer d'avis.

— Pourquoi ça ? répondis-je. Tout va très bien.

La maison du gynécologue était une immense villa en pierre de taille, à laquelle on accédait par une allée de gravier impeccablement entretenue entourée d'un gazon tout aussi impeccable. On entrait par une porte peinte en rouge sang qui paraissait plus haute que la maison elle-même. Au moment où nous arrivâmes, l'équipe envoyée par le traiteur s'affairait à dresser une tente sur la plus grande pelouse. Neil reçut ses instructions de l'épouse du gynécologue en personne — une créature d'une maigreur anorexique, à la tête surmontée d'une de ces coiffures soigneusement ébouriffées et asymétriques qu'apprécient toutes les bourgeoises de Bel Air —, puis il alla garer le minibus, comme on le lui avait dit, non loin du court de tennis.

Une fois descendue sur le gravier, je m'étirai et inspirai profondément plusieurs fois. Mon pied gauche s'était ankylosé pendant le trajet, et j'en frappai le sol comme un cheval de music-hall faisant un numéro d'arithmétique.

— Ça va ? me demanda Neil qui m'observait.

— Ça va.

— Qu'est-ce que tu veux souffler ?

— Pardon ?

Un sourire fendit sa bouche :

— Des ballons ou des bulles ?

— Et si je disais ni l'un ni l'autre ?

Il rit, puis fourragea à l'arrière du minibus pour finalement me tendre un flacon d'eau savonneuse.

— Essaye ! Ça marche du tonnerre avec les petits !

Je lui demandai s'ils étaient si petits que cela.

— Environ cinq ans. On fête les cinq printemps de la demoiselle de la maison.

— Quoi de particulier au programme ?

— Pas grand-chose. Faudra chanter *Happy Birthday to You*, apporter le gâteau...

— Ah. Est-ce que je devrai faire irruption du gâteau ? m'enquis-je en souriant.

Il prit mon ironie pour un signe de nervosité, je suppose, car il m'adressa un grand sourire à son tour et me rassura doucement :

— Ne t'en fais pas. Je suis sûr que tu seras géniale.

N'importe quelle autre personne qui aurait jugé bon de me réconforter avant un spectacle genre Mickey comme celui-là en aurait pris pour son grade, vous pouvez m'en croire ; mais Neil était différent. À mesure que la journée avançait, je pus voir à quel point il adorait son travail, et à quel point il voulait que je l'aime moi aussi. Il était fantastique, avec les enfants : jamais condescendant, et dénouant leurs petites crises comme s'il se rappelait parfaitement avoir éprouvé des sentiments semblables à leur âge. Voici l'image qui reste gravée en moi : Neil au piano, avec ses yeux d'onyx brillant de gaieté, en entonant la sérénade à la jeune reine de la fête avec une version modernisée de *You Must Have Been a Beautiful Baby*. Quand, à l'improviste, je me mis à l'accompagner dans le second couplet, il fut surpris de m'entendre si bien chanter, me fit un clin d'œil tout content, et parut enchanté de mon intervention. Ce fut pour moi un instant très gratifiant.

Les autres aussi tenaient bien leur rôle. Tread fit quelques tours de magie et fabriqua des animaux avec des ballons. Emmett Kelly et son copain se lancèrent dans des acrobaties burlesques, et Julie se promena en ondulant gracieusement des hanches avec sa baguette magique à la main et en racontant des blagues d'une incroyable niaiserie (même pour une princesse-fée s'adressant à des bambins de la maternelle). Je ne fis guère mieux avec mon numéro de soufflage de bulles, mais la plupart des enfants — Dieu bénisse leurs petites âmes de voyeurs — sautèrent avec bonheur sur l'occasion d'observer un adulte encore plus petit qu'eux.

À cinq heures, nous avions terminé et tout remballé mieux que ne l'eussent fait des bohémiens prêts à reprendre la route. C'est sous cet aspect-là que depuis un moment déjà, ne serait-ce que pour préserver ma santé mentale, j'avais commencé à envisager ce travail. Il était plus flatteur de penser que nous ne nous trouvions pas en fait à Bel Air, en 1991, mais quelque part au fin fond de la Roumanie un siècle plus tôt (les pogroms en moins), et que nous formions, en réalité, une petite troupe d'acteurs itinérants jouant dans une foire de village. Après tout, il y avait de l'herbe sous nos pieds, une musique toute simple que nous interprétions nous-mêmes, et un dôme de ciel bleu au-dessus de nos têtes. Alors, quelle importance si les villageois avaient tous le même âge et si la châtelaine était ridiculement coiffée ? La fantaisie, c'est l'art qui consiste à ne jamais trop faire le difficile.

Nous déposâmes les autres sur le parking de Sunset Boulevard, et Neil me raccompagna comme convenu. Tandis que nous gravissions le canyon, il se dit désolé des âneries inconvenantes qu'avait laissé échapper la femme du gynécologue, qui, entre autres choses, m'avait trouvée « mignonne comme tout », à peu près sur le même ton sucré qu'elle prenait pour parler à sa gamine de cinq ans.

Je reconnus que j'avais l'habitude.

— Oui, mais tout de même...

— Est-ce qu'elle t'a aussi complimenté sur le sens inné du rythme chez les nègres ?

Il eut un petit sourire en coin.

— Elle m'a confié qu'elle adorait *Do the Right Thing*...

En entendant mon rire sarcastique, il ajouta :

— Mais tu sais, ils ne sont pas tous comme ça !

— Dieu merci !

— Et puis, les enfants étaient rigolos, eux...

Ce n'était pas une question, mais je lui répondis par un petit murmure approbateur, pour me montrer bonne joueuse. Je doute, cependant, qu'il ait été très convaincu. Ce n'est pas que je déteste les enfants : certains peuvent être adorables, pris individuellement. Seulement, je préfère les éviter lorsqu'ils sont en groupe. Par exemple, lors de ces grandes réunions au cours desquelles ils se cament aux sucreries.

Neil me demanda tout à trac où j'avais appris à chanter aussi bien.

— Chez moi. À Baker.

— À Baker ?

— C'est une ville du désert. Personne n'en a jamais entendu parler. Également connue comme « La Porte de la Vallée de la Mort ».

Je levai les yeux au ciel.

— Pas mal trouvé comme appellation pour parler du Purgatoire, non ?

— Les gens ne l'appellent pas sérieusement comme ça ? se récria Neil après un rire incrédule.

— Si. Le plus sérieusement du monde ! Avec une grande pancarte au-dessus de la route à l'entrée de la ville, et tout et tout.

— Franchement, je n'arrive pas à me représenter ça.

— Ah non ? T'as de la chance !

— Donc tu chantais à l'école ?

— Ça m'est arrivé quelquefois. Mais le plus souvent, je restais chez moi et je fredonnais en écoutant mes disques des Bee Gees.

Cela le rendit pensif.

— Je vois l'influence, maintenant que tu en parles. Ta voix a une qualité qui a quelque chose de...

— Gibbsien ?

— Oui.

Je lui racontai qu'Arnie, lui, m'avait comparée à Teresa Brewer.

— Non, objecta-t-il. Tu me fais plutôt penser aux Bee Gees.

— Merci pour le compliment !

— Ne le prends pas mal, hein : tu as un timbre superbe. Il y a peut-être là quelque chose à exploiter, tu sais ? Tu devrais essayer de faire un disque.

Qu'est-ce qu'on dit de Hollywood, déjà ? Que c'est une ville où l'on peut mourir accablé sous les encouragements. Je ne voulais pas avoir l'air trop emballée, et réagis donc en prenant une expression sceptique.

— T'as un problème avec les Bee Gees ? s'enquit-il.

Je regardai Neil avec de grands yeux :

— Faut-il vraiment que j'explique ça à un Noir ?

Sa bouche esquissa un vague sourire et il haussa ses énormes épaules, comme pour dire qu'en matière de musique il n'avait aucun a priori et se sentait autorisé à aimer ce qu'il voulait.

— Je ne les trouvais pas mal, reconnut-il. Et c'est un style qui reviendra, tu verras. On se remet déjà à porter des chaussures à semelle compensée, dans les boîtes.

— Je grille d'impatience ! ironisai-je.

— Quand es-tu arrivée ici ? demanda-t-il, changeant de sujet.

— En 80.

— C'était une fugue ?

— Euh... En quelque sorte. Avec ma mère.

— Pour échapper à ton père, tu veux dire ?

— Oh, non ! Il avait fichu le camp bien avant. Quand j'avais trois ans.

Je lui souris.

— Il s'était rendu compte que son petit bout de chou resterait *définitivement* un petit bout de chou.

— Je vois...

— Non, maman et moi nous voulions seulement échapper à Baker. Et puis, je voulais être une star.

Je me sentis alors très gênée d'avoir fait cet aveu, aussi

levai-je les yeux au ciel pour lui montrer que je savais à quel point j'avais été bête. Je ne voulais pas qu'il croie que je me prenais tant que ça au sérieux. Même si c'était le cas.

— Tu as trouvé du boulot tout de suite, remarqua-t-il. *Mr. Woods* a été tourné en quelle année?

— En 81.

— Pas mal, pour une fille qui venait de débarquer! Tu as passé une audition?

— Non. Un jour, Philip m'a simplement vue avec ma mère.

— Philip Blenheim? Le réalisateur?

Je hochai sobrement la tête, jouissant de sa stupéfaction. La plupart des gens sont impressionnés lorsqu'ils découvrent qu'à une certaine époque, j'ai été à tu et à toi avec une célébrité de ce calibre. J'insiste sur « à une certaine époque »...

Un large sourire illumina le visage de Neil.

— Tu veux dire qu'il t'a découverte?

— En fait, il m'a marché dessus.

— Marché dessus? Où ça?

— Au *Farmers' Market*. Maman et moi étions là pour le brunch, c'était bondé, et il m'a bousculée parce qu'il ne m'avait pas vue. Mais il a été très gentil. Il nous a acheté des gâteaux, il s'est excusé à n'en plus finir. Plus tard, j'ai compris qu'en fait il me mesurait du regard en pensant à mon futur costume en latex. Il a pris notre numéro de téléphone et le soir même il a appelé maman; le lendemain après-midi j'avais le script.

Ébahi, Neil secouait la tête.

— Je ne me suis rendu compte de l'importance du projet qu'au moment où il a interdit le tournage au public, continuai-je.

— Je m'en souviens. Les journalistes étaient sur les dents pour glaner la moindre information.

Je lui dis que ç'avait été la période la plus étrange de ma vie. Et la plus excitante.

Neil se tut un moment, en gardant les yeux fixés sur la

route cependant que l'obscurité se faisait plus dense dans le canyon. Finalement, il me demanda :

— Est-ce que tu es entrée dans une boutique de vidéo cette semaine ?

— Non. Pourquoi ?

— Ils font une grande promotion.

— Sur quoi ?

— *Mr. Woods.* Non seulement sur les cassettes, mais aussi les affiches, les automates. Et les portraits de Jeremy avec l'elfe.

— Ah oui ?

— Oui. C'est le dixième anniversaire, non ?

— En effet.

Je savais que cela arriverait, bien sûr, mais je l'avais momentanément oublié. Du moins, je m'étais *efforcée* de l'oublier.

— On va probablement t'inviter à une soirée de gala, poursuivit-il.

— Sûrement pas !

— Pourquoi ?

— Philip tient à « préserver la magie ».

J'avais prononcé ces derniers mots en insistant sur les guillemets que j'y mettais, comme je le fais toujours.

— Qu'est-ce que tu veux dire ?

— Mr. Woods est un personnage qu'on ne doit voir qu'à l'écran, et rien d'autre. C'est cela, le ressort du film. Voilà pourquoi l'elfe ne doit jamais apparaître en public, pas même à la cérémonie des Oscars. Philip n'aime pas évoquer les trucages utilisés, et il ne veut pas non plus que les autres en parlent. Selon lui, ça ne fait que rappeler aux gens que Mr. Woods n'est pas réel, et il déteste cela.

— Mais c'est fascinant, au contraire. Surtout maintenant.

— Philip pense que cela anéantirait le pouvoir du film, que cela tuerait le mystère, etc. Du moins, il le pensait alors. Et je doute qu'il ait changé d'avis.

— Mais... tu n'es pas créditée au générique ?

Neil, décidément, semblait se soucier beaucoup de moi, et cela me faisait grand plaisir.

Je lui expliquai qu'une équipe d'une douzaine d'« opérateurs » chargés de l'animation de l'elfe était mentionnée à la fin du film, et que j'étais seulement l'un d'eux. Mon nom, pour le public, ne pouvait être tout au plus que celui d'une technicienne, d'un ingénieur en robotique ; non celui d'une actrice jouant un rôle. J'avais été interviewée une fois sur ma prestation, par un journaliste de *Drama-Logue*, et dès que l'article avait paru, Philip s'était mis en rogne et m'avait accusée de détruire toute la magie du film. J'avais failli être licenciée à cause de cela, dis-je à Neil, et Philip m'avait ensuite battu froid jusqu'au dernier jour de tournage.

Neil fronça les sourcils :

— Mais il ne t'en veut plus, à présent ?

— Comment le savoir ? Je ne l'ai pas revu depuis des années.

Il secoua la tête un moment en réfléchissant à tout cela.

— Quelle histoire ! soupira-t-il enfin.

Pour toute réponse, je haussai les épaules.

— Merci de me l'avoir racontée. Je penserai à celle qui se cache sous le latex, la prochaine fois que je verrai le film.

Il se tourna vers moi et m'adressa le plus gentil des sourires.

— Pour moi, sois sûre que ça ne détruira pas la magie.

Quand Neil et moi nous arrêtâmes devant la maison, Renée sortit en courant, pieds nus, revêtue d'un jean et du corsage en dentelle jaune qu'elle réserve pour les grandes occasions. Combien de temps elle nous avait ainsi guettés derrière la porte, je n'en saurai jamais rien.

— Alors, ça s'est passé comment ? s'enquit-elle, accoudée à la fenêtre du minibus.

— Bien, lui dis-je.

— Les enfants se sont amusés ?

— Oui, la rassurai-je. Ils ont passé un après-midi formidable.

— Besoin d'un coup de main ? demanda Neil, en se tournant vers moi.

Son visage se découpait sur celui de Renée — une sculpture de granit sur un fond de brouillard. Avais-je besoin d'un coup de main ? De ses *deux* mains, oui merci, grandes et couleur de pain d'épice, une sous chacune de mes aisselles. Et peut-être d'un peu de son haleine chaude contre ma joue, avec en plus un effluve plaisant de chewing-gum Juicy Fruit.

— Laissez, je peux le faire ! pépia Renée.

Mes yeux lui lancèrent quelques œillades aussi acérées que des poignards, mais elle les évita les unes après les autres, comme d'habitude, et galopa à mon secours, stupide à force de bonne volonté. Aussitôt qu'elle eut ouvert la portière, je me laissai glisser du siège et entamai la descente seule.

— Tu es sûre ?

— Absolument !

Je regardai Neil par-dessus le bord du siège avant de me laisser glisser sur le trottoir. Quand je me redressai, Renée était en train de lui proposer de prendre une tasse de chocolat avant de repartir, mais il déclina son offre :

— Non, merci. Voyez-vous, *bien longue est la route jusqu'à mon sommeil.*

Renée, naturellement, prit la référence à Robert Frost au pied de la lettre :

— Je croyais que vous habitiez près d'ici ?

— C'est le cas, effectivement, la route n'est pas si longue que ça, avoua-t-il en souriant. Je voulais seulement dire par là que j'ai pas mal de choses à faire avant de me coucher.

Renée hocha la tête. Neil se tourna vers moi :

— J'ai passé un excellent moment.

— Moi aussi, fis-je en écho.

Quelques secondes durant, nos regards se croisèrent avec insistance, puis le minibus s'éloigna du trottoir, et l'instant d'après il me cria :

— Je t'appelle demain pour te parler du prochain spectacle. J'ai quelques idées pour de nouvelles chansons.

— Super ! lui lançai-je en retour.

Quand le véhicule fut hors de vue, Renée marcha à mon côté jusqu'à la porte.

— Il est sympa, non ?

— Oui. Très.

— Et plutôt pas mal !

— Plutôt, acquiesçai-je.

Voilà, il est presque minuit et j'ai finalement pris mon bain. J'ai travaillé trois heures pour raconter tout cela, et c'est beaucoup plus longtemps que je ne l'avais prévu. Renée est heureusement entrée plusieurs fois pour me réapprovisionner en chocolat. Je devinais qu'elle grillait d'envie de me questionner sur mon nouveau patron, mais elle s'est contenue, apparemment par respect pour cette étrange éruption d'inspiration. Tant mieux, car je serais bien incapable de donner un nom à ce que j'éprouve. Si l'on m'avait posé la question au début de la journée, avant que tout le reste n'arrive, j'aurais tout simplement appelé cela du désir. Je veux dire : avant qu'il ne chante en duo avec moi, avant qu'il ne me raccompagne et ne prononce son adorable petite phrase sur cette « magie » de *Mr. Woods* qui en aucun cas ne serait perdue pour lui.

4

Cinq jours plus tard. De retour sur mon matelas pneumatique.

Il faut que je vous dise quelques mots sur Jeff Kassabian, mon ami de presque dix ans, car nous avons pris un brunch ensemble dimanche et il m'a raconté les plus invraisemblables balivernes que j'aie jamais entendues. Cette propension est d'ailleurs l'un des traits qui rendent Jeff tellement attachant, mais hélas elle a aussi quelque chose de pathétique, étant donné son état d'esprit du moment. Bien sûr, il est très naturel qu'il se sente parfois seul, mais je préférerais qu'il remédie à sa solitude autrement qu'en échafaudant des histoires foisonnantes et fumeuses à partir de concours de circonstances parfaitement banals. Banals pour lui, en tout cas.

Jeff est écrivain, et il a à peu près mon âge. Il vit principalement d'un emploi à temps partiel dans je ne sais quels bureaux, mais toute son énergie est investie dans l'œuvre à laquelle il travaille, un roman autobiographique du genre prolixe sur la difficulté de vivre son adolescence quand on est gay et arménien à Central Valley. C'est son deuxième livre. Le premier racontait l'histoire d'un Caucasien qui tombe amoureux d'un jeune Japonais dans un camp d'internement pendant la Seconde Guerre mondiale. Il lui a valu de remporter je ne sais plus quel prix de la littérature gay et il en a vendu environ deux mille exemplaires. Je suis allée à sa seule et unique séance de signatures — c'était à la librairie *A Different Light* de Silver Lake — et j'ai fini derrière la table avec lui, sirotant du vin blanc et flirtant avec les clients.

Quand j'ai rencontré Jeff dans un bar vidéo de West Hollywood, je ne savais à peu près rien de l'homosexualité, bien que les dix-neuf années que j'avais passées à Baker m'eussent idéalement préparée à la compagnie des gays et des lesbiennes. (Je pouvais m'asseoir sur un tonneau de bière dans un bar homo et m'amuser comme une folle pendant des heures, à boire et à rire en avalant des Quaaludes, sans avoir un instant l'impression d'être une Martienne. Les plus jolies starlettes mâles de la ville s'accroupissaient sur le sol pour me raconter les choses les plus extraordinaires.) Tout ce que j'arrive à me rappeler de cette première rencontre avec Jeff est l'exaltation avec laquelle il parlait d'un ami à lui en le décrivant comme une « délicieuse petite folle », et le temps qu'il me fallut pour comprendre qu'il ne s'agissait pas d'un nain gay.

À compter de ce jour, nous sommes devenus de très bons amis, même si nous ne nous voyons que par intermittence. Le dernier en date des amants de Jeff est mort du sida, il y aura deux ans au mois d'octobre. Ned était un type plus âgé, dans les cinquante ans, un homme sensé, équilibré, et sa présence une vraie source de stabilité pour Jeff, je crois. Depuis sa mort, Jeff s'est de plus en plus adonné à ce que j'appellerais la « mémoire créative ». Je ne veux pas dire qu'il ment : seulement il adapte la réalité... plus artistement qu'aucune autre personne que j'aie jamais connue. Dans la vie comme dans son travail, il pratique moins l'écriture que la réécriture, battant et mélangeant interminablement les faits comme des cartes à jouer pour leur donner forme et fonction, à son gré. Avec le temps, j'ai appris à ne recueillir ses souvenirs qu'avec des pincettes — de même que tous les plans qu'il passe son temps à tirer sur la comète.

Il m'a téléphoné l'autre jour de sa maison de Silver Lake :

— Je t'appelle trop tard pour un brunch au *Gloria's* ?

Je lui ai immédiatement demandé ce qui se passait.

— Il vient de m'arriver une chose incroyablement bizarre.

— Ah oui ?

J'ai fait de mon mieux pour ne pas paraître trop sceptique.

— J'ai besoin de tes conseils, a-t-il ajouté.

— De mes conseils, à moi ?

— Cette histoire va t'enchanter, si c'est bien ce que je pense ! Et puis si ça ne l'est pas, au moins nous aurons bien déjeuné.

— J'imagine que tu ne veux rien me dire au téléphone ?

— Bien sûr que non !

Je savais que Renée s'apprêtait à une expédition dans Beverly Hills en quête de chaussures, aussi décidai-je de partir avec elle. Il y avait des lustres que je n'avais pas revu Jeff, et, de surcroît, j'avais grande envie d'un dépaysement — surtout s'il n'impliquait pas d'infinis va-et-vient dans les galeries commerciales en compagnie de Renée. Je demandai seulement à Jeff s'il pourrait me reconduire.

— Tout ce que tu voudras.

— Alors, c'est d'accord, acquiesçai-je.

— Génial ! Ensuite, nous pourrons passer un petit moment chez moi.

— Tu n'as pas l'intention de me faire la lecture, j'espère ?

Il rit, mais un peu jaune, et je lui assurai que je plaisantais.

— Je croyais que tu aimais ça, gémit-il.

— Bien sûr, que j'aime ça ! Je t'ai dit que je plaisantais.

Oui, je plaisantais... Enfin presque. La dernière fois où nous avions « passé un petit moment » chez lui, il m'avait ainsi lu de longs, très longs passages de son autobiographie. Oh ! certes, c'était assez intéressant, surtout si l'on connaissait Jeff, mais la séance avait duré une bonne heure de trop. Je me rappelle, entre autres épisodes, un certain récit d'entreprise de séduction alors qu'il n'avait que quinze ans (c'était, si j'ai bonne mémoire, dans un hangar où l'on triait les petits pois), récit dont une bonne moitié aurait pu être coupée très avantageusement. Ce qui est aussi assez agaçant, à la longue, c'est qu'il raconte tout au présent : selon lui, c'est beaucoup plus littéraire.

— Ne t'inquiète pas, promit Jeff d'un ton boudeur. Je n'avais aucune intention de te piéger.

— Allons, ne parle pas comme ça. Tu sais bien que je suis ta plus grande admiratrice. N'est-ce pas moi qui t'ai appelé le Saroyan gay ?

Jeff émit un grognement.

— Tu recevras plein d'autres compliments en déjeunant, ajoutai-je avec désinvolture. C'est toi qui régales, j'espère ?

Il y avait sans doute plus d'anxiété dans cette question que je ne voulais le laisser paraître.

— Bien sûr, me rassura Jeff, encore un peu vexé. Je t'ai invitée, non ?

Comme il s'agissait d'un dimanche décontracté à Silver Lake, j'enfilai un T-shirt bleu-vert, que j'enjolivai d'un collier artisanal et de mon pin's triangulaire en strass rose portant un slogan d'Act Up. Quand je ne porte pas de costume de scène ou de tenue habillée, j'affiche ma prédilection pour les T-shirts : ils sont confortables, bon marché, et permettent toutes sortes de fantaisies pourvu qu'on sache jouer avec les accessoires. À une époque, je les ceinturais d'un tas de trucs brillants ou pailletés, mais il y a des années que je n'en prends plus la peine. Quand on est bâti comme moi, ça ne sert pas à grand-chose de faire semblant d'avoir une taille.

Renée a jacassé comme une pie pendant tout le trajet. Elle était impatiente d'acheter des tubes de peinture à l'huile, m'a-t-elle expliqué, car elle avait vu à la télévision un type qui vous apprenait en un rien de temps comment peindre des pics enneigés semés d'arbres de Noël rien qu'en donnant quelques coups de pinceau sur une toile. Le type en question n'était pas très beau, me dit-elle, et plutôt vieux, même ; mais il était doté d'une de ces voix profondes et veloutées qui ont pour effet que vous vous sentez soudain « extraordinairement calme », même si l'on ne peint pas. Déjà, la perspective de futures soirées à la maison me donnait le frisson : moi sur mon coussin, rédigeant mon journal, et Renée devant son chevalet, barbouillant sempiternellement les mêmes pics enneigés à perpétuité sous l'influence de je ne sais quel gourou barbu en cardigan. Renée m'a aussi cuisinée sur Neil une fois de plus. Elle ne m'a pas formellement demandé de lui décrocher un rendez-vous en tête à tête, mais je crois qu'elle est à deux doigts de le faire. Je serais ravie de lui faire plaisir, si Neil n'était pas mon employeur et si je ne la connaissais pas aussi bien. Neil et moi avons établi une relation de travail agréable et sans complications, et je crois qu'il est sage de n'y rien changer.

Quand nous sommes arrivées devant le *Gloria's*, j'ai indiqué à Renée où elle trouverait la boutique de matériel pour peintres la plus proche et je l'ai priée de me laisser,

désireuse de faire mon entrée toute seule. Comme le restaurant était bondé, je me suis frayé un chemin au milieu
d'une forêt de jambes, pour la plupart enveloppées dans
les pantalons à la dernière mode — je veux parler de ces
fuseaux aux couleurs fluo qui moulent des muscles de
culturiste en donnant aux homos l'air d'hétéros et vice
versa. Quand je fus arrivée vers le milieu de la salle, mes
yeux rencontrèrent ceux d'un garçon en cycliste vert émeraude, auquel il manquait une ou deux dents. « Salut,
Cady ! » me dit-il en souriant. Je lui rendis son sourire,
sans pouvoir me rappeler où je l'avais connu. Moulé dans
son short, son sexe allait et venait au-dessus de moi tel un
dirigeable miniature, iridescent comme les ailes d'un
papillon dans la lumière du matin.

— Hé ! par ici !

Jeff me faisait signe de l'une des tables. Derrière lui, au
travers d'une treille de bougainvillées blanches, me parvenait le grondement hargneux de la circulation de Sunset
Boulevard.

— Je t'ai apporté un coussin, m'annonça-t-il en me
hissant sur ma chaise.

— Pas possible ?

C'était un coussin à motifs cachemire, large, suffisamment plat, aussi ferme qu'il le fallait — exactement ce qui
convenait. Je m'installai dessus, rajustai mon T-shirt, puis
promenai mon regard sur la salle.

— Maintenant, je suppose que je dois te prédire ton
avenir ?

Jeff laissa échapper un petit rire. Je tressautai un peu
sur mon nouveau trône.

— Tu as apporté ce coussin de chez toi ? Vraiment ?
demandai-je, encore interloquée.

— Ce n'est pas si loin.

— Tu es fou !

Je l'observai rapidement, pour me réaccoutumer à ce
visage aux yeux sombres, débordant de générosité, et au
menton déjà couleur d'ardoise, bien qu'il ne fût encore
que midi. Ses cils ont toujours été son point fort, et ils

semblaient ce jour-là plus longs et plus soyeux que jamais, comme pour compenser son début de calvitie. Il portait un pantalon en velours côtelé vert et une chemise blanche toute simple, avec les manches roulées jusqu'aux coudes. Si ma mémoire est fidèle, c'était exactement ainsi qu'il était vêtu le soir où je l'avais rencontré pour la première fois au *Blue Parrot*, de nombreuses années plus tôt. Il s'agit là, je crois, de son uniforme d'écrivain.

— Je nous ai commandé deux margaritas, annonça-t-il.

Je répondis qu'il pourrait boire la mienne, lui apprenant ainsi que j'étais au régime.

— Rien qu'une ! insista-t-il.

— Faut-il absolument que je sois ivre morte pour entendre ce que tu as à me dire ?

Il sourit :

— Non.

Je le complimentai :

— Tu es très en beauté aujourd'hui.

— Merci. Toi aussi.

— Alors ? Cette histoire ? Si tu ne comptes pas me faire la lecture, j'espère qu'il s'agit de sexe.

Jeff éclata de rire.

— Quand était-ce ? insistai-je. La nuit dernière ?

Il fit oui de la tête.

— Et... l'engin était plus gros que mon bras, je me trompe ?

— Ne mets pas la charrue devant les bœufs.

— Allez, dis-moi tout.

Je croisai les bras sur ma poitrine et attendis.

— Bon, commença-t-il. Hier après-midi, je suis allé faire du jogging dans Griffith Park. Je me suis garé à l'endroit habituel, et c'est alors que j'ai vu un jeune mec appuyé contre une voiture.

— Signalement, s'il te plaît !

— Oh... Vingt ans, vingt et un ans. Cheveux couleur sable. Habillé comme s'il sortait d'un cours à la fac.

— Mignon ?

— Très.

— Continue.

— Eh bien, je suis parti vers le sentier pour courir, c'était tout de même pour ça que j'étais venu...

— Naturellement.

— ... et j'ai couru pendant une demi-heure. À la fin, j'étais à moitié mort d'épuisement ! Ensuite, je suis revenu au parking, et le petit mec était toujours là, toujours appuyé à la même voiture.

— Tiens, tiens...

— Quoi ?

— C'était pas un flic, j'espère ?

— Mais non. Tais-toi donc et laisse-moi finir.

— Excuse-moi.

— J'ai commencé à ouvrir ma portière et il... Enfin, tu vois, il est venu vers moi et il a essayé d'engager la conversation. Très maladroitement : le genre hésitant, effrayé, mais en même temps comme s'il n'en pouvait plus de ronger son frein. C'était vraiment troublant. J'avais l'impression de remonter le fil du temps. Ça m'a rappelé l'époque où je faisais mes premières tentatives pour vivre pleinement mon homosexualité. C'en était presque pathétique.

Je me bornai à hocher la tête. Je ne pouvais décemment pas commencer à le charrier au moment où il devenait lyrique.

— Alors, j'ai pris les choses en main, en quelque sorte, poursuivit Jeff. Comme j'aurais voulu que quelqu'un le fasse pour moi quand j'avais son âge. Je lui ai dit que j'habitais une maison où nous serions plus tranquilles pour bavarder et il a très bien compris ce que j'entendais par là. Il m'a suivi dans sa voiture jusqu'à chez moi, et là nous avons fait l'amour — ah là là... Tu peux pas imaginer ! Oh, pas des trucs exotiques ou compliqués. En fait, nous en sommes même plutôt restés au b.a.ba... Seulement il était tellement jeune ! Il aimait tellement ça ! Et puis il embrassait comme un ange.

Quand il eut fini, je m'éventai avec ma serviette d'un air blasé. Jeff, alors, se mit à rire.

— Il avait aussi une très jolie queue, ajouta-t-il.

— Grosse ?

— J'ai dit « jolie ».

— Il est resté toute la nuit ?

— Oh, oui !

— Et tu lui as pas fait la lecture ?

— Non, déclara-t-il catégoriquement. Va te faire foutre.

— Si, je suis sûre que tu lui as fait la lecture. Tu as obligé ce pauvre gosse à écouter in extenso le dernier chapitre que tu viens d'écrire.

J'imaginais la scène : Jeff appuyé à la tête de lit, son bloc-notes jaune à la main ; et le gamin ébouriffé, douillettement pelotonné contre le flanc de son aîné avec tous les symptômes de l'ataraxie postcoïtale. J'entendais même Jeff rire de ses propres traits d'humour et pousser des soupirs d'aise à l'écoute de sa propre prose... tellement, tellement bouleversante !

Peu après, Jeff laissa tomber lentement, dans un tout autre registre, d'une voix angoissée :

— Oh, Cady, je me sens si...

— Allons, m'alarmai-je, remets-toi ! Tu vas le revoir ?

— J'en doute.

— Pourquoi ?

— Eh bien...

Il haussa les épaules.

— Je lui ai donné mon numéro de téléphone, mais il n'a pas voulu me laisser le sien.

— Où habite-t-il ?

— Je n'en sais rien.

— Comment s'appelle-t-il ?

— Bob. Il m'a dit qu'il s'appelait Bob. Seulement est-ce que c'est vrai ? soupira Jeff. Ça, c'est autre chose !

— Et ton histoire s'arrête là ?

— Non, pas tout à fait. Il est reparti ce matin, très tôt, alors que je dormais encore. Il a laissé un petit mot sur la commode, qui disait : « Merci. Je t'aime beaucoup. » Ensuite il a filé. Je n'avais pas baisé comme ça depuis un siècle, et je me suis senti tellement... Enfin, je ne sais pas... Abandonné! Comme anéanti, tu vois? Je m'étais mis dans la tête que nous pourrions aller au cinéma aujourd'hui, faire quelque chose ensemble... Au moins prendre le petit déjeuner.

— Je te comprends.

— Seulement... Seulement il était parti. Alors, je me suis fait du café, j'ai bossé un moment sur mon livre, puis j'ai marché jusqu'ici pour rapporter quelques vidéos en retard, et quand je suis entré dans la boutique, il y avait tout cet étalage de trucs en promotion pour *Mr. Woods*... Tu les as vus, au fait?

Je lui dis qu'on m'en avait parlé.

— Ce sont des machins qui bougent, tu sais? Et puis il y a un grand portrait de Mr. Woods avec... le petit garçon. Je n'ai pas pu me rappeler son nom.

— Callum Duff.

— Non, son nom dans le film.

— Celui du personnage? Jeremy.

— Oui. Bien sûr, ça me revient, maintenant.

Il parut un instant perdu dans ses pensées. Je jugeai donc bon de l'encourager à poursuivre:

— Et... alors?

— Alors je suis resté planté là comme si j'avais les pieds collés au sol, presque pris de vertige, tout à coup: parce que c'est exactement à ce moment-là que je me suis rendu compte que c'était lui.

— Lui qui?

— Bob. Le garçon avec qui j'ai passé la nuit.

— Attends, je ne comprends pas.

— Ce Bob, c'était Callum Duff, Cady.

Je fronçai les sourcils et le regardai fixement. Je voyais bien, maintenant, où il voulait en venir, aussi incroyable que ce fût. J'avais pourtant du mal à m'y faire.

— Tu veux dire qu'il lui ressemblait?

— Non. Je suis persuadé que c'était lui. Il avait exactement le visage que l'enfant du film aurait aujourd'hui.

— Allons! Tu délires.

— Mais non, je...

— Callum habite dans le Maine, le coupai-je sèchement.

— Ah oui ?

— Oui. Depuis des années et des années.

— Oh...

Il avait l'air terriblement déçu.

— Ses parents sont venus le chercher à la fin du tournage et l'ont tout simplement ramené chez lui. *Mr. Woods* est le seul film qu'il ait jamais fait. Il est revenu pour les Oscars, et puis ç'a été fini : au revoir, Callum !

Du coup, je me rémémorai cette soirée mémorable entre toutes, il y a déjà si longtemps. Callum sur la scène avec Sigourney Weaver, remettant avec elle à je ne sais qui je ne sais quelle récompense technique sans intérêt, et le « Oh, merde ! » enfantin qui s'était échappé de ses lèvres lorsqu'il avait buté sur un mot compliqué qu'il n'avait pas bien lu sur le prompteur. Le monde entier avait été transporté par cet unique instant de vraie spontanéité dans une cérémonie par ailleurs entièrement préfabriquée. Callum avait quitté la scène sous un tonnerre d'applaudissements, ses taches de rousseur disparaissant sous un rougissement qu'on pouvait percevoir même en regardant une télé en noir et blanc. La ville était à ses pieds, mais tout ce qu'il semblait désormais souhaiter, c'était rentrer chez lui à Rockport, pour y retrouver ses copains et bien travailler à l'école afin de devenir un jour avocat comme papa.

C'était du moins ce qu'il avait déclaré à la presse à l'époque.

Jeff, cependant, ne voulait pas renoncer à sa belle romance.

— Peut-être qu'il est revenu, m'objecta-t-il.

— Je crois que je l'aurais su, lui opposai-je doucement.

— Tu veux dire que tu es toujours en contact avec lui ?

— Non, plus maintenant. Mais Leonard me l'aurait fait savoir, s'il était revenu.

— Leonard ? Qui est-ce ?

— Leonard Lord, mon agent. C'est aussi l'agent de Callum. Ou plutôt « c'était ». C'est d'ailleurs comme ça qu'il est devenu le mien, pendant le tournage de *Mr. Woods*. Je suis sûre que je t'ai déjà raconté ça.

Jeff, dépouillé de son rêve, hocha la tête d'un air absent.

— La ressemblance était donc si forte ? demandai-je.

— Peut-être que non, soupira-t-il.

— En tout cas, on dirait que c'est un gentil garçon. Son petit mot était charmant.

— Oui...

Je ne pouvais m'empêcher d'être aussi triste que Jeff. C'était le premier garçon dont il me parlait depuis la mort de Ned.

— Et puis ça pourrait faire une superbe histoire, avançai-je, sans beaucoup de conviction. Tu devrais essayer d'en tirer quelque chose.

On nous apporta nos margaritas et nous commandâmes notre déjeuner : un sandwich grillé au poulet pour lui, un plateau de fruits pour moi. Afin de le distraire de sa mélancolie, je lui parlai de mon nouveau boulot, en insistant lourdement sur les charmes de mon si séduisant patron pour l'intéresser davantage.

— Est-ce qu'il est marié ? me demanda Jeff.

— Non. Divorcé. Avec un gamin de sept ans. Le gamin vit à Tarzana avec son ex-femme.

— Ah, ah !

— Qu'est-ce que tu veux dire ?

— Il semblerait qu'il est disponible pour toi, c'est tout.

Je levai les yeux au ciel :

— Voyons, Jeff, c'est mon *patron* !

Je voyais combien il avait envie d'argumenter en faveur d'une possible aventure entre Neil et moi, mais je n'avais pas l'intention de le laisser faire. En pensée, il a déjà fait de ma vie amoureuse une véritable mythologie. C'est absurde, mais rien ne l'enchante comme de m'ima-

giner en petite lapine perpétuellement en chaleur, trottinant dans les rues de Tinseltown en quête de bonnes for-
tunes. Je lui ai une fois fait remarquer que beaucoup de
gens de petite taille souffraient — de la même façon que
les Noirs ou les gays — du préjugé si répandu qui veut
qu'ils soient tous obsédés par le sexe, mais ça ne l'a
aucunement démonté. Il m'a répondu qu'il n'avait jamais
bien compris ce que cette réputation pouvait avoir
d'insultant, et que j'avais tort de m'en formaliser.

Il n'en reste pas moins que je n'ai rien d'une Messa-
line. Ma dernière aventure sexuelle remonte à plus de
cinq ans. Le type en question s'appelait Henry Quel-
quechose, et c'était un vieil ami de Jeff, quelqu'un qu'il
avait connu à la fac de Davis et qui avait quitté le Ken-
tucky pour passer quelques jours chez lui. C'était une
espèce de hippie, maigre, l'air un peu cinglé, mais sympathique. Un après-midi, chez Jeff, alors que celui-ci était
sorti faire des courses pour le dîner, Henry m'avait fait un
massage avec de l'huile de cèdre dont il transportait toujours un flacon sur lui, dans un sac en cuir gaufré. Au
moment où ses doigts s'étaient involontairement égarés
— un accident pas facile à éviter, sur un corps comme le
mien —, j'avais réagi avec un gémissement de contentement... assez peu discret. Les choses avaient ensuite suivi
leur cours.

Et il y a eu pénétration, oui ! Je sais que c'est la question qui vous est immédiatement venue à l'esprit, alors
autant y répondre tout de suite et franchement. Rappelez-
vous que je suis une vraie naine, pas seulement une personne anormalement petite. Ce qui signifie que certaines
parties de mon corps sont d'une dimension plus proche de
la moyenne que d'autres. C'est un peu difficile à concevoir, je sais, mais vous pouvez me croire : jamais je ne
raconterais de mensonges à ce sujet. Quoi qu'il en soit, ce
pauvre Henry a paru encore plus étonné que moi par ce
qui venait de se produire, et le malheureux s'est beaucoup
tracassé par la suite car il pensait en fait avoir profité de
moi. Je lui ai assuré que non, mais il se sentait tellement
coupable que toute la fin de son séjour en a été gâchée.

Quand vint décembre, il m'écrivit de Bowling Green une longue carte de Noël au ton très, très sérieux, apparemment soucieux de savoir si je n'avais pas été traumatisée à jamais par ce qui s'était passé. Il n'en avait rien dit à Jeff, m'affirmait-il, et me jurait qu'il ne lui en dirait jamais un mot, comme si son silence devait préserver mon honneur. Jeff savait déjà tout, naturellement, car j'avais vendu la mèche une minute après que nous avions déposé Henry à l'aéroport. Et c'est d'ailleurs depuis ce temps-là qu'il est si fortement enclin à s'exagérer mon potentiel sexuel, de la même façon qu'il s'exagère à peu près tout.

Puisque nous sommes là-dessus, finissons-en. Je dois admettre que je n'ai jamais eu beaucoup de chance avec les hommes de ma taille. D'abord, ils ne sont pas nombreux ; et puis je n'ai jamais réussi à être attirée par ceux que j'ai rencontrés. À plusieurs reprises, maman a bien essayé de me caser avec des types dont elle avait fait la connaissance aux réunions des *Little People of America*, mais je les ai à chaque fois trouvés ridiculement machos, et pas du tout excitants. Certaines personnes prétendront sans doute que cette incapacité apparente à ressentir du désir pour les gens comme moi est le résultat inconscient d'un profond dégoût de moi-même, et peut-être auront-elles raison. À moins que la réalité ne soit plus simple : j'aime les types de grande taille. Point final. Après tout, on ne demande pas aux autres femmes de justifier leurs préférences en matière d'hommes.

Il fut un temps, bien sûr — au début des années quatre-vingt —, où, question sexualité, cela marchait plus fort pour moi. Des hommes très attirants me faisaient des propositions dans les endroits les plus bizarres, et j'étais devenue une espèce de baiseuse en série, même si tout cela n'allait pas sans quelques accès de douloureuse perplexité. Parfois, dans mes moments de déprime noire, je me demandais s'ils avaient vraiment envie de moi, Cadence Roth, ou s'il n'y avait là que perversion de leur part. Puis, heureusement, je finissais par comprendre à quel point j'avais été conditionnée par les conceptions du monde dit normal. Tout compte fait, si les rapports sexuels avec une naine étaient par définition pervers, je n'avais d'autre choix que de sauter au cou de la perversion chaque fois qu'elle croisait mon chemin, et de m'estimer heureuse qu'elle existât. Puisque leurs longues jambes et leurs gros seins faisaient le succès d'autres femmes, pourquoi mon corps, dans ma spécialité, n'aurait-il pas eu le droit de faire le mien ? Et si mon partenaire de hasard se gaussait après coup avec ses copains et ne cherchait plus jamais à me revoir, eh bien ! il fallait s'en accommoder comme du reste, à l'instar de n'importe quelle femme moderne. Ce n'était qu'une question de perception des choses, estimais-je, et de prise en main de mon propre destin.

Ces temps-ci, en revanche, j'ai seulement à déplorer que le gibier est devenu rare. Ma vie sexuelle doit tout aux bons et loyaux services de *Big Ed,* un vigoureux godemiché électrique que j'ai acheté à *La Malle d'Éros* l'année dernière. Ce merveilleux appareil et un bon film interprété par Keanu Reeves pourvoient habituellement à l'agrément de mes soirées lorsque Renée s'absente pour un rendez-vous. On comprendra sans peine, alors, que ses projets de peinture paysagiste me causent du souci, car ils risquent fort d'entraîner une diminution significative de mes moments d'intimité. Je pourrais, il est vrai, installer un téléviseur dans ma chambre, mais *Big Ed*, en mission, est à peu près aussi discret qu'un bombardier.

Après le déjeuner, Jeff a insisté pour que nous nous arrêtions dans un vidéo-club, afin que je voie la nouvelle gamme de produits *Mr. Woods* en promotion, dont une effigie animée du jeune héros passant affectueusement le bras autour du cou de son elfe bien-aimé. Jeff a examiné longuement les traits de Callum, mais s'est abstenu de toute tentative pour entretenir ses derniers fantasmes. Il n'y avait pourtant pas complètement renoncé, je le voyais bien.

— Si on le louait ? proposa-t-il.

— Le film ?

Je fis la grimace.

— Ben oui, pourquoi pas ?

— Eh bien, pour commencer, parce que ça ne fonctionne plus pour moi.

— Quand l'as-tu vu pour la dernière fois ?

— Il y a trois ans, quand Renée a emménagé chez moi.

— Moi, je ne l'ai pas revu depuis sa sortie, et j'adorerais le regarder avec toi... Tu pourrais me le commenter.

Je répondis par un grognement peu enthousiaste.

— Tu sais, ce n'est pas pour... ce garçon, insista-t-il. Je n'y pense plus.

Je répliquai que c'était le *film* qui m'ennuyait.

— Allons, un petit effort ! supplia-t-il. Et puis, j'ai à la maison de quoi te faire planer...

— Jeff !

— S'il te plaît.

Note au décorateur.

Le moins qu'on puisse dire est que Jeff n'accorde pas une importance excessive à son cadre de vie. Le petit pavillon qu'il loue en haut de la colline derrière le *Gloria's* est peint d'une couleur moutarde qui donne la nausée, avec des murs sérieusement écroûtés. En guise de jardin, il n'y a qu'un palmier chauve dans la cour et une rangée de rosiers miteux le long de l'allée. Ce jour-là, une cuvette de W-C abandonnée sur le trottoir nous accueillit assez peu gracieusement, laissée là par un voisin dans l'attente du passage de la benne à ordures. (J'ai l'impression, à ce propos, que les habitants de Los Angeles doivent refaire leur salle de bains plus souvent que n'importe où ailleurs dans le monde : pas moyen de tourner le coin d'une rue dans cette ville sans voir des sanitaires balancés au bord de la chaussée.)

Jeff justifie le choix de cette maison en prétendant qu'elle paraît tout droit sortie d'un roman de Nathanael West, mais pour les autres, cet argument ne suffit pas.

Sans le carillon éolien qui tinte sous le porche et le drapeau aux couleurs de l'arc-en-ciel qui fait office de rideau dans la chambre à coucher, on croirait entrer chez un assassin qui découpe ses victimes à la hache. D'autant plus que l'intérieur est encore pire : des piles de journaux jamais ouverts, du linge sale éparpillé partout, et des douzaines de plantes vertes anémiques implorant qu'on abrège leurs souffrances.

Avant de regarder le film, Jeff a roulé un joint et préparé une grande cruche de thé glacé. Cela faisait des mois que je n'avais pas fumé, aussi me trouvai-je très vite dans un état second, et à peine le générique avait-il commencé à défiler que j'étais prise d'une incontrôlable crise de fou rire. Jeff m'intima silence avec des airs de bibliothécaire indigné, totalement investi dans le programme qu'il s'était fixé. Au moment où Callum apparut pour la première fois sur l'écran, revenant de l'école à bicyclette, ses yeux se fermèrent à demi, sous l'effet d'une concentration fascinée.

— Alors, quel est le verdict ? lui demandai-je.

— Comment savoir ? répondit-il. De toute façon, c'est sans importance.

Après cela, nous ne parlâmes plus que de ma prestation ou des prouesses techniques que le film avait nécessitées. Comme je m'y attendais, il me fut une nouvelle fois totalement impossible de me laisser prendre par l'histoire. Tout ce qu'elle suscitait en moi, c'était le souvenir de la chaleur et de l'ennui, du rythme comateux de ma respiration dans le latex humide, et des sifflements perçants des circuits électriques entourant ma tête. Les accents tire-larmes de la bande-son n'avaient pas non plus le moindre effet sur moi, qui avais vécu ce tournage dans l'œil du cyclone. Je suis peut-être la seule personne au monde qui ait de bonnes raisons de ne pas être émue par *Mr. Woods*.

Vers la fin du film, au moment où Jeremy et l'elfe se disent adieu, Jeff s'agenouilla devant le magnétoscope et arrêta l'image sur un gros plan du visage du garçon. Je me demandai ce qu'il cherchait à distinguer. La couleur des yeux ? Une expression particulière ? Une constellation de taches de rousseur révélatrice ? Mais il restait assis et ne disait rien, son visage baigné par la lumière bleuâtre de l'écran se détachant théâtralement contre celui de Callum. J'avais presque l'impression d'être indiscrète.

— Peut-être que non, tout compte fait, prononça-t-il enfin.

Je compatis à sa désillusion avec un murmure attendri.

— Excuse-moi, ajouta-t-il.

— Tu n'as aucune raison de t'excuser.

— Je l'aurais pourtant juré, tu sais ?

— En tout cas, je suis contente que tu aies connu une telle nuit ! conclus-je sur un ton réconfortant.

Je tins toutefois à m'en mêler un peu et, par acquit de conscience, appelai le bureau de Leonard à la première heure le lendemain matin. Sa secrétaire m'annonça qu'il était en conférence, aussi demandai-je qu'il me rappelât « au sujet de Callum Duff », sachant trop bien qu'il n'en ferait rien si par malheur il en déduisait que je souhaitais seulement l'entretenir de mon humble personne. Il ne m'a appelée qu'hier, et même en cette occasion, j'ai senti à sa voix qu'il s'irritait que j'aie réussi à m'imposer à son attention deux fois dans le même mois. Je lui ai dit que j'étais désolée de le déranger, mais qu'un ami à moi pensait avoir croisé Callum en ville, et que j'aimerais avoir son numéro de téléphone s'il pouvait me le donner.

Leonard me répondit qu'il ne pouvait pas. Il n'était plus l'agent de Callum depuis de longues années, et, pour autant qu'il lui en souvînt, Callum poursuivait toujours ses études « dans je ne sais plus quelle université sur la côte Est ».

Je n'ai pas eu le cœur de le rapporter à Jeff.

5

Il est tard, mais je vous dois ces quelques pages.

Tous ces temps-ci, j'ai travaillé comme une folle pour *PortaParty* : jusqu'à deux spectacles par jour ! Le bouche à oreille à fait pour nous des merveilles à Bel Air et à Beverly Hills, et on nous refile d'un riche médecin à l'autre comme une recette de cuisine qui ferait fureur. Certains enfants sont maintenant tellement habitués à nous qu'ils m'appellent par mon prénom et deviennent de plus en plus audacieux quand vient la partie chantée du spectacle où je leur demande ce dont ils ont le plus envie. La semaine dernière, chez un dermatologue, une gamine de huit ans m'a réclamé *Like a Virgin* sur un ton si persuasif que j'ai fini par céder, et je l'ai chantée *sotto voce* pendant que les adultes étaient dehors et buvaient du décaféiné sous la marquise... Inutile de vous dire que j'ai cassé la baraque !

C'est agréable, cet enthousiasme, je dois l'admettre. Toutefois, je suis un peu perturbée par le vague sentiment de captivité que me donne ce petit public très particulier. De représentation en représentation, je me sens de moins en moins le bateleur d'une troupe ambulante, et de plus en plus le fou du roi. Je ne l'ai pas dit à Neil, bien sûr, car cet afflux de cachets l'enchante, et il estime que j'en suis en grande partie la cause, ce qui — soyons honnêtes — n'est probablement pas faux. J'appartiens au moins à la catégorie des « nouveautés » et il n'est pas difficile d'imaginer le scénario qui se répète de foyer en foyer : « Tu veux bien, maman, dis, tu veux bien ? Zachary l'a bien eue pour son anniversaire, lui, la dame toute petite ! »

Mon rêve secret, c'est qu'un jour nous jouerons pour les enfants des Spelling, ou des Spielberg, par exemple, et que ce sera le spectacle grâce auquel Aaron ou Steven, ou leurs épouses, ou n'importe qui d'autre qui travaille pour eux, découvrira enfin l'énorme talent caché sous ce boisseau itinérant et m'offrira un contrat séance tenante.

Invraisemblable ? Peut-être. Mais on a bien le droit de rêver, non ? Ce qui est sûr, c'est que nous nous produisons dans les quartiers qu'il faut... et que tôt ou tard, forcément, nous serons à court de docteurs.

Aujourd'hui, Renée et moi avons fait un saut à Hollywood, pour voir *Rocketeer* au cinéma El Capitan. C'était bien moins le film que la salle qui m'intéressait, un énorme bâtiment Art déco que les studios Disney viennent de rénover afin d'en faire leur « cinéma porte-drapeau » — je reprends là l'expression qu'ils emploient. Il y avait un spectacle avant la projection : on pouvait voir les ouvreurs et les ouvreuses en uniforme tiré à quatre épingles, dansant des claquettes et chantant une chanson effroyablement nunuche sur El Capitan et sur les inoubliables stars d'antan. Renée a adoré. Moi, ils m'ont plutôt évoqué des poupées électroniques, les pauvres chéris : des espèces de robots ramenés d'une virée à Disneyland et arborant des sourires si figés, si lugubres qu'on aurait pu croire qu'au lieu du paradis, ils vous accueillaient aux portes de l'enfer.

À mon avis, *Rocketeer* a peu de chances d'intéresser un public adulte, mais les spectateurs de cet après-midi m'ont paru emballés : ils acclamaient le film et tapaient du pied comme des idiots. La plus forte salve d'applaudissements s'est produite au moment où le gangster s'en prend aux nazis en proclamant : « Je ne gagne peut-être pas ma vie honnêtement, mais je suis un Américain fidèle à sa patrie ! »

Le syndrome du ruban jaune, lui, gagne du terrain. Pas moyen de faire dix pas sur le *Walk of Fame* sans buter sur un crétin en T-shirt à l'effigie du général Schwarzcoff. (Je ne sais pas comment ça s'écrit et je ne veux pas apprendre. Pour moi, ce n'est qu'un de ces Action Joe qu'on nous a vendus de force pour nous distraire pendant l'été.) Même les filles qui font le trottoir — je vous le jure ! — arborent des fringues à impression de camouflage style opération Tempête du désert. Genre « Putes

Unies pour le Pétrole ». Ou « Tapin anti-Bagdad ». Bref, c'est complètement surréaliste.

Il y a sur les murs de West Hollywood une affiche qui montre une longue voiture métallisée d'allure sinistre (j'ai oublié de quelle marque), avec pour tout slogan ces deux mots : VICTOIRE-ÉCLAIR. Subtil, non ? Les gens qui achèteront cette fichue bagnole devraient avoir droit à une plaque d'immatriculation spécifiant : MON AUTRE VOITURE EST UN BOMBARDIER. Réfléchissez rien qu'une seconde à ce qui se passe : chez nous, la guerre a de nouveau un tel pouvoir de fascination qu'elle nous sert à vendre des voitures — on en est là, et ce, pour brûler l'essence qui nous a poussés à massacrer tous ces pauvres gens.

Après la projection, nous sommes allées à *Book City*, cette énorme librairie du plus vieux quartier de Hollywood où les rayonnages s'élèvent du sol au plafond. Je l'aime beaucoup parce qu'il y a toujours une foule de livres intéressants à hauteur de mes yeux et que de plus c'est un tel labyrinthe que je peux littéralement m'y perdre. Renée, elle, s'y ennuie très vite, et elle a coutume de m'y laisser pour aller boire un milk-shake. Du moins, c'est ce qu'elle dit. Je crois qu'en réalité elle va plutôt regarder la lingerie fine exposée chez *Frederick's*. Elle ne peut pas y résister. Moi, tout ce qui m'intéresse chez *Frederick's*, c'est une bonne place sur le trottoir, juste devant la vitrine : l'endroit idéal pour l'empreinte de mes mains dans le ciment et une étoile où serait gravé mon nom.

À *Book City*, j'ai trouvé une bonne édition de *Rumpelstiltskin*. J'en cherchais une depuis des siècles, car cette histoire pourrait donner un film génial et je serais exactement la personne qu'il faut pour interpréter le rôle principal. Me déguiser une fois de plus en personnage masculin ne me dérangerait aucunement, pourvu qu'on voie mon visage. Dans cette version du conte, que j'ai lue ce soir en sirotant mon milk-shake (préparé selon la méthode Cher), Rumpelstiltskin est décrit avec délicatesse comme un « petit homme », non comme un nain méchant. Ce genre de révisionnisme humanitaire n'est un progrès que si l'on préfère l'invisibilité complète au mépris affiché. Je ne suis pas sûre que ce soit mon cas.

Le conte était à peu de chose près tel que je me le rappelais, et le pauvre garçon s'y faisait toujours avoir. Quand il est banni à la fin et se retrouve enterré jusqu'au cou tellement il a trépigné de colère, son seul crime est en fait d'avoir établi un contrat d'adoption et voulu que les termes en soient respectés. À mon avis, la vraie méchante dans l'histoire est la fille du meunier, cette espèce de salope vénale. Suivant les instructions du nain, elle a filé sur son rouet tant de fil d'or qu'elle en a rempli des pièces entières pour le roi, jusqu'à ce qu'il finisse par l'épouser, tout en sachant depuis le début que le prix à payer pour les services de Rumpelstiltskin serait de lui donner son premier-né. Ensuite, lorsqu'il vient chercher son dû, elle a le culot de prétendre qu'il l'a embobinée. Rien d'étonnant à ce qu'il la traite de tous les noms ! Elle s'est servie de lui comme s'il était un moins que rien, quelqu'un dont les sentiments ne méritent pas même la plus petite attention. Le livre ne le dit pas, bien sûr, mais il vous fait bien comprendre que le petit bonhomme ne se laisserait pas acheter pour tout l'or du royaume ! À ses yeux, c'est la vie humaine qui compte plus que tout, et c'est pour cette raison qu'il a tellement voulu un enfant à lui !...

Traitez-moi d'idiote si vous voulez, mais je pense qu'il y a dans ce conte de fées une histoire véritable, une histoire dont on pourrait faire un film merveilleux : celle d'un vieux nain bourru, querelleur, mais absolument humain, qui vit isolé dans les bois et rêve d'élever tout seul un enfant.

Quand j'ai expliqué ça à Renée, voilà ce qu'elle m'a répondu :

— T'as peut-être raison, mais les gens sont habitués à l'histoire telle qu'ils la connaissent.

Je lui ai rétorqué que ma version, c'était *aussi* l'histoire telle qu'ils la connaissaient... mais seulement vue sous un autre jour.

— Oui, mais tu sais, ce n'est pas drôle si... si Rumpelstiltskin n'est pas...

— Un affreux salaud ?

Elle s'est mise à rire.

— Ce n'est pas drôle, lui ai-je fait observer avec sévérité. Les nains ont toujours le mauvais rôle, dans ces histoires. De petites crapules vicieuses et vindicatives, qui vivent sous un pont et mangent des petits enfants pour leur déjeuner.

— Vraiment ? a-t-elle dit sur un ton soumis, en essayant de paraître sérieuse mais apparemment sans rien comprendre.

— Tu n'as pas pu ne pas le remarquer, Renée. Cite-moi un seul nain sympathique dans un conte de fées.

Après avoir réfléchi un moment avec toute la concentration dont elle est capable, elle plissa les yeux et suggéra :

— Et Dormeur dans *Blanche-Neige* ?

Si j'avais eu de la bière dans la bouche, elle lui aurait giclé au visage.

— *Dormeur ?*

— Oui, je...

— Bravo, Renée ! Dormeur ! Excellente réponse.

Elle me regarda bouche bée, avec des yeux ronds, s'interrogeant visiblement sur la gravité de sa bourde.

— Ce sera formidable, sur l'affiche ! ajoutai-je sur le même ton acide. « AVEC CADENCE ROTH DANS LE RÔLE DE DORMEUR. »

Je m'agenouillai sur mon coussin et imaginai une critique :

— « Jamais depuis le Grincheux de Linda Hunt nous n'avons assisté à une performance d'actrice de cet acabit, qui désigne tout naturellement l'interprète pour les prochains Oscars... »

Quand Renée finit par prendre conscience que je n'étais pas devenue folle, elle gloussa de soulagement et tressauta gaiement sur le canapé.

— Je n'avais pas compris que nous parlions d'un rôle pour toi, observa-t-elle.

— Depuis quand parlons-nous d'autre chose que d'un rôle pour moi?

— Dans ce cas, je ne vois pas en quoi Dormeur est une idée beaucoup plus bête que Rumpelstiltskin.

— Ça l'est. Crois-moi. Tu mets sur le même plan kitsch et mythologie.

Renée, cette fois, eut l'air complètement larguée.

— Peu importe, me hâtai-je d'ajouter. De toute façon, ce ne sont que des spéculations.

— Est-ce que tu en as parlé à Leonard? s'enquit-elle.

— De quoi?

— De Rumpelstiltskin.

— Il n'y a rien à en dire, répondis-je. Il n'existe même pas de script. C'est seulement une idée.

— Ah bon?

Elle se leva, se dirigea vers la cuisine, puis s'arrêta un instant sur le seuil.

— Est-ce que tu veux du pop-corn?

— Oh, que oui! Merci!

— Ton régime te le permet?

— À la seule condition de ne pas y ajouter de beurre.

— Ah...

— Mais ajoutes-en quand même, Renée.

Elle gloussa de nouveau et disparut dans la cuisine.

— J'ai besoin de graisses animales! lui criai-je. J'ai travaillé trop dur, ces jours-ci.

Lorsque nous eûmes englouti le pop-corn, Renée me proposa un massage des pieds, que j'acceptai avec ravissement. Je m'allongeai par terre, sur mon coussin, à plat ventre et les pieds levés vers le plafond, cependant qu'elle s'installait près de moi avec un flacon de lotion rose. Ce fut un moment paradisiaque. (Si vous tenez absolument à vous faire une idée de la sensation, commencez par imaginer que vous vous faites masser par un géant dont la main pourrait contenir votre pied tout entier.)

Tout en me massant, Renée se lança dans de longs commentaires au sujet de Lorrie Hasselmeyer, une nouvelle employée de *La Grange aux tissus*. Pour ce que j'en ai compris, cette demoiselle est la seule personne de la boutique qui surpasse Renée dans le genre midinette geignarde ; et c'est probablement la raison pour laquelle elle ne peut depuis quelque temps s'empêcher d'en parler à n'en plus finir.

— Elle est tellement désespérée, soupira-t-elle.

— Mmm, grognai-je.

J'étais en réalité beaucoup plus absorbée par le massage que par les malheurs de la pauvre Lorrie.

— Quand ce type lui a posé un lapin, elle est allée jusque chez lui pour y laisser un mot sur sa Harley.

— Non ?

— Je te jure !

— Mon Dieu !...

— Et elle s'en vantait, Cady ! Persuadée que c'était une façon d'agir très cool.

Renée lâcha mon pied un instant pour enduire à nouveau ses mains de lotion. Le bruit du flacon qu'elle pressait me fit penser à un bébé souffrant de diarrhée. Mon pied, qui l'attendait dans les airs, me semblait inexplicablement abandonné, nu comme jamais. Quand, enfin, je sentis de nouveau les mains de Renée autour de lui, odorantes et douces, j'eus la sensation qu'elles lui allaient comme une pantoufle de vair.

— C'est trop froid ? demanda-t-elle.

— Non. C'est délicieux, ronronnai-je.

— Tu me le dirais, si je devenais comme elle, n'est-ce pas ?

— Comme qui ?

— Comme Lorrie Hasselmeyer.

— Compte sur moi !

— Je ne crois pas qu'il y ait un seul type au monde qui vaille la peine qu'on le supplie.

— Pas un, c'est sûr.

L'attention de Renée se focalisa sur mon autre pied, elle se tut un moment, mais ses pensées flottaient dans l'air parmi les effluves de la lotion, si évidentes que c'en était attendrissant. Je puis ici vous jurer que je savais exactement, presque mot pour mot, ce qu'elle allait dire ensuite :

— Est-ce que Neil... Euh... Est-ce qu'il lui est arrivé de te parler de moi ?

— Qu'est-ce que tu veux dire ? demandai-je.

— Oh, tu le sais très bien.

J'hésitai entre diverses réponses appropriées, puis me décidai :

— Il ne t'a vue que deux fois, Renée !

— Trois, corrigea-t-elle.

— Soit, trois fois.

— Alors ? Qu'est-ce qu'il t'a dit ?

— Que tu avais l'air gentille.

Ses doigts s'immobilisèrent illico sur mon pied.

— C'est tout ?

— Eh bien... Il a dit aussi que tu avais de belles doudounes.

— Tu blagues !

Je risquai un petit rire, puis :

— Oui, je blague.

— Franchement, Cady, ce n'est pas très gentil !

— Excuse-moi...

Elle recommença heureusement à me masser les orteils.

— Je pensais qu'il aurait pu dire quelque chose, c'est tout, poursuivit-elle, un peu boudeuse.

— Non, répliquai-je placidement. Rien de spécial.

C'était un peu sec, aussi ajoutai-je :

— Tu sais, la plupart du temps, nous parlons du boulot, pas d'autre chose.

Ses pensées semblèrent dériver un moment, mais elle reprit sans avoir pu changer de sujet :

— Il est drôlement intelligent, pas vrai ?

— Oui, sans doute.

Disons-le ainsi : selon les critères de Renée, Neil est un génie. Toutefois, je m'employai à modérer son enthousiasme, car je me rends compte qu'elle est en train de faire une fixation sur lui et je ne suis pas sûre que Neil ait jamais pensé à elle sérieusement un instant. Si bien que cette fois-là comme les autres, Renée me donne l'impression de s'engager sur la mauvaise voie, celle qui la mènera rapidement à une cruelle désillusion.

6

Renée est une fille de la marine, née et grandie sur la base de San Diego. Ce statut de fille de militaire, nous l'avons en commun : mon père était sergent instructeur à Fort Irwin, non loin de Barstow. C'est d'ailleurs l'une des deux raisons pour lesquelles on m'a appelée Cadence (l'autre étant le fait que maman enseignait le piano). Leur goût commun pour la cadence était apparemment le seul à pouvoir les réunir sur un terrain d'entente. Sans compter les monts Cady, tout près, le long du tronçon le plus sinistre de l'autoroute — en sorte que mon diminutif était déjà tout trouvé. À ce sujet, maman avait en réserve un couplet très ennuyeux qu'elle resservait immanquablement à chaque audition, qu'il pleuve, qu'il neige ou qu'il vente.

Chez Renée, c'était la mère le militaire, une *Wave* — je crois que c'est ainsi qu'on les appelle. Son père exerçait je ne sais quel emploi civil sur la base navale. On la faisait constamment participer aux concours du plus beau bébé ; elle portait du rouge à lèvres pour enfants dont elle posséda ses tubes personnels dès l'âge de cinq ans. Lorsqu'elle atteignit l'adolescence, elle concourut pour l'élection de Miss San Diego, mais ne fut pas retenue pour la finale. Ses parents divorcèrent la même année et Renée, à cette époque déjà encline à se culpabiliser de façon quasi automatique, estima qu'elle en était la première responsable. Un prix de beauté supplémentaire, en particulier celui-là, aurait sans doute sauvé le mariage, c'est ce qu'elle prétend encore aujourd'hui. Elle a quitté

San Diego pour Los Angeles après ses études secondaires, avec un type qu'elle avait rencontré alors qu'elle travaillait chez *Arby*, et qui la planta là seulement quelques jours après qu'ils eurent trouvé un appartement à Reseda. Je ne sais pas ce qui s'est passé, car Renée ne parle presque jamais de lui.

Ce que Renée aime :

Les toboggans aquatiques
La couleur rose
Les chewing-gums qui giclent quand on mord dedans
Rajouter de la mayonnaise
Les histoires sur le cancer de Michael Landon
L'angora
Moi

Ce que j'aime chez Renée :

Sa loyauté
Sa peau sans défaut
Son sens de la couleur (mis à part sa passion pour le rose)
Son pudding au riz
Le fait qu'elle ait trouvé un nom à sa voiture alors qu'elle ignore même où se trouve la batterie
Son odeur quand elle sort de la douche

Renée parle en dormant ; qu'elle ne veuille pas l'admettre n'y change rien. On l'entend même à travers la porte : une espèce de marmonnement bien élevé, complètement inintelligible, qui donne un peu l'impression qu'elle s'adresse à un public. Il y a dans le ton de sa voix quelque chose de si cérémonieux et de si mélancolique, quelque chose qui évoque tellement bien la plainte des malheureux qui ont tout perdu, que je pense à chaque fois en mon for intérieur qu'elle récite le discours de remerciement prévu au cas où elle aurait été élue Miss San Diego.

Je ne puis m'empêcher de me demander si les garçons qui passent dans sa vie ont droit, la nuit, au même monologue, et si ça ne leur fait pas peur. Mais peut-être fait-elle des rêves différents quand elle dort dans d'autres chambres ?

110

J'ai soudain la fâcheuse impression de la dépeindre comme une créature pitoyable, du genre Delta Dawn, or ce n'est pas du tout la réalité. Renée est une fille formidable, en fait, et j'ai de la chance de l'avoir à mes côtés.

7

Aujourd'hui, si l'on en croit les journaux, Los Angeles a connu sa dernière éclipse solaire du millénaire. Une foule d'environ trois mille personnes s'est rassemblée pour l'occasion à l'observatoire de Griffith. Quant à moi, j'ai observé le phénomène d'une maison de Pasadena, où nous étions engagés pour une fête de bar-mitsva. Juste avant l'éclipse, alors que je retenais encore l'attention de mon public, j'ai chanté *Lucky Old Sun* et *Moon River*. Nos clients, les Morris, avaient prévu pour leurs invités des masques de soudeur, habilement décorés de paillettes dorées, de manière à pouvoir contempler tout à loisir le magique ongle d'ébène de la lune au moment où il glissait sur la surface du soleil.

Comme personne ne nous regardait, Neil et moi en avons profité pour aller souffler un peu dans un coin tranquille du jardin. Je me suis assise dans l'herbe, sous les arbres. En se laissant tomber à mon côté, Neil a tiré un paquet de cigarettes de la poche de sa combinaison.

— Tu as vu l'éclipse ?

Je lui ai répondu que oui, qu'une vieille dame m'avait prêté son masque de soudeur, et que, franchement, je ne trouvais pas que cela justifiait tant d'agitation. À cause de cette fichue éclipse, la circulation était infernale ce matin-là, et de dangereux fous du volant semblaient lâchés un peu partout.

Neil voulut savoir qui était la vieille dame en question.

— Celle qui a les cheveux roux et les dents qui se déchaussent.

— Ah, oui.

Je lui racontai que lorsque je lui avais rendu le masque, elle m'avait dit : « C'est extraordinaire, non ? Ça donne l'impression d'être toute petite ! »

Neil pouffa, puis secoua son paquet pour en faire sortir une cigarette qu'il alluma.

— Qu'est-ce que tu as répondu ?

— Que j'étais d'accord.

Cela le fit rire davantage.

— Je pensais qu'on se retrouverait dans une obscurité bien plus épaisse, avoua-t-il. Tu sais, un peu comme si une grande aile noire recouvrait la terre.

Avec la main qui tenait la cigarette, il fit un ample geste.

— C'est tout de même mieux que la « Convergence harmonique », observai-je.

— Ça, j'avais oublié...

— Tu vois !

— Qu'est-ce qui était censé se produire ?

— Tu m'en demandes beaucoup ! Les harmonies ont convergé, je crois. Ou les harmonicas. Quelque chose de ce genre.

Il s'esclaffa.

— Au moins, cette fois, il y avait quelque chose à regarder, ajoutai-je.

— Exact, reconnut-il en allongeant les jambes.

Il s'appuya sur ses coudes et renversa sa tête vers le soleil — un soleil qu'on n'apercevait qu'à peine derrière les branches. Une clarté toute de dentelle mouchetée tomba sur son visage. « Son corps est pareil à une superbe chaîne de montagnes », pensai-je.

— Combien du temps ça doit-il durer ?

— Environ un quart d'heure, lui répondis-je.

Il resta silencieux un moment, puis déclara tout à trac :

— Tu as été formidable tout à l'heure.

— Merci.

— Surtout dans *Moon River*.

— Ah !

— Et puis, j'ai aussi beaucoup aimé ton petit speech.

Je m'étais, en effet, brièvement adressée à mon jeune public pour lui expliquer que le soleil et la lune étaient frère et sœur, mais qu'il était très rare pour la lune d'avoir une chance de voler la vedette à son grand crâneur de frère. Je sais que ça a l'air assez idiot ainsi couché sur le papier, mais dans le contexte d'une bar-mitsva à Pasadena au moment d'une éclipse, ma petite improvisation avait marché du tonnerre.

— Tu sais quoi ? fit soudain Neil.

— Quoi ?

— Je crois que tu devrais faire un vidéo-clip.

Mon cœur bondit à cette seule suggestion — même si je devais tout de suite après la repousser avec ironie :

— La première condition serait que ça ne me coûte rien.

— Écoute, dit-il, je connais quelqu'un.

— Qui possède beaucoup d'argent ?

— Non. Mais elle veut tourner un vidéo-clip.

Je lui décochai un regard désabusé :

— Une petite amie à toi, c'est ça ?

— Oh, du tout !

Il sourit, sans doute en songeant à la femme en question.

— C'est une simple connaissance, rien de plus. Elle est étudiante à l'*American Film Institute*. Elle doit réaliser un court métrage, ou un clip, pour le présenter à un de ses cours.

— Ah bon ?

— Mais si ça ne t'intéresse pas...

— Si. Ça pourrait...

Il se releva énergiquement et s'assit en croisant ses jambes, à la façon des Indiens.

— Elle saurait le faire avec style, Cady... Ça, je le sais. Elle a un goût très sûr. Le projet lui inspire certaines idées vraiment intéressantes.

— Tu lui en as déjà parlé ?

Il eut l'air penaud.

— Un peu, avoua-t-il.

Je lui assurai que je n'en étais pas fâchée.

— Elle voudrait tourner ça en noir et blanc, reprit-il, avec de longues ombres et un décor très simple... Un truc à la Lotte Lenya, en quelque sorte. Beau et obsédant. Elle a accès à un studio, et je pourrais t'accompagner au synthétiseur. Nous pourrions le faire pour presque rien.

Je réfléchis un moment, le regard perdu dans les feuillages.

— Qu'est-ce que je pourrais chanter ?

— Je pensais à *If.*

— La vieille chanson de Bread ?

— Oui. Je crois que ça conviendrait parfaitement à ta voix.

— Vraiment ?

J'avais quelque peine à admettre l'idée qu'il avait bel et bien passé du temps à se soucier de moi et de mes capacités. Plus personne ne s'en était préoccupé depuis la mort de maman. Je me sentis soudain soulagée d'un terrible poids dont je n'avais jusque-là même pas soupçonné l'existence.

— C'est une chanson poignante, poursuivit Neil, et personne ne l'a entendue depuis des lustres.

— Sauf dans les ascenseurs !

— Tu donnerais à cet air-là une nouvelle dignité.

— Oui, peut-être.

— Ça marcherait, Cady ! Je le sais. Si c'est toi qui le chantes... il y aura de quoi déchirer les cœurs.

Je sentis se déclencher en moi un minuscule signal d'alarme.

— Est-ce que c'est le but ?

Neil se borna à hausser les épaules.

— Je ne veux pas faire pleurer dans les chaumières, Neil !

— Je sais très bien que...

— C'est ce que ton amie veut ?

— Absolument pas. Je lui ai tout raconté à ton sujet : quelle fille formidable tu es, quelle belle et forte personnalité tu as. Elle a très bien compris, Cady, je t'assure.

114

Neil ne m'avait jamais rien dit de ce genre, du moins directement ; aussi me sentis-je immédiatement rougir.

— Je suis peut-être complètement à côté de la plaque, ajouta-t-il.

— Non. Je vois ce que tu as en tête. Et ça me plaît assez.

— Oui ? Il est vrai que tu pourrais chanter quelque chose de plus entraînant...

— Non ! J'ai envie de déchirer les cœurs.

Il rit, et j'adjoignis de bon cœur mon rire au sien.

— Ce serait marrant à faire, s'enthousiasma-t-il. Nous n'avons rien à perdre, après tout.

— Je suis bien d'accord !

— Alors, tu le feras ?

— Pourquoi pas ?

— Super !

Il m'observa un instant de ses beaux yeux sombres, qui me semblèrent inquiets, puis se mit à regarder autour de lui d'un air distrait.

— Tu ne crois pas que nous faisons l'école buissonnière depuis trop longtemps ? s'inquiéta-t-il.

Je lui souris.

— C'est toi le patron, Neil, lui rappelai-je. Qui va te taper sur les doigts ? Tu as chargé Tread de tout surveiller, non ?

— Oui, mais...

— Il peut très bien se débrouiller tout seul, dis-je.

— Sûrement, mais comment savoir ce qui peut lui arriver pendant une éclipse ?

Cela nous parut désopilant à tous les deux, et l'hilarité nous réduisait à nous rouler par terre quand, justement, l'objet de notre amusement apparut en courant, ses favoris rouges en bataille.

— Salut ! Je vous cherchais.

Nous le saluâmes à l'unisson, l'air coupable.

— Mrs. Morris vous réclame. Il y a un toast qui se prépare, je crois, ou un truc de ce genre.

— Ah bon ?... Alors nous venons.

Neil me lança un regard malicieux de conspirateur, puis sauta sur ses pieds et fit tomber l'herbe sèche accrochée au fond de son pantalon. Un concert d'applaudissements — encore le culte du soleil, sans nul doute — nous parvint de la maison. Je me levai et défroissai mon costume de Pierrot, avec le vague sentiment qu'un moment d'idylle venait de s'achever.

Tread, comme c'était prévisible, surexcité à cause de l'éclipse — « quelque chose, à l'en croire, d'extraordinairement mystique, primal, réhumanisant ! » —, nous expliqua qu'il avait pris un soin tout particulier à aligner ses cristaux New Age pour cette matinée d'entre toutes les matinées. Neil se montra gentil et garda un visage intéressé tout en l'écoutant, mais je voyais que son sourire ne demandait qu'à se libérer en un énorme éclat de rire, sans doute presque aussi difficile à contenir qu'un troupeau de chevaux sauvages. Je n'osai pas croiser son regard. Tread a beau être un complet abruti parfois, il n'y a aucune raison de le blesser. Le fait que Neil en soit conscient — et qu'il sache que je le sais — me fait l'aimer encore davantage.

— Regardez le sol, nous enjoignit Tread, alors que nous regagnions tous les trois la scène des festivités. C'est là que le spectacle est le plus beau.

Je regardai mais ne vis rien.

— Qu'est-ce que tu veux dire ? demanda Neil.

— Je crois qu'il faut avoir fumé quelque chose, commentai-je.

— Attends une minute, me dit Tread. Regarde bien.

— Je regarde !

— Tu vois tous ces croissants ?

Oui, je les voyais. Ce que j'avais pris pour les jeux habituels de la lumière et de l'ombre, c'était, en fait, des milliers de minuscules demi-lunes — ou demi-soleils, si vous préférez — répandues sur le sol comme les épingles à cheveux d'une déesse désordonnée.

— Ce sont des photographies, expliqua Tread. Ici, sous les arbres, les feuilles filtrent la lumière, ce qui donne tout simplement des projections de l'éclipse.

— Incroyable ! murmura Neil.

— Oui, superbe, ajoutai-je en écho, sincèrement impressionnée. Bien vu, Tread.

Tread me gratifia d'un grand sourire tordu, ce qui chez lui se rapproche le plus d'un simple : « Je te l'avais bien dit. »

— Tu devrais regarder plus souvent vers le bas, conclut-il.

— Ah oui ?

— Bien sûr ! Il y a partout des choses extraordinaires à voir, sur le sol.

— J'essaierai de m'en souvenir, répondis-je.

Il fait complètement nuit, à présent, et je suis dans ma chambre, regardant par la fenêtre cette même lune, qui, au début de la journée, a suscité tant d'agitation. Renée occupe le salon et peint des pics enneigés en compagnie de son secret amant télévisuel. Le monde a repris une allure normale, mais je ne peux m'empêcher de me sentir dans l'expectative, sur le point de franchir une étape vraiment significative. Neil me dit que son amie vidéaste, Janet Glidden, voudra sans doute commencer le travail tout de suite. Cela me convient tout à fait, même si je ne suis pas encore aussi amincie que je l'aurais souhaité. Tant pis. Je m'envelopperai dans quelque chose de sombre, je veillerai à mon maquillage et ferai tout sous une ampoule bleue à trois watts. Ce qui compte, de toute façon, c'est la voix.

Jeff m'a téléphoné dans la soirée pour me dire qu'il avait reconnu mes jambes en voyant mon film publicitaire sur la cellulite. Nous avons bien ri. Je lui ai demandé, avec la plus grande circonspection, s'il avait eu des nouvelles de son jeune ami du parc. Il m'a répondu que non, sans en dire davantage ; aussi ai-je abandonné ce sujet. Je crois qu'il est quelque peu atteint dans sa fierté. Pour autant que je sache, il n'a pas été habitué à ce que ses amants de rencontre ne le rappellent pas.

Tout à l'heure, Tante Edie m'a appelée de Baker pour

s'enquérir de ma santé et me dire sa consternation après les révélations qu'elle a lues sur Merv Griffin. Elle est tombée aujourd'hui au salon de beauté sur un vieux numéro de *Globe*.

— Tu savais qu'il était « comme ça » ? s'est-elle exclamée.

J'ai répliqué qu'à peu près tout le monde le savait.

— Pauvre Eva Gabor ! s'est-elle désolée en soupirant.

8

J'ai aujourd'hui un tas de choses surprenantes à raconter... Commençons donc par les événements de la matinée — plus précisément par ce moment inoubliable qui m'a vue me faire renifler le derrière sur Rodeo Drive.

Comme Renée est en congé pour une semaine, nous nous sommes pomponnées et nous avons décidé d'aller faire un tour dans Beverly Hills pour ce que Renée aime appeler « une journée élégante ».

Nous étions devant chez Bijan, considérant la vitrine avec un air blasé du meilleur goût, comme nous savons si bien le faire, quand un gros chien très laid est brusquement apparu et, sans même m'en demander la permission, a fourré son gros museau mouillé sous mes jupes. Renée a tenté plusieurs fois de le chasser — en vain. Il avait capté un premier effluve de féminité condensée et il n'y avait plus moyen de le tenir.

— Pouah ! a maugréé Renée. Ce genre de trucs me fait horreur.

— Comment ça, ça *te* fait horreur ?

Elle a pouffé, a de nouveau essayé de repousser l'animal et m'a mise en garde :

— Arrête. Il ne faut pas rire.

— Pourquoi ?

— Il va croire que tu es contente !

— Peut-être que je le suis, ai-je répliqué.

— Je ne plaisante pas, Cady. Prends l'air méchant.

— Oh, s'il te plaît !

— Alors, mets-toi le dos au mur.

— Il fera la même chose par-devant.

Je tendis les mains et écartai le museau du chien.

— Qu'est-ce que tu en penses, Renée ? C'est assez élégant pour ton goût ?

— Tais-toi.

— Il n'a pas la trique, au moins ?

Nous étions toutes les deux prises de fou rire quand une femme à l'air pincé, vêtue d'un ensemble en cuir rouge, est sortie de la boutique et nous a toisées d'un œil noir.

— Puis-je savoir ce qu'il y a pour votre service ?

Je ne saurais dire pourquoi cette phrase m'a paru si drôle, mais elle l'était. J'étais tellement hilare que Renée a dû s'expliquer à ma place :

— Ce chien était en train de... d'ennuyer mon amie.

— Est-ce qu'il est à vous ?

— Non.

Le ton de Renée était celui de l'innocence outragée.

— Nous ne l'avons jamais vu.

Je me tenais les côtes et tentais désespérément de reprendre mon souffle. Le chien s'était un peu reculé, étudiant mon accès de folie avec la tête penchée de côté, l'air d'une profonde perplexité.

— Vous vous sentez bien ? m'a demandé la femme.

J'ai fait oui de la tête. La femme a alors continué de nous détailler encore un moment, puis a fait machine arrière dans la boutique. Je me suis appuyée contre la façade, m'efforçant de reprendre contenance, cependant que Renée gratifiait d'un sourire mielleux et contrit deux matrones bouche bée qui s'étaient arrêtées pour nous regarder. Comme s'il avait compris que la partie de rigolade était terminée, le chien s'est finalement désintéressé de la situation et s'est éloigné d'un pas nonchalant.

— Merci mille fois, a laissé tomber Renée avec froideur.

— Merci à qui ? À lui ou à moi ?

— À toi !

Je me suis essuyé les yeux, puis j'ai fait un petit signe jovial aux deux matrones qui se regardaient avec inquiétude, et qui ont heureusement fini par s'éloigner à leur tour.

— C'était drôle, ai-je répliqué pour m'expliquer.

— Tu aurais pu dire quelque chose, toi aussi !

— Impossible !

Je levai la main dans un geste de serment. C'est à peine si je pouvais respirer.

— Elle a cru que tu avais une attaque !

— Je sais.

Je m'efforçais de feindre le repentir.

— Excuse-moi. Je suis désolée.

— En plus, ton rimmel coule !

Renée s'agenouilla devant moi, tira un mouchoir en papier de son sac et commença à me nettoyer le visage.

— J'oublie toujours ce problème de chiens.

— Ce n'est pas grave, ai-je dit pour la rassurer.

Elle continuait à me tamponner les joues.

— Il venait d'où, à ton avis ?

Je réfléchis quelques instants, puis répondis :

— Je donne ma langue au chien.

Ç'a été son tour de se tordre de rire mais le résultat a été qu'au bout d'un instant son visage se plissa et ses bons gros genoux s'écartèrent d'une façon inquiétante quoique assez familière pour moi.

— Renée ?

Elle secouait la tête en poussant de petits cris incohérents, comme l'ingénue essayant de se défaire d'un bâillon dans un vieux film.

— Tu as fait pipi dans ta culotte, pas vrai ? risquai-je.

Elle ne réussit qu'à faire oui de la tête, en poussant un autre petit cri. Elle était pliée en deux à présent, de manière assez impressionnante, et pourtant parvenait à rester debout.

— Il n'y a plus personne, dis-je. Tu peux y aller.

Mais la matinée n'a pas été entièrement gâchée, je suis contente de pouvoir le dire, car Renée trimballe toujours une culotte de rechange dans son sac pour parer à de telles urgences. Elle m'a expliqué qu'elle a pris cette habitude bien pratique lors des concours de beauté de son enfance, les sous-vêtements immaculés étant alors un motif de grande fierté dans les vestiaires. Après s'être éclipsée un moment dans les toilettes d'un café voisin, elle m'a rejointe pour déjeuner d'une tarte à l'une des tables séparées par des cloisons.

— Pourquoi crois-tu qu'ils font ça ? m'a-t-elle demandé.

— Qui ?

— Les chiens.

J'ai haussé les épaules :

— Parce qu'ils le peuvent !

— Ça doit être vraiment bizarre, pour toi.

Je lui ai dit que c'était comme vivre dans un monde où se promènent des dragons.

Elle a froncé les sourcils, puis m'a regardée avec un pâle sourire et son regard s'est perdu dans la rue.

— De toute façon, je déteste Beverly Hills, s'écria-t-elle. Les gens sont tellement snobs, ici !

— Mmm...

Peu m'importait où je me trouvais, à vrai dire. J'étais surtout contente d'être assise dans la fraîcheur de l'air conditionné, recouvrant joyeusement mon énergie grâce au sucre et à la caféine.

— Rentrons à la maison pour nous changer, a dit tout à coup Renée.

— Mais tu viens de le faire !

— Je veux dire pour mettre des vêtements plus sport.

— Mais je croyais que c'était notre « journée élégante » !

— Euh...

Elle a baissé les yeux pour considérer son chemisier pêche et sa jupe en lin blanc.

— Après tout, nous pouvons y aller sans nous changer, je suppose.

— Aller où ?

Son regard m'évitait.

— Aller où, Renée ? ai-je dû insister.

— Euh... Pourquoi pas aux studios Icon ?

— Mais qu'est-ce qu'on irait faire aux studios Icon ?

— Tu sais bien...

Il m'a fallu un petit moment pour comprendre de quoi il retournait — sans doute parce que ma mémoire avait occulté l'événement : la toute nouvelle attraction « L'Aventure au pays de Mr. Woods » avait été inaugurée cette semaine, avec campagne de presse, tambours et fanfares, dans le parc des studios Icon. Renée et moi avions vu un long reportage sur le sujet à *Entertainment Tonight*, montrant, excusez du peu, Charlton Heston et Nancy Reagan descendant tout sourires de ce petit train de malheur. La légende — qui exige de votre servante qu'elle demeure invisible à tout prix — retrouvait une vigueur nouvelle, et fort lucrative, sous la forme d'une attraction de grand standing en plein milieu de la Vallée... Imaginez un peu ma jubilation.

— Tu trouves ça idiot, je sais, reprit Renée.

— Il va y avoir un monde épouvantable !

— Pas forcément.

— Et d'ailleurs, c'est quoi au juste, cette attraction ?

— Je ne sais pas. Je crois que le train nous promène à travers les bois.

— J'ai horreur des parcs à thème, Renée. Absolument horreur de ça. Tu ne peux pas y aller avec quelqu'un d'autre, Lorrie, par exemple ?

C'est son amie du magasin.

— S'il te plaît, Cady ! Ce ne serait pas drôle, sans toi.

Je sentais bien qu'il n'y avait pas d'échappatoire, aussi lui dis-je que je n'acceptais de l'accompagner qu'à deux conditions : primo, que nous visitions cette maudite attraction et quittions le parc immédiatement après ; secundo, qu'elle s'abstienne de révéler mon identité à qui que ce soit tant que nous serions dans l'enceinte des studios. Je frémissais à l'idée qu'elle pourrait brandir ma gloire fanée d'ancien elfe en latex pour l'édification de quelque brave petite famille de ploucs en vacances.

Il faut savoir que les studios Icon se trouvent à deux pas de ma maison de Studio City. Ils sont construits à flanc de colline, sur deux niveaux reliés par un escalier mécanique qui ressemble à une échelle géante pour hamsters. Le niveau inférieur est, en fait, divisé en deux zones, sans véritable rapport l'une avec l'autre : des bâtiments qui abritent les plateaux de tournage et un parc à thème illustrant l'histoire de cette vénérable institution. Les hordes de touristes qui grouillent dans les allées du parc et viennent baver d'extase devant les photos de famille exposées dans la « loge de Fleet Parker » ont à peu près autant de chances d'y rencontrer la star en chair et en os que de serrer la main du véritable Mickey Mouse à Disneyland, car l'endroit n'est que du toc sur du toc — l'illusion d'une illusion.

Il y avait sept ans que je n'avais pas mis les pieds dans ce parc. Maman et moi y avions amené Tante Edie, à sa demande insistante, lors de sa première visite à Los Angeles. C'est tout à fait le genre d'endroit qui plaît aux Tante Edie, ce qui sans doute vous en dit assez long. Tout était comme dans mon souvenir — en tout cas, aussi déprimant. La foule terriblement insipide se dirigeant à pas pesants vers l'escalier mécanique correspondait exactement à l'image qui me vient à l'esprit lorsque j'entends parler du « nouvel ordre mondial ». Renée me protégeait dès qu'il y avait un peu de bousculade, mais la plupart du temps le troupeau était lent et poussif. Nous avancions dans un air moite et malodorant sous le ciel blanchâtre et brouillé, et, à mon avis, on avait ôté leur laisse à beaucoup trop d'enfants. Arrivées en bas, nous nous dirigeâmes tout droit vers un kiosque à boissons. J'en avais déjà plus qu'assez.

Renée se pencha pour me tendre un Coca Light avec une boule de glace.

— Ça va ? me demanda-t-elle.

— Je préférais encore le chien.

— Cady, voyons !

— Je plaisante, dis-je, léchant la mousse au bord du verre.

— J'espère que ça va te plaire.

— Tu rigoles, j'adore ça ! protestai-je.

— Je ne parle pas de ce que tu es en train de boire ! Je parle de « L'Aventure au pays de Mr. Woods ».

Je ricanai dans mon verre :

— Elle est longue, la file d'attente ?

— Non, pas trop.

— Mais ça n'avance peut-être pas bien vite.

J'avais raison : pendant une bonne demi-heure, je ne vis rien d'autre que des jambes et des poteaux, des poteaux et des jambes, tandis que les quelques centaines de fidèles processionnaires étaient guidés entre des barrières comme du bétail. Pour que nous restions bien sages, une douzaine d'écrans vidéo supendus au plafond nous diffusaient non seulement des extraits de *Mr. Woods*, mais aussi un sirupeux laïus de Philip Blenheim en personne à la gloire du « cher petit bonhomme ». Renée était aux anges, bien sûr, se pâmant ou pouffant de rire à chacune de ses scènes préférées ; quant à moi, je m'estimais assez heureuse que l'air fût tout de même conditionné.

Soudain, avant de monter dans le train, nous aperçûmes une pancarte portant l'inscription : LES ENFANTS MESURANT MOINS DE 90 CM DOIVENT ÊTRE ACCOMPAGNÉS PAR UN ADULTE.

— Hmm, fis-je, faussement alarmée. Tu as vu ça ?

— Oui, et... ?

— Ils ne vont pas vouloir de moi. Il me manque onze centimètres.

— Et alors ? Je suis une adulte !

Je lui fis observer qu'on lui en demanderait peut-être une preuve.

— J'ai une pièce d'identité, répliqua-t-elle, sans saisir la plaisanterie.

— Mais pourquoi cette précaution, à ton avis ? demandai-je, commençant à m'angoisser pour de bon.

— Oh, je suis sûre que c'est sans importance, dit Renée.

— Ce ne sera pas sans importance si je fais un vol plané jusqu'au paradis, chérie !

Renée dut craindre que je ne change d'avis à la dernière minute, car elle fronça les sourcils et prit son air boudeur :

— Ça ne va pas trop vite, j'en suis sûre : Nancy Reagan n'était même pas dépeignée.

La bonne femme devant nous, une mamie grassouillette aux cheveux blancs boudinée dans un survêtement rose, se retourna et me sourit :

— Vous savez, on n'est pas secoué du tout !

Je me demandai depuis combien de temps elle attendait une occasion de se mêler à la conversation.

— Moi aussi, j'étais un peu inquiète, mais on est comme dans un fauteuil.

— Encore heureux, marmonnai-je.

La femme hocha la tête.

— Ce n'est pas la première fois que vous venez, alors ? demandai-je.

— Non. J'ai amené mes petits-enfants il y a quelques jours.

— Et... c'est bien ? demanda anxieusement Renée.

— Oh oui ! Si on aime *Mr. Woods* autant que moi, évidemment.

Bien sûr que oui !

La brave mamie se mit à rire.

— Je veux dire... Je suppose que je l'aime autant que vous, bredouilla Renée, en me lançant un regard coupable.

Je sentais qu'elle était à deux doigts de vendre la mèche, et la menaçai d'un regard glacial. La dame en survêtement rose avait l'air plutôt gentille, mais j'étais fatiguée, de mauvaise humeur, et trop préoccupée par mon projet de vidéo-clip pour avoir envie de parler. Il me manquait l'énergie suffisante, ou le temps à perdre, pour accomplir l'épuisant petit rituel des explications.

Le circuit se révéla une sorte de long parcours dans une attraction foraine améliorée — un espace sombre et glacial aux dimensions d'un hangar d'aviation où nous glissions mollement, et parfois tressautions, à bord de wagonnets d'une rusticité toc. Le théâtre de notre « Aventure », au dire de Philip dans la vidéo de présentation, n'était pas la forêt suburbaine du film telle que nous nous la rappelions, mais « le royaume lointain, mystique des origines de Mr. Woods ». Traduction : peu m'importe d'exploiter le personnage avec toute la ringardise qu'il faudra, mais je ne suis pas assez bête pour démystifier un classique du cinéma.

L'avantage de ce changement de décor était naturellement de fournir un prétexte au multi-clonage de Mr. Woods : la création de toute une race d'adorables robots à son image. À mesure que nous progressions, son visage ratatiné familier, qui, jadis, avait si bien su charmer par sa singularité même, surgissait comme un diable d'une boîte de derrière chaque buisson ou souche d'arbre, sous les traits d'une jeune fille prépubère, ou d'un bébé s'ébattant bruyamment, quand il ne s'agissait pas d'un cortège de bûcherons rentrant chez eux leur journée finie. Il y avait des Mr. Woods fermiers avec leurs femmes, des Mr. Woods soldats partant pour la guerre ; il y avait même un mariage où tout le monde, dans l'église, avait les mêmes traits que lui. Dans le finale pyrotechnique, au moins une centaine de ces petits salauds (des Mr. Woods « méchants », je suppose, mais le sens du scénario m'échappait) était propulsée dans la forêt au moyen d'une catapulte géante.

Abyssale était la profondeur de mon indifférence. Quand nous retournâmes vers la lumière du jour, Renée et la dame en survêtement rose échangèrent leurs impressions sur l'épopée. Renée était contente, mais trouvait que Mr. Woods en mariée avait quand même l'air bizarre. Je me mordis la langue et marmonnai je ne sais quelle fadaise à propos du bon vieux frisson qu'on éprouve toujours à être entraîné par la main dans un lieu obscur.

Renée me regarda d'un air intrigué, peu convaincue, puis reprit son bavardage avec la dame en rose.

Quand celle-ci se fut éloignée, Renée m'annonça froidement qu'elle avait envie de faire pipi.

— Eh bien, vas-y! répliquai-je.

— Écoute, je ne lui ai rien dit.

Je lui rétorquai que je le savais.

— Alors pourquoi es-tu en colère?

Je lui dis que j'étais juste un peu fatiguée, et que c'était plutôt elle qui me semblait énervée.

— Tu m'accompagnes?

Elle voulait dire aux toilettes.

Je secouai négativement la tête, lui adressai un faible sourire et lui demandai de m'aider à trouver un endroit où me reposer loin de la foule.

Elle me laissa près de la loge de Fleet Parker sur une petite pelouse soignée. J'y étais étendue parmi les oiseaux de paradis, pareille à un nain de jardin doué de vie, quand j'entendis soudain une voix masculine et juvénile m'appeler par mon nom.

— Cady?

Le jeune homme s'était agenouillé sur l'herbe à côté de moi, le plus naturellement du monde. C'était un joli garçon d'une vingtaine d'années, aux cheveux couleur de sable et au nez retroussé. Il portait une chemise à carreaux bleue, son allure générale ne le distinguait guère de la plupart des petits minets qu'on croise dans West Hollywood, et, franchement, son visage ne me disait rien.

— Oui?

— C'est moi, Callum! s'exclama-t-il.

Ce prénom flotta dans l'air un moment, partout à la fois, comme l'écho d'une cloche qui vient de sonner.

— Vous vous moquez de moi, parvins-je enfin à dire.

Il me répondit avec le plus charmant des sourires:

— Pas du tout.

Le reconnaissant, je frappai le sol d'une main.

— Ça alors! Callum! Qu'est-ce que tu fais ici?

— La même chose que toi, j'imagine.

Mes pensées, bien sûr, galopaient beaucoup trop vite pour que je puisse les suivre ; aussi était-ce une épreuve pour le moment que d'essayer de faire fonctionner mon cerveau.

— Tu as subi « L'Aventure au pays de Mr. Woods » ? lui demandai-je.

— Oui, il y a quelques heures.

— Plutôt affligeant, hein ?

Callum se contenta de hausser les épaules, souriant toujours, aimablement évasif. Je me demandai s'il se sentait toujours un devoir de loyauté envers Philip, s'il était resté en rapport avec lui, et s'il n'était pas venu en fait à son invitation, pour participer officiellement à tout le tra-lala du dixième anniversaire.

— Ce n'est pas monstrueux, continuai-je, mais ce n'est guère mieux que les « Pirates des Caraïbes ».

— Je ne te dérange pas ? me demanda-t-il.

— Bien sûr que non. Assieds-toi.

Il s'installa sur l'herbe à côté de moi.

— J'attends une amie. Elle est aux toilettes, lui expliquai-je, m'habituant peu à peu à la « version adulte » de sa personne, si extraordinairement nouvelle pour moi.

Il sourit derechef.

— Putain, quelle sacrée coïncidence ! lançai-je.

— Comme tu dis !

— À propos, je peux utiliser des gros mots, maintenant ?

— Tu ne t'en es jamais privée ! répliqua-t-il en riant.

J'ai fait mine d'être consternée.

— Ne t'inquiète pas, continua-t-il. J'ai survécu !

— Tu es ici en vacances ?

— En quelque sorte. Enfin, pas exactement. Oui et non.

Confrontée à cette forme d'indécision que je connaissais si bien, une variante adulte de la petite valse-hésitation à laquelle il se livrait jadis lorsqu'on lui tendait un joint, je ris de bon cœur.

— Il se pourrait bien que je travaille, ajouta-t-il. Pour un film.

Je sentis le petit élancement au creux du ventre qui est ma réaction habituelle lorsque j'entends parler des films des autres. C'est mesquin, je sais, pitoyable, même, mais que voulez-vous ? Je ne peux pas m'en empêcher.

— Ah oui ? fis-je, aussi jovialement que je pus. Félicitations !

Callum reçut mon compliment en penchant la tête d'un air de jeune prince timide : un réflexe — ou peut-être un geste calculé — que je me rappelai pour l'avoir souvent observé lui aussi à l'époque de notre tournage, une décennie plus tôt.

— Tu fais ça avec qui ? demandai-je.

— Ce n'est pas encore décidé.

— Ah...

C'est avec Philip, pensai-je aussitôt. *Sûrement un truc à gros budget sur lequel on lui a fait jurer le secret.* Puis je compris combien il était idiot de délirer ainsi quand j'avais en face de moi un gamin qui avait passé la moitié de sa vie à glandouiller dans un port de pêche perdu sur la côte Est ; sans doute cela le rendait-il tout simplement nerveux d'en parler.

— Je croyais que tu avais pris ta retraite, lui dis-je sur un ton faussement désinvolte.

Il arracha pensivement quelques brins d'herbe avant de répondre :

— Est-ce que tu savais ce que tu voulais, toi, quand tu avais onze ans ?

Oui, plutôt, pensai-je. Mais il me sembla inopportun de le dire. Nos parcours n'avaient rien à voir, après tout. Le mien, si j'y réfléchissais, m'avait conduite à prendre rapidement le taureau par les cornes.

— En somme, commentai-je, te voilà mordu toi aussi, c'est ça ?

Il fit timidement oui de la tête.

— Alors, contente de te revoir.

— Merci.

— Qui est ton agent, maintenant ?

— C'est toujours Leonard.

— Ah? fis-je d'une voix neutre. Parfait.

Ainsi donc, ce sale petit sournois savait très bien que Callum était de retour et il m'avait délibérément menti. Pourquoi? Pour que je lui fiche la paix? Pour que je n'aille pas faire pression sur Callum afin qu'il me décroche un rôle dans ce nouveau film, quel qu'il soit? Probablement. Ce qui était clair, brutalement clair pour moi, c'était que Leonard ne voulait plus entendre parler de ma petite personne.

— Il n'a pas changé, continua Callum d'une voix douce. Il est toujours aussi coriace, tu le connais.

— Oh, que oui!

— Mais c'est indispensable, je suppose...

— Tout à fait.

— Et toi, tu trouves encore du boulot?

Je m'efforçai de me montrer aussi guillerette et désinvolte que je le pouvais.

— Mais oui, figure-toi.

Callum eut aussitôt l'air si affreusement gêné que je le plaignis un peu.

— Je me suis mal exprimé, dit-il. Excuse-moi.

— Mais non. Comment pourrais-tu savoir où j'en suis?

— Qu'est-ce que tu fais, en ce moment?

Je lui répondis que je tournais un vidéo-clip et ne m'étendis pas davantage. Je ne lui parlai pas de *Porta-Party*, sachant qu'il s'efforcerait de souligner les bons côtés de ce minable cachetonnage et de m'encourager, et que cela me déprimerait plus que tout.

— Un vidéo-clip où tu chantes?

— Un peu, entre autres choses.

— Tu chantais vraiment très bien. Je m'en souviens.

— Merci.

— Tu sais... ajouta-t-il, je t'ai vue, dans ce film d'horreur.

— Lequel?

Il ouvrit de grands yeux et, incapable de se rappeler le titre, fit une petite grimace.

— Je portais des espèces de loques grises qui pendouillaient de partout?

— Oui, c'est ça.

— *Bugaboo*, laissai-je tomber.

— C'est ça, *Bugaboo*. Je me souviens, maintenant.

Il se mit à rire.

— Ce truc est passé jusque dans les cinémas du Maine? demandai-je, surprise.

Il secoua négativement la tête.

— C'était sur le câble, avoua-t-il.

— Je vois...

Il arracha de nouveau quelques brins d'herbe, puis reprit :

— J'ai reçu toutes tes cartes de Noël, Cady. Merci.

— Je t'en prie.

— Excuse-moi de ne t'avoir jamais répondu...

— Allons! plaisantai-je pour dissiper sa gêne. Tu devais être bien trop occupé à regarder pousser tes premiers poils pubiens.

Callum éclata de rire.

— Tout de même... risqua-t-il.

— La liste des gens à qui j'envoie des cartes pour Noël est impressionnante, coupai-je.

Je voulais lui faire comprendre que dans mon cas il s'agissait moins d'un rituel d'échange que d'un passe-temps thérapeutique.

— Beaucoup ne me répondent pas. J'en envoie même à Phil Donahue et à Tracey Ullman. Quelquefois, j'en envoie à des gens qui ne sont même plus de ce monde!

Il s'esclaffa de nouveau, prenant cela pour une plaisanterie. C'en était bien une, d'ailleurs, mais c'était aussi une vérité. Il m'arrive de perdre le contact avec des amis qui tombent malades et qui meurent, et je ne l'apprends que des mois plus tard, souvent par le plus grand des hasards : au cours d'une fête, par exemple, ou en faisant la queue pour *Truth or Dare*. Alors, je m'exclame : « Quelle tristesse ! », je transmets la nouvelle à ceux qui ont pu connaître la personne en question, et je la barre de mon carnet d'adresses. C'est arrivé si souvent que — c'est affreux à dire — c'en est devenu un geste presque routinier, un rituel domestique parmi d'autres. Je m'abstins d'expliquer cela à Callum, mais me demandai s'il pouvait saisir ce que je ressentais. J'aurais aimé qu'il sache que je connaissais la vie, maintenant, et qu'il pouvait aborder avec moi tous les sujets.

— Comment vont tes parents? lui demandai-je.

— Bien. Ils n'ont pas tellement changé.

— Et... est-ce qu'il y a d'autres personnes, dans ta vie?

Il émit un petit rire gêné, comme un gamin surpris à faire l'école buissonnière.

— Est-ce que je suis marié, c'est ça?

— Ça, ou autre chose.

Il me montra sa main dépourvue d'alliance.

— Comme tu peux voir...

— Ce n'est pas forcément officiel, répliquai-je en souriant.

Il haussa les épaules, puis :

— Il y a eu quelques filles...

— *Quelques?*

Il se contenta de rire en manière de réponse.

— Ici? insistai-je.

— Quoi, ici?

— Eh bien, les filles!

— Non. Là-bas.

— Dans le Maine?

— Oui.

— Ça ne doit pas être drôle pour toi.

Nouveau haussement d'épaules.

— Il n'y a pas si longtemps que je suis ici, protesta-t-il. Et ta mère, comment va-t-elle?

Je ne manquai pas de remarquer ce brusque changement de sujet.

— Ma mère est morte il y a trois ans.

— Oh... Désolé.

— Je t'en prie.

J'avais beau me creuser la tête, il m'était impossible de trouver une façon adroite de faire dévier la conversation vers une histoire de drague sur le parking de Griffith Park. Aussi lui demandai-je ce qu'il avait fait d'intéressant depuis son arrivée.

— Pas grand-chose, répondit-il. Des déjeuners et encore et toujours des déjeuners.

Je hochai la tête en connaisseur, comme si moi aussi j'avais été contrainte — et contrainte récemment — à supporter le pénible fardeau des avalanches d'invitations à déjeuner. J'imaginai Callum en pleine tournée des grands-ducs : faisant son entrée à la *Hollywood Canteen*, par exemple, pour exhiber subitement son visage tout neuf et pourtant curieusement familier au regard de quelque vieux magnat des studios qui ne l'avait pas vu depuis près d'une décennie. Cela devait faire son effet. Et quelle manne, pour les médias ! Le gamin qui a conquis Hollywood à l'âge de onze ans, qui a ensuite tout abandonné pour les joies simples d'une adolescence tranquille en Nouvelle-Angleterre, fait son retour sur les écrans sous les traits d'un irrésistible jeune premier ! Si le film valait quelque chose, me disais-je, Callum pouvait redevenir une star en moins d'un an.

— On peut te joindre ? demandai-je.

— Bien sûr. Je suis descendu au Château Marmont.

— Pas mal !

Il s'étira comme un chat au soleil.

— C'était là qu'habitait le vieux Ray, tu te rappelles ?

Il voulait parler de Ray Crawford, le vieux grincheux qui jouait son grand-père dans *Mr. Woods*.

— Bien sûr, que je me rappelle !

Je n'avais jamais été invitée au Château Marmont, mais je savais que Ray y avait eu une suite. Si vous vous souvenez de lui dans le film, sachez qu'il avait à peu près la même apparence dans la vie, à ceci près qu'il portait presque toujours des chemises à manches courtes et des foulards colorés au lieu de gilets de laine. Il est mort il y a cinq ans, sans qu'on en parle beaucoup : la nouvelle a seulement été annoncée par *Entertainment Tonight* en quelques phrases.

— Mon balcon est juste à côté du sien, précisa Callum.

— Et c'est une satisfaction ? ironisai-je, car personne n'aimait beaucoup le vieux Ray.

— Pas vraiment... avoua-t-il en riant. Mais c'est agréable, d'habiter là.

J'aperçus Renée qui se dirigeait vers nous, et me hâtai de fouiller dans mon sac pour lui tendre une de mes cartes.

— Voici mes coordonnées.

Il observa la carte un instant. (Elle porte les mots suivants : « Cadence Roth, Actrice, joue la vie, pour la vie », et mon numéro de téléphone ainsi que celui de Leonard.)

— Bien trouvé, apprécia Callum. J'avais oublié que Leonard était aussi ton agent.

— Il ne semble guère s'en souvenir non plus.

Il continua de sourire, mais d'un air plutôt gêné.

— Quand tu le verras, dis-lui bonjour pour moi ! ajoutai-je.

— D'accord.

Renée était arrivée près de nous, et Callum esquissa un mouvement pour se lever et se présenter. Je l'arrêtai en le tirant par la manche.

— Promets-moi de ne pas pousser de hurlements, dis-je à Renée.

— Pardon ?

— Promets, Renée !

— C'est promis, répondit-elle, l'air un peu agacé.

— Je te présente Callum Duff.

Renée se dirigea vers lui d'un pas d'automate. Je vis alors sa bouche s'ouvrir mollement et ses yeux devenir tout petits. C'est la tête qu'elle fait quand elle essaie de se rappeler un numéro de téléphone, ou qu'elle peint des pics enneigés sous la direction de son gourou télévisuel.

— Merci, lui dis-je, constatant que le glapissement que j'appréhendais n'arrivait pas. Callum, voici Renée Blalock, ma colocataire.

Callum se leva et tendit une main.

— Bonjour !

— Bonjour, murmura en écho Renée, toujours sous le choc.

— Renée est une de tes fans inconditionnelles, affirmai-je en me tournant vers Callum.

— Vous me le jurez ? lui demanda Renée.

Comme il semblait interloqué par cette question, je lui expliquai :

— Elle ne croit pas que ce soit vraiment toi, Callum Duff.

— Oh... Eh bien...

— Inutile de lui réclamer des preuves et un serment, Renée. C'est bel et bien lui.

Je me levai à mon tour et fis tomber les brins d'herbe restés accrochés au bas de mon T-shirt, donnant ainsi ostensiblement le signal du départ. Callum me paraissait maintenant s'agiter, et quant à moi j'en avais bien assez vu de la marche de l'humanité pour la journée. Je n'avais qu'une envie : rentrer au bercail pour y passer la soirée la plus végétative possible. Ou m'asseoir sous l'arroseur automatique du jardin, peut-être, juste vêtue d'un Walkman. Seulement Renée, elle, n'en était bien entendu qu'au stade de l'échauffement.

— Vous étiez tellement merveilleux en Jeremy ! commença-t-elle. J'aurais tellement voulu vous ressembler !

— Merci.

— Je suis sincère, vous savez ? Je parle du fond du cœur.

— Je le vois, répondit Callum.

L'excitation fit tressaillir Renée et l'empêcha de lâcher du regard ne fût-ce qu'un instant le pauvre garçon.

— Bon, il est temps d'y aller, intervins-je.

— Oh... D'accord.

Mais Renée continuait de fixer Callum, cette fois d'un air penaud.

— J'espère que je ne vous ai pas...

— Vous avez été très gentille, la coupa Callum. Moi aussi, j'aime bien ce film.

Renée m'adressa un regard exalté :

— Tu sais ce qui serait formidable ?

— Quoi ? demandai-je, du ton de lassitude que, sans doute, Callum était trop poli pour adopter.

— Prendre une photo de vous deux !

Je lui fis observer aussi gentiment que je le pus qu'aucun de nous n'avait d'appareil.

— Mais il y a tout ce qu'il faut là-bas !

Elle désignait du doigt une allée du décor post-moderne qui nous entourait, au bout de laquelle se dressait un hall d'exposition sponsorisé par Fuji Film : une sorte de salle de jeux high-tech pour adultes.

— On peut se faire prendre en photo devant tout un choix de toiles de fond, précisa-t-elle.

Callum n'hésita pas.

— Dans ce cas, faites-vous photographier avec nous.

— Oh, ça ne vous ennuierait pas ?

— Bien sûr que non ! Pourquoi ?

— Ouâââh ! C'est trop génial.

— On ne t'attend nulle part ? m'enquis-je auprès de Callum.

— Non, pas pour le moment.

Il me décocha une œillade malicieuse, établissant entre nous une complicité d'adultes.

— Ça ne me dérange pas du tout. Moi aussi, j'aimerais bien emporter un souvenir.

— Il n'y a même pas la queue ! s'enthousiasma Renée.

— Alors, allons-y !

J'avais finalement compris que nous aurions droit à un exemplaire de la photo chacun, et que le mien me serait très utile... Je me voyais déjà en train de m'en servir pour taquiner ce cher Jeff.

Pour décor, notre choix finit par se porter sur un simple ciel bleu où passaient quelques nuages. Renée insista d'un ton suppliant pour une toile de fond inspirée de la forêt de Mr. Woods, mais il était clair que l'idée mettait Callum assez mal à l'aise, et je ne cédai pas. Callum s'assit sur une chaise, je pris place sur ses genoux et Renée se tint debout derrière nous, une main posée délicatement sur l'épaule de sa nouvelle idole. Le tableau curieusement victorien que nous formions attira une petite foule fascinée.

— C'est vraiment chic de ta part, dis-je à Callum lorsqu'il me reposa par terre.

— Pourquoi donc ? C'est tout naturel.

— Où es-tu attendu, maintenant ?

— Par là, répondit-il. De l'autre côté.

Il me désignait du regard le « vrai » côté des studios Icon — celui où l'on travaillait —, là où nous avions autrefois tourné un film ensemble, tant d'années auparavant.

Je hochai la tête d'un air entendu et n'en demandai pas davantage, ne voulant pas lui paraître indiscrète.

Callum insista pour payer la séance de photos, et encouragea Renée (déjà au septième ciel) à s'en commander une au format d'un poster. Le cliché se révéla finalement beaucoup plus réussi que je ne m'y étais attendue. Renée y était au mieux de sa placide physionomie, ses cheveux se détachant en un dégradé de jaune contre le faux ciel bleu. Quant à moi, mes pommettes se voyaient, pour une fois, et mes yeux (c'est du moins ce que Renée m'affirma) irradiaient de tout leur charme. Callum, bien plus qu'au naturel, ressemblait à l'enfant que j'avais connu. Quelque chose d'authentique, de gentiment spontané avait affleuré dans son regard juste à temps pour être saisi par l'objectif. Et l'impression produite était des plus troublantes.

— Est-ce que les gens te reconnaissent ? lui demandai-je.

— Non, répondit-il. C'est très rare. Ça n'arrive même presque jamais.

— Je peux en dire autant.

Il éclata de rire :

— Alors, nous sommes à égalité !

Le sentant impatient de s'en aller, je lui dis combien j'étais contente que nous nous soyons retrouvés et l'invitai à m'appeler quand il en aurait envie. Il me remercia très gentiment, mais ne promit rien — ce qui ne me surprit pas, car nous n'avions jamais été vraiment intimes. Renée lui exprima avec profusion sa gratitude de ce qu'il eût bien voulu poser avec nous, et, s'enhardissant encore davantage, l'embrassa gauchement sur la joue.

Nous le quittâmes non loin de l'endroit où il m'avait trouvée, puis reprîmes l'escalier géant jusqu'au parking.

Évidemment, aussitôt de retour à la maison, je m'empressai d'appeler Jeff. Après six sonneries et l'habituel interlude musical (si exaspérant !) dû à k. d. lang, j'appris par son répondeur que le Saroyan gay se trouvait dans un motel de Palm Springs et ne serait pas de retour avant le lundi matin. Ma déception fut cruelle ; aussi lui laissai-je par pur sadisme un message sibyllin, où je lui suggérais de me téléphoner quand il le voudrait s'il souhaitait obtenir quelques informations sur « la dernière apparition de Jeremy ». Je n'allais pas gâter l'excitant petit récit que je tenais en réserve en le résumant platement sur une bande magnétique, et je savais par expérience que Jeff ne l'apprécierait que davantage si je m'employais par jeu à l'enrubanner de mystère.

Pourtant, il ne m'a pas appelée de toute la soirée. Franchement, cela m'intrigue, car Jeff a coutume d'interroger très régulièrement son répondeur, où qu'il se trouve et en toutes circonstances. Du reste, Jeff ou pas, le téléphone n'a pas sonné une seule fois : j'en suis sûre, car Renée et moi n'avons pas bougé de la maison, penchées que nous étions sur nos entreprises créatives (ou plutôt, dans son cas, plantée devant).

L'œuvre picturale de Renée progresse. Elle peint à présent une cascade : c'est, apparemment, la suite logique de la période dite des « pics enneigés ». Elle s'exclame : « Oooh, pfff ! » toutes les trois minutes, si bruyamment que j'ai envie de l'étrangler, mais je dois dire qu'elle se montre assez douée pour appliquer la technique que lui enseigne son maître cathodique. Il sait s'y prendre, ce type. Tandis que je suis étendue sur mon coussin, sa voix grave et rassurante coule sur moi comme du miel chaud. Elle m'évoque un vieil oncle affectueux murmurant des comptines près d'un berceau. Je me demande s'il n'est pas l'objet d'une espèce de culte, si des gens n'allument pas leur téléviseur rien que pour se laisser envoûter par sa voix.

Je suis presque arrivée à la fin de ce cahier. Encore une vingtaine de pages et il faudra que j'en trouve un autre, un peu plus élégant cette fois, sans la vilaine figure fripée de Mr. Woods sur la couverture. J'ai atteint la saturation, aujourd'hui : j'ai décidé que ce serait là ma façon de tirer ma révérence à ce petit abruti. Chaque fois que je me replonge dans cette mythologie déliquescente, j'en ressors épuisée et abattue, prématurément décrépite.

Et la vie est trop courte pour regarder en arrière.

Tout particulièrement la mienne.

Il est minuit passé et Jeff n'a toujours pas appelé. Il y a une demi-heure, Renée est entrée pour me souhaiter bonne nuit, vêtue de sa nouvelle nuisette et le visage enduit d'une impressionnante couche de crème.

J'imagine Jeff dans une chambre étrangère, avec des fenêtres qui donneraient sur une piscine éclairée par une pauvre lune du désert suspendue très bas au-dessus des palmiers. Il sort tout juste d'une spectaculaire partie de baise (désolée, mais je n'arrive pas bien à me représenter l'autre visage), et s'apprête à déverser l'intégralité de son dernier chapitre dans les oreilles de sa victime trop peu méfiante. Si tel est le cas, il se pourrait qu'il décide d'interroger son répondeur avant de s'endormir.

Qu'il aille au diable ! Ma peau de bébé réclame un bon gros somme.

9

Ce matin, en me réveillant, j'ai trouvé une souris prise au piège que Renée a posé dans la cuisine. S'il s'était agi d'un piège ordinaire, j'aurais pu faire face à la situation. Mais non : c'était un rectangle de plastique blanc, couvert d'une espèce de poix jaunâtre dans laquelle la malheureuse bestiole était engluée, bien vivante et se débattant épouvantablement. Elle avait même tout un côté de la tête collé au plastique par cette horrible matière, et, dans ses efforts désespérés pour s'échapper, elle tendait ses muscles encore mobiles, mais tout ce qu'elle était parvenue à faire, c'étaient des crottes. Je préfère ne pas me demander depuis combien de temps elle se trouvait là.

À la maison, celle qui remplit officiellement la fonction d'exterminatrice de rongeurs, c'est Renée, comme autrefois maman ; seulement elle était sortie ce matin-là pour une séance de lèche-vitrines et il était peu probable qu'elle rentrerait avant plusieurs heures. J'ai ouvert sous l'évier la petite porte du placard, cherchant frénétiquement la boîte qui avait emballé ce maudit piège, avec l'espoir que j'y trouverais des explications sur ce que je pourrais tenter pour la souris. Ne trouvant rien là, j'ai cherché ailleurs, et j'ai aperçu quelque chose sur une étagère : une boîte rouge et jaune portant l'inscription *E-Z Catch*. J'ai saisi un manche à balai pour l'atteindre, et j'ai fini par la faire tomber à mes pieds en même temps qu'une avalanche de serpillières à l'âcre odeur de détergent.

Il y avait effectivement des instructions dessus : « Jetez la souris avec le piège. » Il y avait aussi une charmante illustration montrant une souris prise dans cette horrible poix, allègrement dessinée comme dans un dessin animé, et l'auteur de cette œuvre d'art n'avait pas omis les gouttes de sueur (à moins que ce ne soient des larmes ?) roulant de la tête de la souris. « Ni ressorts, ni mâchoires. Aucun danger pour les doigts. Propre et commode, prêt à l'emploi. »

Que faire ? Si, comme le conseillait la notice, je jetais cette pauvre bête à la poubelle, pour pratique que fût cette solution, cela voulait dire qu'elle y resterait des heures, dans le noir, terrorisée et épuisée, jusqu'à ce que la vie commence à la quitter et que les fourmis viennent la dévorer vivante. Pas question que je cautionne une telle barbarie : aussi tournai-je le robinet du petit évier placé à ma hauteur et remplis-je ce dernier d'eau tiède (dans l'intention d'offrir ainsi à ma victime une fin plus agréable) ; après quoi je noyai la souris.

Il lui fallut un temps fou pour mourir. Quand elle fut enfin inerte, je la maintins encore un moment sous l'eau, par acquit de conscience. Quand je retirai enfin de l'évier le minuscule cadavre dégoulinant, m'assurant anxieusement qu'il ne donnait plus aucun signe de vie, j'eus une brève et perverse vision de Glenn Close jaillissant de sa baignoire dans *Fatal Attraction*. Mais la souris était parfaitement immobile, aussi emportai-je dehors cette saleté de piège et sa victime pour jeter le tout dans le container à ordures sur le trottoir. Puis je rentrai dans la maison en toute hâte, frissonnant un peu, et pris une longue douche bien chaude en me frictionnant avec un gant de crin.

Je ne suis pas une tueuse-née : le reste de ma matinée s'est trouvé complètement gâché. On pourrait croire que de nous deux c'est Renée la plus portée à la sensiblerie, mais pas du tout. Elle est très habituée à poser des pièges, cause ainsi des morts par dizaines, et cela ne la trouble pas le moins du monde. En fait, elle est même toute joyeuse quand elle découvre le matin qu'une pauvre bête s'est laissée prendre.

J'écris ces lignes sur la plage de Santa Monica. Il reste à Renée trois jours de congé, et elle est bien décidée à en profiter. Nous sommes installées sous un parasol tout neuf, en tissu à fleurs, qu'elle a acheté hier chez *K-Mart*. J'arbore ma dernière création : un costume de bain en vichy rose, avec beaucoup de rubans, qui me donne l'air d'un énorme bébé victorien. Renée, en bikini bleu roi, est plongée dans le dernier numéro de *People*, avide de détails croustillants sur la grossesse d'Annette Bening (enceinte, chacun sait, des œuvres de Warren Beatty). Une douce brise de mer vient nous caresser, et le ciel est d'un beau bleu transparent. Bien que ma chère amie ne semble pas l'avoir remarqué, un jeune Chicano allongé deux serviettes plus loin la lorgne depuis un bon moment, et le tissu de son maillot de bain moule une érection assez spectaculaire pour confirmer l'acuité de son intérêt. Je suppose que je vais devoir la prévenir tôt ou tard.

Dernières nouvelles du jour.

Jeff m'a appelée ce matin après avoir entendu mon message sur son répondeur.

— Bon, Cadence, qu'est-ce que c'est que cette histoire ?

Comme il semblait à cran, je décidai de ne pas tourner autour du pot.

— Callum Duff est à Hollywood, dis-je. Il est revenu depuis plusieurs mois.

Son silence dura si longtemps que je me demandai s'il n'était pas fâché contre moi, bien qu'il me fût impossible d'imaginer pour quelle raison.

— Tu peux crier victoire, ajoutai-je. C'est ton droit.

— Comment l'as-tu appris ?

— Je l'ai rencontré. Nous nous sommes parlé.

— Mais tu ne sais pas si c'est bien le type avec qui j'ai passé la nuit, objecta Jeff.

— Non. Cependant j'ai un excellent moyen de le savoir.

Un autre silence. Puis, d'un ton sournois :

— Il n'est pas avec toi ?

— Non, Jeff, dis-je en riant. Mais j'ai sa photo. Prise hier.

— Ah oui ?

— Qu'est-ce qui ne va pas ? demandai-je. Je m'attendais à ce que tu exultes !

— Tu ne lui as pas dit que je... ?

— Je ne lui ai rien dit du tout. Ton nom n'a pas été prononcé une seule fois.

— Heureusement.

— Maintenant, à toi de faire le pas suivant, dis-je.

— Non.

— Ah ? Comme tu veux.

J'avais un ton assez froid pour lui faire comprendre que je ne me souciais guère des suites de l'affaire, car je commençais à avoir l'impression de jouer les entremetteuses. Après tout, Jeff n'avait qu'à se débrouiller pour retrouver ses petits amis.

— Rappelle-toi qu'il avait mon numéro et qu'il ne m'a jamais rappelé, insista Jeff.

— Et alors ?

— Alors, je ne peux pas lui téléphoner maintenant sans crier gare. Il ne m'a même pas dit où il habitait. La fierté, ça existe, figure-toi !

— Je vois.

— Où habite-t-il, au fait ?

— Qu'est-ce que ça peut te faire, puisque tu ne veux pas le contacter ?

— Cadence...

— Au Château Marmont.

Un sifflement admiratif retentit dans le combiné.

— C'est bien là que tu l'imaginais, ton prince charmant, pas vrai ? Dans un château ? ajoutai-je moqueusement.

— Très drôle !

— Ce garçon est une merveille, Jeff. Je comprends qu'il t'ait tapé dans l'œil.

— Mmmouais... En tout cas, elle est du genre coincé, la merveille, maugréa-t-il.

— Pourquoi ? Parce qu'il ne t'a pas rappelé ?

Pas de réponse.

— Tu veux voir cette photo, insistai-je, oui ou non ?

Il émit un grognement inintelligible qui signifiait oui, aussi lui dis-je qu'il n'avait qu'à passer. Il répondit qu'il viendrait dès qu'il aurait fini sa séance d'abdos matinale. Je raccrochai et allai remettre en ordre les coussins du salon, jubilant comme chaque fois que j'arrive à ruser pour attirer quelqu'un dans la déprimante contrée des Rubans jaunes.

Il apparut une heure plus tard, m'apportant un bouquet d'œillets rouges fanés, achetés en chemin, me dit-il, à un vendeur hispanique installé à un carrefour. Il essayait d'avoir l'air désinvolte, mais sur son visage rond et mal rasé l'impatience se voyait comme un nez rouge. Après s'être agenouillé pour déposer sur ma joue le baiser rituel, il se précipita sur la photo.

— Où a-t-elle été prise ? demanda-t-il.

Je le lui expliquai.

— Je croyais que tu avais horreur de cet endroit.

— C'est vrai, mais Renée a tellement insisté. Alors, est-ce que c'est lui ?

Il fit oui de la tête.

— Tu es surpris ?

— Non. Et toi ?

Je secouai la tête et le regardai avec un petit sourire contrit.

— Il t'a laissé entendre qu'il était gay ?

Je lui parlai des petites amies dans le Maine.

— Oh, ingénieux ! ironisa Jeff.

— Il préférait peut-être rester discret, remarquai-je.

— Exactement ce que je te disais : c'est un coincé. Et s'il existe vraiment une petite amie, alors à dégager !

— Je crois qu'il est seulement très jeune, Jeff.

Il soupira et se laissa tomber dans un fauteuil.

— Trop jeune, oui. Et je n'ai aucune envie de lui servir de mentor. S'il en est encore à se cacher, je n'ai pas le temps de l'attendre.

Ses airs désabusés commençaient à m'agacer. Je m'installai sur mon coussin et lui fis observer que Callum n'était son cadet que d'une dizaine d'années.

— C'est juste. Mais pense un peu à ce qui s'est passé depuis dix ans.

C'était un argument que je ne pouvais discuter. Une décennie vécue au voisinage de l'agonie et de la mort changeait forcément le regard qu'on portait sur les choses. Si l'on considérait l'éducation très protégée qu'avait reçue Callum dans sa petite ville de Nouvelle-Angleterre et le militantisme de plus en plus actif de Jeff, il se pouvait très bien que les deux garçons ne fussent absolument pas sur la même longueur d'ondes. Il me semblait seulement qu'ils feraient un joli couple. Et Jeff pensait la même chose, je le savais parfaitement, bien qu'il eût fait de son mieux pour me persuader du contraire.

— Tu sais, réattaquai-je au bout d'un moment, cela arrive qu'on perde un numéro de téléphone.

Il continua de méditer, puis :

— Et si je lui téléphonais, qu'est-ce que je dirais ?

Je haussai les épaules :

— Que tu m'as rencontrée par hasard, que je t'ai raconté nos retrouvailles aux studios Icon, et que cela t'a fait comprendre qui il était.

— Là, pour le coup, il me raccrocherait au nez !

— Pas forcément.

— Ça ne t'ennuie pas, que je lui parle de toi ?

— Bien sûr que non.

— Au moins, ça permettrait de lancer la conversation. « Quelle curieuse coïncidence », et ainsi de suite.

— Pourquoi pas.

Je réfléchis quelques instants.

— Mais s'il t'a dit qu'il s'appelait Bob, ça risque peut-être de l'effrayer un peu que tu saches son vrai nom.

— Oui, probablement, marmonna Jeff.

— Oh, après tout, ça ne peut pas lui faire grand mal que tu l'appelles pour lui dire bonjour. Tu veux téléphoner d'ici ? Va dans la chambre de Renée, si tu veux être plus tranquille.

— Elle n'est pas là ?

— Non.

Il poussa un autre gros soupir.

— Ça va être épouvantablement humiliant, se lamenta-t-il.

— Alors, ne le fais pas. Ou bien fais-le et écris cinquante pages pour le raconter !

Il me gratifia d'un sourire sardonique, mais fraternel en même temps, puis se leva, entra dans la chambre de Renée et en referma la porte.

J'étais en train de nous préparer du thé lorsque Jeff revint et m'annonça que Callum n'était pas dans sa chambre du Château Marmont. Il ne lui avait pas laissé de message, car Jeff pensait n'être pour Callum qu'une aventure de passage remontant à des siècles. Comment il avait découvert où il habitait (sans parler de sa véritable identité) n'était pas le genre d'explications à faire transmettre par un réceptionniste d'hôtel, fût-ce un réceptionniste du Château Marmont.

Il désigna la théière que je tenais à la main :

— Ce n'est pas pour moi ?

— Si, c'est pour nous deux.

— Il faut que je file, Cadence.

— Tu as du culot !

— Je sais. Mais je te revaudrai ça.

Je posai la théière.

— Vas-y, abandonne-moi, m'indignai-je. Plante-moi là avec toutes les mères de famille !

Il rit.

— Je dois déjeuner avec un éditeur. Sinon, tu sais...

— Tant pis. Tu le regretteras. Quand mon clip fera fureur sur MTV, je m'en souviendrai.

— Quel clip ?

— Peu importe. File, tu es pressé !

— Tu tournes un clip ?

— Je t'en parlerai à l'occasion. Tu veux la photo de Callum ?

Il hésita un instant, puis :

— Tu veux dire que je peux l'emporter ?

— J'en ai deux.

— Ah ?... Alors merci.

Il passa au salon, prit la photo et lui jeta un bref coup d'œil.

— Je serai content de l'avoir. Parce que tu es dessus, naturellement.

— C'est ça ! Embrasse-moi, puisque tu es décidé à me quitter.

Il sourit.

— À propos, comment va Renée ?

Je lui répondis qu'elle allait bien, qu'elle était en congé pour une semaine mais qu'elle était sortie faire des courses. Je ne m'étendis pas davantage, car je savais que cela ne l'intéressait pas vraiment. Jeff a toujours considéré Renée comme un cas désespéré, surtout depuis Pâques, lorsqu'il est passé le matin et l'a vue harnachée en parfaite petite dame patronnesse, avec sac à main et chemisier à jabot pour se rendre à l'église. Ils ne sont pas ennemis, loin de là, mais le fait est qu'ils n'ont pas grand-chose à voir l'un avec l'autre. C'est d'ailleurs le cas de la plupart de mes amis : ce qu'ils ont en commun, c'est ma pomme, et rien qu'elle.

— Rends-moi un service, dis-je.

— Volontiers. Lequel ?

— Renseigne-toi sur son film.

— Quel film ?

— Celui qu'il va tourner. C'est pour ça qu'il est revenu, rappelle-toi.

— Ah, oui.

— Ne lui dis pas que c'est moi qui veux en savoir plus long. Attends seulement qu'il t'en parle. Je suis sûre qu'il le fera.

— D'accord.

Il resta pensif un moment, puis me lança un regard perfide.

— Alors voilà ton intérêt dans cette affaire !

— Je n'ai aucun « intérêt dans cette affaire », répliquai-je fermement. C'est seulement un service que tu peux me rendre.

Cela sonnait un peu comme une phrase qu'aurait pu prononcer Rumpelstiltskin, l'oukase d'un nain méchant ; je ris donc pour signaler l'autodérision et le convaincre de mon innocence, puis lui tendis une joue.

— Je t'appellerai bientôt, promit-il en se redressant. Je te proposerai un film.

— Quoi ?

J'avais failli ne pas comprendre qu'il me proposait seulement d'aller au cinéma.

— Oh... d'accord.

— À propos de films, as-tu lu ce qui est arrivé à Pee-wee ?

À une époque, le samedi matin, Jeff et moi avions coutume de regarder ensemble *Pee-wee's Playhouse*. Nous sommes aussi de grands fans du film — le premier, bien sûr, je ne veux pas parler de cette suite lamentable où l'on se donnait tant de mal pour donner l'impression qu'il est hétéro.

— Qu'est-ce qu'il a ? demandai-je.

— Il a été arrêté en Floride parce qu'il se branlait dans un cinéma porno.

— Non ! Avec un autre homme ?

— Pas du tout... Tout seul, comme un grand.

— Et on peut être arrêté pour ça ?

Jeff était déjà dehors et se dirigeait vers sa voiture.

— En Floride, tout est possible.

Je lui fis au revoir de la main, puis regardai sa guimbarde rouillée s'éloigner et disparaître au coin de la rue. En retournant dans la cuisine pour mettre ses œillets dans un vase, je me demandai s'il devait vraiment déjeuner avec un éditeur, ou s'il n'allait pas plutôt se précipiter au Château Marmont pour surveiller le hall le reste de la journée. Il en était bien capable, et j'avais remarqué dans ses yeux une certaine lueur des plus sournoises.

Nous avons commencé à tourner le vidéo-clip le lendemain, dans une serre vide de l'avenue La Brea. C'était la deuxième fois que Neil et moi avions rendez-vous avec Janet Glidden, son amie de l'*American Film Institute*. C'était une fille blanche, grande et maigre, avec de longues dents et une frange de cheveux noirs très raides, brillants comme des fils d'acrylique, qu'elle écartait continuellement de ses yeux. Ses gestes nerveux, son agitation presque maniaque qui ne cessait de ralentir son travail, auraient aisément pu faire croire à une consommation excessive de cocaïne, ou tout simplement au trac, mais je me doutais qu'il s'agissait d'autre chose.

La serre appartenait à un de ses amis, qui nous l'avait prêtée pour deux jours seulement : c'est un peu court, on ne peut pas dire le contraire, même pour un simple tournage en play-back. Je fis donc de mon mieux pour accélérer les choses — ce qui, pour l'essentiel, voulait dire rester debout sans bouger, resplendissante dans ma robe rose à paillettes, sur une minuscule scène improvisée, tandis que Janet l'extraterrestre sautillait autour de moi, totalement paniquée et s'excusant interminablement. Ses longs doigts couleur d'ivoire tremblaient cependant qu'elle s'occupait de l'éclairage.

La lumière était entièrement naturelle, annonça-t-elle avec beaucoup de fierté. Sur la pente du toit, elle avait disposé une large toile de manière à projeter des flots de rayons surnaturels sur la scène, histoire de rendre l'atmosphère mélodramatique. De temps en temps, elle montait sur une échelle à l'extérieur de la serre et déplaçait un peu la toile au moyen d'une longue baguette en bambou. Elle construisait son décor avec la lumière, me déclara-t-elle, exactement comme Orson Welles dans *Citizen Kane*. C'était selon elle la seule façon d'atteindre à la « grandeur » quand on n'a qu'un petit budget.

Neil observait à distance la « grandeur » en question, appuyé au fond de la serre sur une table à rempotage. Il portait aujourd'hui un pantalon marron foncé et un polo de coton blanc qui le moulait comme une seconde peau. Il parlait peu, mais de temps à autre son regard croisait le mien et il me lançait des clins d'œil complices, comme pour plaisanter avec moi de l'activité brouillonne déployée par cette pauvre excitée de Janet. Il avait compris aussi vite que moi, je crois, que l'on ne pouvait guère se fier à elle pour mener ce travail à son terme.

Quand elle s'excusa une fois de plus et sortit de la serre pour aller chercher un objectif, Neil s'avança jusqu'à la « scène » et s'assit près de moi sur le contreplaqué branlant.

— Ce n'est pas dangereux ? s'inquiéta-t-il.

Il me fallut quelques secondes pour comprendre qu'il parlait de la scène.

— Tu connais quelque chose qui ne le soit pas ? rétorquai-je.

— Tu as raison, dit-il en riant.

Je lui demandai son impression.

— Eh bien... C'est difficile de se faire une opinion, sans la musique, répondit-il prudemment.

— Oui, bon, grommelai-je. Ce n'est pas le public de MTV qui jugera, de toute façon. Ni aucun public, d'ailleurs.

— Tu veux laisser tomber ?

Je lui dis que non, que cela ne me dérangeait aucunement de continuer. Après tout, il n'y avait plus qu'un seul jour de travail, et le petit film de Janet, quelle que soit sa qualité, pourrait me servir de carte de visite auprès des producteurs. À la vérité, c'était surtout pour Neil que je me montrais bonne joueuse, car il avait fondé de grands espoirs sur ce projet et semblait même plus déçu par Janet que moi. Je voulais aussi qu'il me voie sous un bon jour, comme une fille beaucoup trop gentille et généreuse pour jouer à la *prima donna*, et humilier une étudiante en cinéma écervelée. Ce qu'il pensait de moi m'importait, je crois. *M'importe*, plutôt. Au présent.

— D'habitude, me dit-il, elle n'est pas comme ça.

Je lui demandai où il avait fait sa connaissance.

— C'est une amie de mon ex-femme.

— Ah ? Et elle est devenue ta propriété après le divorce ?

Il sourit.

— Pas exactement. Je l'ai rencontrée dans la rue, par hasard, et elle m'a expliqué ce qu'elle faisait à l'*American Film Institute*. Elle en parlait comme une fille qui sait parfaitement où elle va.

— Vraiment ?

— Oui.

— Nous devrions la mettre en ménage avec Tread, tu ne crois pas ? suggérai-je.

Il se mit à rire.

— Ça ne lui ferait pas de mal, qu'elle lui refile un peu de son énergie.

Je lui conseillai de ne pas confondre énergie et panique.

— Pourquoi parles-tu de panique ?

Des hiéroglyphes se dessinèrent sur son front.

— Tu crois qu'elle panique à cause du clip ?

— Non. À cause de moi.

Il parut déconcerté.

— Je ne crois pas, Cady. Ça m'étonnerait. Elle n'est pas du genre à s'affoler pour rien.

— En général, peut-être, dis-je d'un ton dégagé. Mais les nains la terrorisent, c'est clair.

— Elle n'avait pas l'air terrorisé quand nous l'avons vue la première fois.

— Non. Seulement, elle a eu une semaine pour y réfléchir, observai-je. Ce genre de chose m'est arrivé plus d'une fois, Neil. Des nanas comme elle, j'en ai trop rencontrées !

— Vraiment ?

— Oh, oui !

Il me demanda si c'était toujours des femmes.

— Les femmes compatissent, répondis-je. Beaucoup trop, dans certains cas. Janet me regarde, se regarde elle-même et ne le supporte pas. Elle n'a même plus qu'une envie : prendre ses jambes à son cou.

Je lui souris.

— Tu as dû t'en apercevoir. Elle n'arrête pas de courir dans tous les sens depuis ce matin.

Neil resta sans réaction. Il se contenta de hocher la tête, puis regarda quelque chose derrière nous et sourit. Me retournant, je vis que Janet était revenue.

— Tu as trouvé ce que tu cherchais ? lui demanda-t-il.

— Oh, oui. Excusez-moi. J'étais pourtant sûre d'être venue avec. Je suis désolée.

— Il ne faut pas.

Neil et moi prononçâmes ces mots en même temps,

comme deux chats qui viennent de se partager un canari. J'espérais que Janet n'avait rien entendu de ma rapide analyse de son comportement, car son sentiment de culpabilité n'en aurait été que plus aigu, et il l'était déjà beaucoup trop. Elle m'exaspérait, bien sûr, mais sa bonne volonté était manifeste et je n'avais aucune raison de me montrer dure.

Voulez-vous savoir ce qu'une personne de ma taille fait de tout le temps où elle n'est pas en butte au sadisme des boutons d'ascenseurs, des robinets et des distributeurs de billets ? Elle le passe à ménager la sensibilité des gens qu'on dit « normaux ». Elle apprend à oublier ses sentiments pour ne prêter attention qu'aux leurs, dans l'espoir de les amener sur un terrain d'entente. C'est à elle, et à elle seulement, que revient le rôle d'expliquer, d'ignorer, de pardonner, encore et encore. Pas moyen d'y échapper. Et elle s'en accommode vaille que vaille, si elle veut survivre et ne pas être rongée par la colère, par l'aigreur. Si elle veut appartenir à l'espèce humaine.

— Comment te sens-tu ?

La voix de Janet était un rien trop empressée pour être naturelle.

— Tu dois être fatiguée.

— Non, répondis-je, je me sens plutôt en forme.

— Je pourrais aller te chercher du café ou autre chose, insista-t-elle.

— Je pense qu'il vaudrait mieux continuer, répliquai-je un peu sèchement.

— D'accord... d'accord...

Neil se leva brusquement, en ébranlant un peu l'équilibre du praticable.

— Je vous laisse travailler.

— J'aime beaucoup cet effet, concédai-je à Janet. Ces rayons obliques, là.

— Euh... Ah bon ?

La malheureuse était tellement sur les nerfs qu'elle n'avait même pas compris que mon compliment lui était adressé. Elle se retourna comme une pintade effrayée et observa sur le mur le jeu délicat de l'ombre et de la lumière.

— Vraiment ? Tu trouves ?

Je lui dis que l'effet me rappelait les longues ombres sur les façades dans *Le Troisième Homme*.

— Euh...

Elle s'autorisa un sourire d'un dixième de seconde et rougit violemment.

— C'est gentil de me dire ça, seulement je ne suis pas sûre que... Tu as remarqué le treillis, là-haut ?

Je lui dis que oui, et que cet éclairage serait superbe en noir et blanc.

— Oh, oui ! reconnut-elle. Enfin... j'espère. Tu veux regarder par l'œilleton de la caméra ?

Je suis sûre qu'elle n'avait pas réfléchi aux problèmes logistiques posés par sa proposition, car soudain elle eut l'air de nouveau tout agitée.

— À moins que...

— Neil peut me soulever, la rassurai-je.

— Oh, dans ce cas... Si tu veux vraiment...

Neil m'aida donc à descendre de la scène et me porta à bout de bras, le temps que j'observe l'installation de Janet à travers l'objectif. Elle alla s'asseoir en tailleur à l'endroit où je m'étais tenue, pour que je voie de quelle façon la lumière tombait sur mon visage. C'était en effet réussi — épuré et violemment dramatique à la fois —, mais certes pas aussi troublant que la chaude peau d'acajou de mon Neil chéri que je sentais à travers son polo de coton blanc.

— Est-ce qu'on enseigne ce genre de procédés à l'*American Film Institute* ? demandai-je, lorsque Neil m'eut reposée par terre.

— Quoi ?

— L'éclairage. Tu t'y connais, apparemment.

— Oh... non. Enfin si, un peu.

— C'est incroyable, que tu puisses réussir ça rien qu'avec la lumière naturelle.

Janet regarda de nouveau par l'objectif, puis me dévisagea, un peu apaisée maintenant que j'avais focalisé l'intérêt sur son travail. D'une certaine façon, je crois qu'elle me voyait pour la première fois.

— Je suis contente que ça te plaise, conclut-elle.

En retournant vers la Vallée, Neil et moi fîmes un bilan de la journée de travail.

— Après tout, il se pourrait qu'elle nous surprenne, commenta Neil.

— En effet, ce n'est pas impossible, admis-je, sans m'étendre davantage.

— J'espère que tu ne m'en veux pas, ajouta-t-il.

— De quoi ?

— De t'avoir entraînée dans cette histoire.

Je lui lançai un regard sévère et lui dis qu'on ne m'entraînait jamais dans rien sans que j'y fusse un peu pour quelque chose.

— Tout de même...

Changeant de sujet, je lui demandai si son ex-femme ressemblait à Janet.

— Non.

Il se tourna vers moi.

— Pourquoi ?

— Tu m'as dit qu'elles étaient amies... Je me demandais si elles avaient beaucoup de choses en commun.

— Non, pas beaucoup. Linda était très organisée. Elle *est* très organisée. Ce doit être pour ça que Janet lui a plu. Elle lui offre une autre vie chaotique à mettre en ordre.

— Est-ce qu'elle a aussi fait le ménage dans la tienne ?

— Autant qu'elle a pu.

— Et c'est la raison pour laquelle vous vous êtes séparés ?

— Pas seulement.

— Pour quoi d'autre, alors ?

Il sembla résister un moment, puis s'enquit ironiquement :

— Tu prospectes pour le talk-show d'Oprah Winfrey ou quoi ?

154

— Non, mais tu peux faire comme si c'était le cas.

— Elle n'était pas très romantique, hasarda-t-il.

— Elle ne t'apportait pas de roses ?

— Non. Et n'avait pas envie que je lui en apporte.

— Oh ! plaisantai-je. C'est un vrai problème.

— C'en est devenu un.

Mes taquineries commençaient à le mettre mal à l'aise, aussi m'écartai-je de ce point sensible.

— Elle travaillait dans le spectacle ?

Il secoua la tête.

— Non. Dans l'administration d'un hôpital.

Je me représentai immédiatement ce rabat-joie avec un bloc-notes à la main. Disons plutôt : cette pauvre conne, puisqu'elle avait laissé partir Neil. Je lui demandai comment il l'avait rencontrée.

— C'était à Tahoe. Je jouais dans un piano-bar.

— Elle était là en touriste ?

— Oui.

— Et tu as été amoureux d'elle ?

— Oui, je suppose.

— Tu « supposes » ?

— Pendant un certain temps, oui, je l'ai été.

— Pourtant, on dirait que vous n'aviez pas grand-chose en commun... observai-je.

— Nous n'avons presque rien en commun.

J'aurais de beaucoup préféré qu'il le confesse en avouant : « Nous n'*avions* pas », mais je m'abstins de tout commentaire. Il m'apparaissait de plus en plus clairement que Linda continuait d'occuper son esprit, quelle qu'en fût la raison.

— Qu'est-ce que tu aimais en elle ? demandai-je.

Il réfléchit quelques instants, puis haussa les épaules.

— Elle me donnait le sentiment d'avoir du talent, reconnut-il.

— Tu *as* du talent !

Ses lèvres esquissèrent un sourire un peu indolent.

— Pas tant que ça...

— Elle aimait t'écouter jouer ?

— Oui.

— Ce n'est pas si mal.

— Tu as raison... Sauf s'il n'y a rien d'autre.

Il soupira.

— Mais ce n'est pas si simple. J'étais très jeune et j'avais besoin de quelqu'un qui croie en moi, tu comprends? Ma famille ne m'avait pas spécialement gâté, de ce point de vue-là.

Je lui demandai depuis combien de temps il était divorcé.

— Presque deux ans, répondit-il.

— Alors, pourquoi ne sors-tu pas avec d'autres femmes?

Cette fois, il eut l'air vraiment troublé.

— Comment es-tu si sûre que je ne le fais pas? rétorqua-t-il au bout d'un instant.

— Ça t'arrive?

— Quelquefois. Quand je peux. Ce n'est pas si facile, avec ce boulot. Et puis, je passe beaucoup de temps avec mon fiston.

— Je comprends.

— Mais cela viendra. Je compte bien le faire plus souvent.

— De faire quoi, plus souvent?

— Voir d'autres filles.

Il se tourna vers moi.

— Est-ce que c'est ton habitude, de tirer les vers du nez aux gens comme ça?

— Oui.

— Pourquoi?

— Parce qu'ils se laissent toujours faire.

Il se mit à rire.

— Vraiment?

— Vraiment.

— Alors tu aimerais peut-être aussi voir où j'habite?

Un instant, je crus qu'il disait cela par ironie, pour narguer ma curiosité.

— Tu sais, je n'avais pas l'intention de...

— Non, m'arrêta-t-il. Je parle sérieusement. Viens passer un moment chez moi.

— D'accord. Un de ces jours.

— Pourquoi pas tout de suite ?

En effet, me dis-je, pourquoi pas ?

Il habitait à North Hollywood, au premier étage d'un immeuble qui ressemblait un peu à un motel. C'était un bâtiment bien entretenu, fonctionnel, en briques blanches, orné de fer forgé. Une pancarte en plastique portant l'inscription APPARTEMENTS À LOUER battait au vent. Les portes, sur le devant, étaient peintes en orange ou en bleu cobalt. Il y avait entre la façade et la route une bande de gazon où se tenait une petite fille aux tresses rousses, immobile sur un tricycle en plastique jaune. Tandis que nous approchions, je remarquai que le gazon brillait curieusement sous la lumière, comme les écailles d'un poisson, et je compris qu'il était en plastique lui aussi.

Il y avait un ascenseur, heureusement ; aussi n'étais-je pas trop à bout de souffle en arrivant à son appartement. Il me posa sur un fauteuil du salon, une pièce agréable et ensoleillée qu'il avait manifestement meublée en une seule fois, après avoir passé tout un samedi matin chez Pier Import. Beaucoup d'objets étaient en osier, peints en vert ou en prune. En guise d'ornements, quelques lampes aux formes épurées et un trio pour le moins inattendu d'énormes jarres à vin italiennes. La moquette beige dégageait une délicieuse odeur de neuf. Derrière les vitres coulissantes des portes-fenêtres, les deux petits balcons qui surplombaient le parking avaient été transformés en minuscules écosystèmes jumeaux, débordant de plantes tropicales en pot. Danny, le petit garçon de Neil, passait l'été avec sa mère, mais une accumulation de photos soigneusement disposées sur le téléviseur rappelait avec insistance son existence. Neil m'en tendit une, la plus grande, pour que je la regarde de plus près : c'était un portrait de son rejeton bien-aimé assis à un piano droit, un sourire contagieux sur le visage. J'osai un commentaire :

— Sur les traces de son papa, dirait-on !

— Peut-être.

Il haussa les épaules.

— S'il en a envie. Mais je ne veux pas le pousser.

— Vraiment ? dis-je, peu convaincue.

— Je t'assure. Je ne ferai pas ce que mon père a essayé de faire avec moi.

Je lui demandai quel métier avait exercé son père.

— Il l'exerce toujours, me corrigea-t-il. Il est pharmacien, à Indianapolis. Plutôt assommant, non ? L'appartement était au-dessus de la pharmacie, et on ne parlait jamais d'autre chose. Pas moyen d'y échapper !

Je me représentai un petit garçon aux grands yeux et à la voix bébête assis d'un air morose parmi de grands rayonnages encombrés de boîtes de médicaments, cependant qu'un patriarche aux tempes grises pérorait sans fin sur les beautés des ordonnances bien remplies.

— Qu'est-ce qu'il en a pensé, quand tu t'es passionné pour le piano ?

— Pas grand bien. Mais ça s'est amélioré plus tard. Il est venu m'entendre jouer à Tahoe.

— C'est déjà quelque chose, observai-je.

— Oui. Quelque chose, dit-il sans enthousiasme.

— Au moins, tu sais à quoi ton père ressemble, ajoutai-je.

Il hésita un instant, l'air un peu déconcerté, puis demanda :

— Tu ne te souviens de rien du tout ?

— Je me souviens qu'il a existé, mais le reste est complètement flou.

— Tu n'as jamais vu de photos de lui ?

— Jamais. Maman a effacé toute trace de lui après qu'il nous a quittées.

— Je comprends.

— J'ai cherché, tu peux me croire ! Souvent je fouillais dans les affaires de maman, quand elle sortait. Elle avait dans sa chambre un tiroir, trop haut pour que je puisse l'atteindre, où elle gardait un tas de lettres, de pho-

158

tos, tout un fatras de souvenirs. Quand elle partait faire les courses, je prenais l'escabeau dans la cuisine et je jouais au détective.

— Mais tu n'as trouvé aucune photo de lui ?

— Aucune. Seulement une carte qui avait dû accompagner un cadeau, et sur laquelle était écrit : « Pour Teddy, avec toute ma tendresse. »

— Il s'appelait Teddy ?

— Non... Ma mère. Un diminutif pour Theodora. Je me suis longtemps imaginé que c'était lui qui l'avait écrite, mais maintenant je suis sûre du contraire.

— Est-ce que tu connais son nom ?

— Oui, bien sûr. C'était Chapman. Le sergent Howard Chapman. Du moins à cette époque. Il a quitté l'armée peu de temps avant de partir de la maison.

— Sais-tu où il est allé ?

— Non. Mais je croyais que maman le savait et ne voulait pas me le dire. Un été, nous sommes allées à New York rendre visite à des cousins. Je devais avoir dix ans. C'était mon premier voyage loin de Baker et maman en avait fait toute une affaire. En chemin, je me suis persuadée qu'elle avait fini par retrouver mon père et m'emmenait à New York pour réunir la famille. Rien ne m'indiquait qu'elle en avait l'intention, mais j'y croyais quand même dur comme fer. Quand nous sommes arrivées chez nos cousins, dans le Queens, j'ai même cherché son nom dans l'annuaire, et je suis tombée sur un nommé H. Chapman qui habitait Manhattan. J'étais sûre que c'était lui.

Neil sourit.

— Tu lui as téléphoné ?

— Oh, non ! Je n'aurais jamais osé. Mais pour moi, c'était une preuve. Je pouvais m'en servir si je trouvais le courage de questionner maman.

— Et tu l'as fait ?

— Oui, mais seulement à la fin du séjour. Je m'obstinais à croire qu'elle allait organiser une rencontre, par surprise, un soir où nous serions sorties manger une glace ou quelque chose comme ça. Nous descendrions d'un bus, nous prendrions un ascenseur, et en haut je me trouverais devant le sergent. Il serait grand, il aurait des cheveux roux, il sentirait le tabac pour pipe, et il serait beaucoup plus gentil que nous ne pensions.

— Qu'est-ce qui te faisait croire qu'il vivait à New York ?

— Une idée, comme ça. Pour moi, c'était l'endroit où un père irait tout naturellement se cacher. Maman a été formidable, quand je lui ai finalement posé la question. Elle m'a emmenée dans une pâtisserie, elle nous a acheté de gros gâteaux pleins de crème et m'a laissée boire du café pour la première fois de ma vie. Puis elle m'a expliqué qu'elle m'avait amenée à New York uniquement pour que je connaisse la ville d'où sa famille était originaire. Quant à mon père, elle n'avait aucune idée de ce qu'il avait pu devenir, et elle ne voudrait pas de lui si jamais il revenait : c'était un lâche et un salaud, et elle regrettait de tout son cœur de ne pas me l'avoir fait clairement comprendre plus tôt.

— Tu as pris tout cela comment ?

— Plutôt bien. En fait, c'était presque un soulagement.

— Je comprends.

— Ce qui m'a aidée, c'est la façon dont elle s'y est prise pour me parler : comme entre adultes. Elle en a fait une espèce de rite de passage.

Je lui souris, car d'autres images défilaient dans ma tête.

— J'ai un autre souvenir de cette soirée, tu sais ?

— Lequel ?

— Maman est allée appeler un taxi et m'a laissé de l'argent pour payer l'addition, ce que je n'avais jamais fait de ma vie non plus. Il y avait encore du café dans ma tasse. Comme elle était en carton, je l'ai emportée avec moi pour la finir sur le trottoir en attendant maman. J'étais debout avec ma tasse vide à la main, heureuse comme tout, quand un type en costume est passé devant moi, s'est arrêté pour me regarder et a fourré un billet de cinq dollars dans la tasse.

— Non !

— Je ne comprenais pas du tout pourquoi il faisait ça. Pas la moindre idée ! Je lui ai couru après pour lui rendre son billet, mais il m'a fait signe de m'écarter et il est parti. Quand maman est revenue et que je lui ai raconté ce qui s'était passé, elle était hors d'elle. Je crois qu'elle l'aurait frappé s'il avait été à portée de main !

Neil secoua lentement la tête.

— C'est une histoire vraie ? demanda-t-il, effaré.

— Tout ce qu'il y a de vrai.

Je n'avais pas raconté cet épisode depuis des années.

Nous bûmes quelques bières, puis quelques autres. À la fin, nous étions plutôt gais, et nous oubliions de concert la débâcle de notre journée. Quand la nuit commença à tomber, Neil offrit de préparer quelque chose à manger, et j'acceptai sans me faire prier. Il apporta des œufs brouillés et du pain grillé, du beurre de cacahuète et de la compote de pomme à la cannelle — bref : tout ce qu'il put dénicher dans sa cuisine — et étendit une nappe sur le sol pour que nous puissions manger au même niveau. Ensuite, nous restâmes à paresser silencieusement, appuyés au canapé, et écoutant les cigales qui nous donnaient la sérénade dans les buissons voisins.

— Il faudrait que j'appelle Renée, dis-je au bout d'un moment.

— Pourquoi ?

— Pour lui dire où je suis. Il arrive qu'elle prépare le dîner et qu'elle m'attende.

Neil sourit.

— J'aimerais bien partager mon appartement avec quelqu'un comme ça !

— Ne le dis pas trop vite.

Il rit avec moi.

— Il y a longtemps que tu l'as prise chez toi ?

Il parlait de Renée comme si elle était à mon service, mais je ne me permis aucune remarque.

— Trois ans, répondis-je.

— Apparemment, ça fonctionne plutôt bien.

— Oui.

— Vous ne vous ressemblez pas beaucoup, pourtant.

Je le gratifiai d'un sourire narquois.

— Rien ne t'échappe !

Il éclata de rire. Je lui expliquai que Renée et moi avions appris à « respecter mutuellement nos différences ». En d'autres termes : je savais parfaitement que Renée n'avait pas inventé le fil à couper le beurre, mais nous ne nous débrouillions pas si mal pour communiquer quand même. Il est assez affreux d'en arriver à dire des choses pareilles, mais que voulez-vous ? Lorsque Neil est concerné, je me conduis parfois bizarrement.

— Tu veux que j'aille te chercher le téléphone ? proposa-t-il.

— Oh... Oui, merci.

Neil entra dans la chambre (enfin : ce que je supposai être sa chambre) et en revint avec un téléphone sans fil qu'il posa sur mes genoux. Renée répondit immédiatement, comme si elle attendait à côté de l'appareil. Je me bornai à lui dire que le travail avec Janet avait pris plus de temps que prévu et de ne pas s'inquiéter pour le dîner. Je savais que je n'échapperais pas à de petits rires bêtes si je lui avouais que je me trouvais chez Neil. Elle me demanda si des gens intéressants étaient venus assister au tournage et je lui répondis que non, pas grand monde, seulement Lady Di et Marky Mark. Elle me crut pendant une seconde, puis, heureusement, finit par s'écrier :

— Oh, toi, alors !

Je raccrochai, puis m'éclipsai pour aller aux toilettes. À mon vif soulagement, le siège était bas et facilement praticable : un gracieux ovale gorge-de-pigeon qui me reçut tel un trône dans ma splendeur impériale cependant que j'observais les œuvres d'art de Danny sur la porte de la salle de bains. Le mur était orné de cartes postales représentant des paysages de Hawaï et d'autres photos du petit garçon, ainsi que de nombreux clichés pris pendant les spectacles de *PortaParty*, dont l'un montrait votre servante sur scène le jour de la bar-mitsva interrompue par l'éclipse. Il y avait aussi une jolie photo de Neil et Tread sur la plage, et une autre où il se tenait au côté d'une dame âgée à l'air digne que je devinai être sa mère.

Je me sentais si bien dans cette petite pièce si intime, si agréablement plongée dans cet univers d'images — *son* univers d'images — que je me laissai entraîner dans une sorte de rêverie. Mon regard glissait d'une photo à l'autre et engloutissait le cheminement de la vie de Neil, dont j'aurais voulu tout savoir. J'entendais au-dehors, mêlé au chant des cigales, le bruit réconfortant de la vaisselle que Neil avait commencé à laver. J'étais un peu ivre, je l'avoue, mais ce n'était pas la seule raison de mon euphorie. J'avais soudain l'impression d'être intimement liée à lui, de faire partie intégrante de sa vie, et de la façon la plus naturelle. M'efforçant à la sagesse, je me promis que je ne me monterais pas la tête à cause de cela ; il me suffisait de savoir que c'était une réalité, et rien que cela.

Tandis qu'il me raccompagnait, nous parlâmes de choses et d'autres : de l'inquiétant coup d'État en Russie, des malheurs de Pee-wee, et du Noir devenu la coqueluche des Blancs que Bush voulait nommer à la Cour suprême. Puis, comme par un accord tacite, nous nous tûmes tous les deux. La nuit langoureuse sembla profiter de notre silence pour se répandre dans le véhicule, en un mélange entêtant de vapeurs d'essence et de senteurs du jasmin qui poussait aux flancs des collines. De mon siège, je ne pouvais pas voir grand-chose, bien sûr, mais j'entendais des klaxons et des autoradios, et plus loin les voix des enfants de la Vallée qui hurlaient à la lune comme si la nuit leur appartenait. Je comprenais exactement ce qu'ils ressentaient.

Le carnet en similicuir

10

Je vous prie de noter que j'écris sur un nouveau carnet. Plus petit, celui-là, mais beaucoup plus joli, en similicuir marron avec de délicates pages de garde en papier marbré. C'est Neil qui me l'a acheté dans une galerie commerciale de Westwood, après un spectacle particulièrement éprouvant que nous avions donné dans le quartier. J'avais l'intention de le payer moi-même, mais Neil a insisté, disant qu'à titre de revanche je pourrais lui offrir une bière un soir. C'était gentil de sa part, car cela lui a coûté évidemment beaucoup plus cher qu'une bière. Je n'écris presque jamais en présence de Neil, mais il m'a quelquefois entendue parler de mon journal, et je crois qu'il comprend quelle importance ce travail d'écriture a pris dans ma vie.

La seconde journée de tournage du vidéo-clip s'est étonnamment bien passée. Janet paraissait plus détendue, moins brouillonne, et surtout beaucoup plus sûre du résultat qu'elle voulait obtenir. Quant à moi, j'ai même retrouvé de l'enthousiasme pour ce projet. Janet connaît le propriétaire d'une chaîne de cinémas d'art et d'essai (si toutefois trois salles suffisent à constituer une chaîne), qui, prétend-elle, serait disposé à projeter le clip en guise de court-métrage, entre les bandes-annonces. C'est une idée tellement bizarre qu'elle pourrait bien attirer l'attention, à tout le moins susciter un peu de presse. En outre, le public serait certainement mieux informé, en tout cas plus réceptif que les accros de MTV. Plus j'y pense, plus j'ai le sentiment que si le clip était projeté dans ces conditions, ce pourrait être parfait pour moi.

En ce moment, j'écris sur le balcon de la suite de Callum, au Château Marmont, à six étages au-dessus de Sunset Boulevard. Me voilà vêtue d'un peignoir éponge après un bain dans la piscine, j'ai la peau fraîche, les cheveux mouillés et les tétons encore agréablement durcis. Il souffle une petite brise tiède, délicieuse. Callum et Jeff sont descendus chez *Greenblatt* acheter des sandwiches, car il n'y a jamais eu de service d'étage au Château Marmont. Ils m'ont promis de m'en rapporter un : dinde sur pain de seigle. La suite donne vers le sud, et, d'ici, le regard balaie sans rencontrer aucun obstacle — hormis un cow-boy Marlboro haut comme un immeuble de quatre étages à l'avant-plan — l'étendue parsemée de palmiers de West Hollywood que nimbe une brume jaune safran. L'hôtel lui-même est un surprenant fouillis de tours et de terrasses, qui se glorifie de soixante et quelques années d'histoire, qui confine d'ailleurs à la légende.

La plupart des gens pensent au Château comme à l'hôtel où Belushi a cassé sa pipe, mais il a été le théâtre d'une foule d'autres événements. Dans un livre que Callum a acheté à la réception, on trouve toutes sortes de commérages. Il y est raconté, par exemple, que Grace Kelly, encore toute jeune et la cuisse plutôt légère, avait coutume de rôder dans les couloirs à la recherche de messieurs... enclins à laisser leur porte ouverte. Howard Hughes, Bea Lillie et James Dean sont tous venus se cacher ici dans des états variés de détresse sentimentale.

On rapporte aussi que lorsque Garbo séjournait au Château, elle faisait la planche sur le ventre dans la piscine, pour éviter d'être reconnue. (« Regarde, il y a un cadavre dans la piscine ! — Ce n'est pas un cadavre, banane, c'est Qui-tu-sais. ») L'auvent qui me protège du soleil est celui-là même qui arrêta la chute de Pearl Bailey quand elle tomba de son balcon après un déjeuner trop arrosé. Elle ne se fit aucun mal, précise le livre, et ne se montra nullement pressée qu'on la récupère lorsque les pompiers vinrent la secourir avec leur grande échelle.

Comme vous l'avez sans doute deviné, Jeff et Callum sont à présent ensemble. Après avoir passé presque toute la semaine dernière enfermés dans cette suite, ils ont fini par se manifester et m'ont invitée à venir passer la matinée à prendre le soleil au bord de la piscine. Jeff se donne un mal fou pour ne pas avoir l'air spectaculairement changé, mais il faudrait être idiot pour ne pas voir qu'il est ivre de bonheur. Callum, en revanche, apparaît tel qu'il s'est montré lors de notre première rencontre : toujours aussi radieux, calme, affable, et toujours aussi indéchiffrable. Même lorsqu'il éclate de rire, il semble retenir quelque chose en son for intérieur, comme s'il s'observait — et observait les autres — à distance respectable.

Callum avait effectivement perdu le numéro de Jeff. Du moins, c'est ce qu'il prétend. Bien sûr, il se peut qu'il n'ait jamais eu l'intention de rappeler Jeff et qu'il se soit senti forcé d'accepter un deuxième rendez-vous seulement parce qu'ils me connaissaient tous les deux et qu'il se sentait un peu honteux, mais, franchement, cela m'étonnerait. Il suffit de les voir : tout à l'heure, près de la piscine, je les ai vus échanger un regard si parfaitement débordant de tendresse extasiée qu'il m'est difficile d'imaginer que l'un ou l'autre se soit senti obligé de dédommager son partenaire.

Nous n'avons pas abordé ce sujet pour autant, pas plus que celui des petites copines de Callum dans le Maine. (Je suppose que pour mon jeune ami, cela avait été seulement une façon d'esquiver un sujet délicat.) Pour l'essentiel, nous avons surtout parlé de *Mr. Woods* et de mon vidéo-clip, mais aussi du nouveau film de Callum, qui semble n'être rien d'autre qu'un film d'action à gros budget, un thriller sans aucun lien avec *Mr. Woods* ni même avec Philip Blenheim. Callum y interprète un jeune flic débutant dont le petit frère est kidnappé par un psychopathe. J'ai fait quelques allusions timides aux « petits rôles » non encore distribués, m'imaginant déjà dans la défroque d'une criminologue distinguée, ou d'un témoin oculaire fournissant l'indice décisif, mais Callum s'est contenté de me sourire gentiment en me disant que tout était déjà décidé, script et casting. Le tournage doit commencer dans deux semaines aux studios Icon. Marcia Yorke, l'autre vedette, interprète la petite amie de Callum. Il m'a dit le nom du réalisateur, mais je ne m'en souviens plus.

Pour moi, je dois dire que voir Jeff en ménage avec un garçon plus jeune que lui a valeur de nouveauté. Après tout, Ned Lockwood était son aîné de vingt ans, et c'est sans doute pourquoi j'ai tendance à penser que son rôle tout désigné et définitif dans un couple homo est celui du jeunot. Ned (je le dis pour information) était pépiniériste — un grand type costaud, d'une gentillesse infinie, dont la tête rasée restait couleur de pain d'épice d'un bout à l'autre de l'année. Il était beaucoup moins sérieux que Jeff, souvent un vrai boute-en-train, et je l'adorais. Dans sa jeunesse, selon Jeff, Ned avait été un personnage de légende : on avait rarement vu âme si généreuse et si généreusement douée. Il avait été l'amant de Rock Hudson pendant une brève période, à l'époque de *Confidences sur l'oreiller.* En ce temps-là, Hudson avait dans les trente-cinq ans et c'était lui l'aîné du couple.

Ned, cependant, n'avait rien d'un vieil homo sur le déclin quand je l'ai connu : il portait son âge avec une aisance et une grâce nonchalante sans rien de commun avec les affectations désespérées de juvénilité si courantes chez la plupart des gens de son âge que je rencontre à Hollywood. Jeff et lui n'ont jamais vécu ensemble — Ned habitait à Los Feliz un minuscule bungalow à côté de sa pépinière — mais leurs vies s'entremêlaient aussi profondément et simplement que celles de deux frères qui peuvent porter les mêmes vêtements.

À la réflexion, peut-être une telle relation constitue-t-elle un modèle immuable, une règle non écrite de la généalogie gay qui a incité Jeff a passer le flambeau à un garçon plus jeune, comme son amant l'avait fait pour lui, et avant cela l'amant de son amant. Quoi qu'il en soit, je suis contente qu'il ait enfin quelqu'un. Jeff a longtemps souffert de la mort de Ned, et il mérite d'être à nouveau heureux. Je ne suis pas sûre, loin de là, qu'avec Callum il ait rencontré le vrai, grand amour ; mais au moins, c'est un début. Je commençais à me dire que cela ne se produirait plus jamais, que Jeff en arriverait à s'enferrer tellement dans le nombrilisme de son écriture qu'il en deviendrait incapable de partager l'intimité de quelqu'un d'autre.

Après le déjeuner, les garçons partirent pour une promenade en voiture. Ils me proposèrent de les accompagner, mais je décidai de rester ici en compagnie de mon journal, doucement bercée par ma solitude et la délicieuse étrangeté de ce lieu. Juste avant de partir, Callum s'aperçut qu'il avait oublié ses lunettes de soleil près de la piscine et fila les récupérer, ce qui me fournit l'occasion inespérée d'être un moment seule avec Jeff.

— Je suis sacrément fière de moi, tu sais ! lui lançai-je sans ambages.

— Euh... À quel propos ?

Il me fit une grimace gênée.

— Vous faites un beau couple. J'en étais sûre.

Il se tourna vers le miroir et passa un peigne dans ses cheveux clairsemés. Il y avait quelque chose de si timide, de si adolescent dans ce geste, que je ne pus m'empêcher d'en être émue.

— Alors où en sommes-nous ? demandai-je.

— Qu'est-ce que tu veux dire ?

— Avec Callum. Il sait que je sais, non ?

— Que tu sais quoi ?

— Qu'il aime les garçons, Jeff !

Il eut l'air vaguement agacé.

— Bien sûr...

— On ne le dirait pas, observai-je.

— Eh bien...

— Il doit savoir que ça ne me dérange pas, bien au contraire, même...

— Évidemment, qu'il le sait.

— Alors, dis-lui d'arrêter de faire cette tête. Dis-lui que je suis la plus grande fille-à-pédés après Susan Sarandon !

— Dis-le-lui toi-même.

— Oh, je le ferais volontiers, mais... j'ai le sentiment qu'il ressentirait ça comme une indiscrétion.

— Tu crois ?

— Oui, je crois.

— Je n'avais pas remarqué.

— Vraiment ?

— Il est seulement très jeune, plaida-t-il pour Callum en posant son peigne.

Si je ne me trompe, c'était moi qui avais la première risqué cette observation à l'adresse de Jeff, il n'y avait pas si longtemps. Le fait qu'il eût assoupli si considérablement et en si peu de temps les principes moraux qu'il exigeait d'un amant ne pouvait signifier qu'une chose : le pauvre militantisme fatigué de Jeff n'avait pas résisté à sa fringale de mémorables galipettes. Je le scrutai longuement, sévèrement, sans me départir d'un sourire de Joconde.

— Qu'est-ce qu'il y a ? me demanda-t-il.

— J'étais en train de me poser une question.

— Laquelle ?

— Pourquoi ne portais-tu pas ton anneau au téton, tout à l'heure, à la piscine ?

— Pardon ?

Il fronça les sourcils et détourna le regard, s'emparant à nouveau de son peigne.

— C'est lui qui t'a demandé de l'enlever, pas vrai ? Il trouve que ça fait trop pédé ?

— C'est ça, oui, fit Jeff, sarcastique.

— Apparemment, c'est donc sérieux, continuai-je.

— Cadence...

— Tu lui as fait une promesse définitive, ou tu penses le remettre ensuite ?

— Primo, de nos jours, il n'y a pas que les pédés qui portent un anneau au téton...

— Ah bon?

— Non. Axl Rose en porte un, et c'est pourtant un sale con d'homophobe.

— Vraiment? Dans ce cas...

— Secundo...

Il ne put finir sa phrase, car Callum entra brusquement, l'air énigmatique et doucereux derrière ses lunettes noires. Voyant Jeff devenir immédiatement cramoisi, je fis preuve de mansuétude et leur dis à tous les deux de filer sans faire plus de commentaires. Je devinais trop bien ce qui se passait en Jeff pour le taquiner davantage.

Comme je le dis toujours, l'amour ne serait pas aveugle si le braille n'avait pas tant de quoi séduire.

11

Je n'ai pas écrit depuis des semaines. J'ai été frappée de ce que maman appelait un « coup de mauve » : quelque chose de plus vague que le blues, mais d'aussi débilitant. Si je savais quel est précisément le problème, je pourrais m'y attaquer, ou au moins avoir une bonne raison de râler, mais je n'arrive pas à fixer mes émotions assez longtemps pour leur donner un nom. Il y a seulement que je me sens vide et à la dérive, je suppose, en panne d'objectifs. Les gestes du quotidien les plus simples — comme me raser les jambes ou changer le sac-poubelle — me laissent accablée par le sentiment de leur futilité comme de la futilité de tout le reste. Je voudrais être douée pour le bonheur, mais cela m'est refusé. Et il y a cette horrible voix dans ma tête, que je connais trop bien, et qui me susurre que j'ai déjà fait de ma vie tout ce que je pouvais en faire, et que je l'ai fait il y a dix ans. Je ne suis plus qu'une ombre, un organisme humain qui s'étiole et glisse vers l'oubli.

Quand je suis dans cette disposition d'esprit, Renée se montre insupportablement guillerette, tout à l'effort de m'égayer. Ça ne marche jamais, bien sûr; pourtant, je finis habituellement par feindre une gaieté retrouvée (au moins en partie), uniquement pour qu'elle me fiche la paix. Hier soir, décidée à me mettre de meilleure humeur, elle m'a préparé mon plat préféré (un pot-au-feu) et régalée d'une demi-douzaine de blagues sur Jeffrey Dahmer (le tueur sadique) qu'elle avait entendues à son travail. J'ai ri et grogné de plaisir autant que j'ai pu, j'ai fait semblant d'être redevenue moi-même, et je suis allée me coucher le plus tôt possible pour pleurer toutes les larmes de mon corps jusqu'à ce que le sommeil me gagne. Évidemment, j'ai de nouveau fait un de ces longs rêves tarabiscotés où maman tient le premier rôle.

Cette fois, nous étions invitées à une grande première, et ce qu'on fêtait était la sortie de mon vidéo-clip. Renée était présente également, de même que Neil, Jeff, Tread, Philip Blenheim, et même Tante Edie, tout droit descendue du car en provenance de Baker. Maman avait encore cette espèce de coiffure toute en hauteur et raide de laque qu'elle a abandonnée vers l'époque de ma naissance. Cela lui donnait un genre très moderne — si démodé qu'elle en avait l'air furieusement « tendance » — et je le lui faisais observer, ce qui la ravissait au-delà de toute mesure. Le clip était projeté en boucle, interminablement, sur un énorme cube placé au-dessus des tréteaux du buffet, et Philip Blenheim se montrait impressionné par ma voix comme par ma minceur. Au moment où je le présentais à Tante Edie, celle-ci s'extasiait sur *Mr. Woods* avec une exubérance ridicule, mais Philip prenait cela avec humour, me décochant de discrets clins d'œil, entre professionnels. Il m'offrait aussi un rôle dans son prochain film, mais je me faisais prier et répondais évasivement, avec une allusion à un engagement moral envers Martin Scorsese.

Puis, tout à coup, changement de décor complet. Maman et moi nous trouvions sur une falaise au-dessus du Pacifique. C'était le crépuscule, et la peau de maman me paraissait douce et dorée, celle d'une nymphe dans un tableau de Maxfield Parrish. Elle était assise à côté de moi et me brossait les cheveux en chantonnant mélodieusement. À un moment, je lui disais que je l'avais crue morte, et elle riait, m'expliquant qu'elle était seulement partie quelque temps pour Palm Springs, où elle avait travaillé à une mini-série dont l'héroïne était Lya Graf. (Lya est quelqu'un qui a vraiment existé ; je vous parlerai d'elle bientôt.) Maman m'expliquait qu'un gros bonnet de la Fox, le bras droit de Barry Diller, très enthousiaste à cette seule idée, pensait que je serais parfaite pour le rôle. Je criais de joie et la serrais dans mes bras, sentant une chaude vague de soulagement m'envahir. Je croyais qu'elle m'avait quittée pour toujours, et elle était là, plus adorable que jamais, si réelle que je pouvais sentir son Jean Naté, le parfum qu'elle portait depuis toujours. Et elle bâtissait de grands projets pour l'avenir, comme si elle n'était jamais partie.

Continuons avec les sales nouvelles. Janet Glidden m'a appelée ce matin pour me dire qu'elle avait eu « quelques problèmes au labo » et qu'il faudrait peut-être recommencer de zéro le tournage du clip. J'ai fait un bond jusqu'au plafond. Dans ma fureur, je l'ai taxée d'incompétence totale, indigne de travailler avec de vrais professionnels. Au moment même où ces mots sortaient de ma bouche, j'ai senti combien ils étaient prétentieux, exagérés, aussi l'ai-je rappelée quelques minutes plus tard en lui demandant de m'excuser. Elle était tellement secouée que ma violente déception s'est aussitôt muée en un violent sentiment de culpabilité. De toute évidence, ce projet de clip est un fiasco : autant l'admettre tout de suite, et n'en parlons plus. Passer encore une journée à faire semblant de chanter dans cette serre étouffante ne ferait que prolonger inutilement l'agonie. J'ai donc tiré ma révérence, le plus aimablement possible, mais Janet ne l'a pas très bien pris. Tant pis. À mon avis, si elle doit tout recommencer, autant qu'elle le fasse avec quelqu'un d'autre.

M'attendant à ce que Janet l'appelle pour pleurer sur son épaule, j'ai immédiatement téléphoné à Neil pour le mettre au courant. Il s'est montré on ne peut plus compréhensif, et a même essayé de me convaincre que tout ça était sa faute. Gentil à ce point, c'est pas croyable !

Nous n'avons donné aucun spectacle depuis huit jours, et nous n'en donnerons pas dans les deux ou trois semaines qui viennent. Neil m'a dit qu'il n'y avait pas à s'en inquiéter, que le rythme des engagements ralentissait presque toujours à l'automne. Pour tout dire, il semblait même apprécier ces petites vacances. Son fils est arrivé pour passer le week-end avec lui, et je l'entendais rire, faire le fou en fond sonore.

Tante Edie a appelé il y a un petit moment, mais le répondeur était branché et je n'ai pas décroché. Comment s'y prend cette vieille chouette reste pour moi un vrai mystère : dès que la vie me malmène un peu, elle fond sur sa chère nièce comme une buse sur la charogne qu'elle a repérée. Dans le message qu'elle a laissé, elle me raconte qu'elle est tombée par hasard sur Larry March dans une station-service. Larry March est un garçon avec qui j'avais l'habitude de traîner à l'époque où j'étais lycéenne, et que je n'ai pas revu depuis. Souvent, nous jouions au Cuedo après les cours, et il nous arrivait d'aller au cinéma ensemble ; c'est pourquoi Tante Edie s'imagine qu'il y a eu une amourette entre nous, ce qui est bien sûr pure fiction. Quand j'y réfléchis, je me dis qu'il était même probablement pédé comme un foc : il n'y a qu'à se remémorer ses petites mines gracieusement effarées et sa passion inébranlable pour Bernadette Peters... Si Tante Edie a parlé de lui, c'est uniquement pour me rappeler que tous les gens qui ont *vraiment* de l'affection pour moi habitent à Baker et nulle part ailleurs.

Tante Edie est la sœur cadette de maman (d'un an ou

deux, pas plus), mais il est difficile d'imaginer que ces deux bonnes femmes ont pu sortir d'un même ventre. Tante Edie est tellement coincée qu'à côté d'elle Marilyn Quayle a l'air de la Grande Prostituée de Babylone — c'est dire ! Oh, bien sûr, il arrivait à maman de jouer les prudes, mais il y avait en elle un vrai grain de folie et un non-conformisme latent qui la sauvait aux moments les plus inattendus. Après tout, elle avait grandi dans une petite ville du désert et appartenait à la seule famille juive à des lieues à la ronde. Ces circonstances mêmes étaient déjà bien assez pour lui apprendre à élaborer ses propres règles de vie.

Tante Edie a eu la même jeunesse, mais cela ne l'a pas empêchée de devenir une véritable caricature de petite bourgeoise frileuse, qui n'a pour tout objectif dans l'existence que d'être comprise et approuvée par ses voisins. Elle a épousé le gérant d'un restaurant et lui a pondu trois grandes brutes, qui ont passé leurs jeunes années à torturer les chats et à dégobiller des hamburgers, sans jamais douter que Baker était le centre du monde civilisé. Quand j'ai fait mon apparition dans ce joli tableau — et que mon père en est sorti —, Tante Edie s'est livrée à de telles démonstrations de compassion que maman n'a plus voulu la voir, préférant faire face toute seule à ce que lui réservait l'avenir. Elle a loué à l'autre bout de la ville un nouvel appartement en duplex, s'est teint les cheveux en blond doré et, pour m'acheter des encyclopédies (car dès l'âge de quatre ans, je lisais déjà avec voracité), elle s'est mise à faire des heures supplémentaires au siège de la compagnie d'électricité qui l'employait. Au dire de maman, Tante Edie enviait secrètement cette liberté que réussissait à conquérir sa sœur, mais elle n'a jamais voulu le reconnaître... Même quand maman et moi sommes parties pour Hollywood et avons commencé à lui envoyer les photos des célébrités que nous rencontrions.

Maman répétait souvent que Tante Edie n'était pas mauvaise, qu'elle n'était qu'une femme à qui la vie faisait peur. À tel point — paraît-il — que lorsqu'elle allait voir son gynécologue, elle apportait avec elle un sac spécial qu'elle se mettait sur la tête pendant qu'il lui examinait le col de l'utérus. Sa théorie dans ces cas-là (toujours selon maman) c'était qu'elle ne compromettait pas sa dignité du moment qu'elle ne voyait pas le docteur quand il lui inspectait la chatte. Maman m'a juré ses grands dieux que cette histoire était la pure vérité, et s'est même permis un petit rire assez perfide avant de me faire promettre le secret : « Surtout, pas un mot, Cady ! Je suis sérieuse. Edie mourrait de honte si elle savait que tu es au courant. »

Depuis, je n'ai plus jamais pu regarder Tante Edie sans penser aussitôt à ce putain de sac. Je ne sais pas s'il était en papier ou dans une autre matière, mais j'en ai imaginé différentes sortes. Quelquefois, je le vois comme une cagoule avec seulement deux trous pour le nez, en tissu molletonné à jolis motifs : quelque chose comme un couvre-théière pour la tête, si vous voyez ce que je veux dire. Ou bien en lin beige avec des broderies compliquées, comme son sac à main préféré. Même à l'enterrement de maman, où elle arborait un tailleur bleu marine on ne peut plus strict, une fois de plus je n'ai pas pu m'empêcher de me la représenter les pieds sur les étriers, la tête cachée dans un sac bleu marine assorti à sa tenue, ses maigres jambes à la Nancy Reagan écartées comme les lames d'une cisaille. L'image refuse de mourir, un point c'est tout. Et j'ai tendance à penser que ce doit être l'ultime revanche de maman.

À moins que l'ultime revanche, ce ne soit moi. Le jour où maman a téléphoné à Tante Edie pour lui apprendre que j'avais décroché le rôle principal (oui, enfin bref...) dans le prochain film de Philip Blenheim, ce fut pour elle la plus délectable des victoires, sa gifle à vingt ans de commisération aussi indiscrète que geignarde. Certes, elle s'abstint de lui dire explicitement son ressentiment, mais le véritable message qu'elle envoyait à sa sœur ce jour-là était à lire en filigrane dans l'annonce de mon succès : *Regarde à quoi on arrive quand on refuse d'avoir peur.*

J'espère qu'en parlant ainsi je ne donne pas le sentiment que maman était de ces femmes qui satisfont leur ambition par enfant interposé, car ce n'était pas du tout son cas. Ses rêves de vedettariat étaient les miens, c'est tout. Maman n'a fait que s'y adapter. Elle était souvent déconcertée, voire rebutée par ce que j'aimais et j'aime encore dans le show-business, mais mieux que personne au monde elle savait quels étaient mes vrais désirs, et elle était résolue à tout faire pour qu'ils fussent exaucés.

J'ai lu un jour que le lien qui unit à sa mère une personne de petite taille est parmi les plus forts, les plus infrangibles qui soient au monde. Comme l'enfant ne grandit pas, le sevrage est souvent beaucoup plus long et plus tardif, et des relations de dépendance peuvent se créer qui subsistent jusqu'à la mort. Tant que maman fut en vie, cela m'inquiéta beaucoup : j'étais terrifiée à l'idée de rester irrémédiablement son bébé.

Maintenant qu'elle n'est plus là, elle me manque.

Bon. Maintenant, avant que j'oublie : Lya Graf !

Maman a découvert son existence il y a très longtemps, quand elle a commencé à se documenter sur les nains. Lya Graf se produisait comme artiste de cirque à la fin des années vingt et au début des années trente, avec les Ringling Brothers. Elle avait beaucoup de charme, d'après ce qu'on disait à l'époque, et ne mesurait que cinquante-quatre centimètres (« Vingt-cinq de moins que toi ! » me faisait observer maman avec ironie, pour m'interdire de m'enorgueillir). Un jour à Washington, au cours d'une tournée, elle eut l'occasion de visiter le Sénat. Un heureux hasard voulut que le riche banquier J.P. Morgan se trouvât là au même moment, car il devait témoigner devant la Commission sénatoriale aux affaires financières. Un photographe malin, saisissant l'occasion d'un cliché qui pourrait faire sa fortune, déposa la frêle Lya sur les beaucoup moins frêles genoux du banquier... Et la photo qui en résulta fit le tour du monde.

Grâce à cet épisode, Lya devint une vraie star. Elle

continua ses tournées avec le cirque, mais finit par gagner suffisamment d'argent pour réaliser son rêve : retourner avec ses parents dans leur Allemagne natale. Hélas pour elle, Hitler avait entre-temps pris le pouvoir, et la rarissime anomalie physique qui lui avait gagné le cœur des enfants partout où elle était passée séduisit beaucoup moins les hiérarques du Troisième Reich. Ses parents et elle furent expédiés à Auschwitz, où ils moururent dans les chambres à gaz au nom de la purification de la race.

Maman avait fait une fixation sur cette histoire comme si c'était pour elle une légende sacrée, et elle la racontait avec passion à quiconque voulait bien l'écouter. Pendant des années, je me suis demandé pourquoi elle l'aimait tant; si ce n'était pas parce qu'elle contenait un enseignement qui pouvait m'être profitable, un secret avertissement capable de m'épargner le triste destin de Lya. Quelle peut bien être la morale de cette histoire, d'ailleurs ? Qu'il ne faut pas s'asseoir sur les genoux d'un homme riche ? Ou vouloir vivre avec ses parents ? C'est seulement à l'approche de l'adolescence que j'ai fini par comprendre : pour maman, l'histoire de Lya était simplement une façon d'assimiler le sort des nains à celui des Juifs, de rattacher l'ostracisme qu'elle avait connu à celui que je subissais. Lya Graf, c'était *nous* : elle et moi ensemble, unies dans une jolie fable sur l'atroce injustice du monde.

12

Cette journée chaotique a commencé par un étrange coup de téléphone de Neil. Ma première pensée en l'entendant a été qu'il avait enfin réussi à décrocher un engagement pour la troupe, mais cette baudruche tout emplie d'illusion a aussitôt éclaté lorsque j'ai perçu ce qu'il y avait d'inhabituel dans sa voix. Il semblait inquiet, sur ses gardes, ce qui ne lui ressemble pas. Après quelques brefs préliminaires, il m'a demandé s'il pouvait passer me voir. « Oui, bien sûr », lui ai-je répondu. Il m'a dit alors qu'il n'avait téléphoné que pour s'assurer que j'étais bien chez moi.

— Où veux-tu que je sois ? ai-je rétorqué. À Gstaad, pour les sports d'hiver ?

Il a ri d'un rire forcé, maladroitement. De toute évidence, il n'était pas du tout à son aise.

— Qu'est-ce qui t'arrive, Neil ?

— Il vaut mieux que je t'en parle seulement tout à l'heure.

À peine eus-je raccroché que j'ai commencé à imaginer toutes sortes de calamités. En tête de liste, la possibilité qu'on n'ait plus besoin de moi à *PortaParty*, qu'une vieille cliente particulièrement appréciée, rebutée par ma présence, ou peut-être seulement par ma voix, avait exigé que je ne participe pas à la fête d'anniversaire de son petit Ahmet, de son petit Blake, ou de sa petite Zoe. Et l'affreux rôle de Neil — pensai-je — était peut-être de m'annoncer la nouvelle avec toute la délicatesse possible : d'où la nécessité de me parler en tête à tête.

Si la hache devait tomber, décidai-je, j'affronterais l'épreuve comme Marie Stuart marchant à l'échafaud : stoïque et avec élégance. J'arrachai le vieux T-shirt que je portais depuis les premières affres de mon coup de mauve et enfilai un costume marin vert émeraude, pour mettre mes yeux en valeur. Ma coiffure resterait un cas désespéré, mais je ravalai prestement ma façade grâce à une légère couche de poudre et une touche de rouge à lèvres, puis m'installai sur le sofa dans une pose artistement étudiée, avec un numéro de *Première* ouvert à la page d'un article sur Jodie Foster. Quand Neil arriva, il frappa doucement à la porte, pour bientôt passer sa tête par l'entrebâillement.

— Cady ?

— Je suis là. Entre.

Il entra dans la pièce à pas hésitants, en pantalon kaki

et chemise hawaïenne, l'air aussi penaud qu'au téléphone. Tout en lui exprimait la supplication. S'il avait eu un chapeau, il l'aurait tenu devant lui à deux mains.

— Assieds-toi, dis-je en lui désignant un fauteuil.

Il laissa tomber son grand corps sur le velours élimé, et ses yeux parcoururent la pièce avec une certaine anxiété avant de s'arrêter de nouveau sur mon humble personne.

— Joli costume, apprécia-t-il.

— Ce vieux truc?

Il sourit faiblement et demanda si Renée était là.

— Non. Elle travaille.

— Ah...

— Ça existe, tu sais, les gens qui bossent à des heures régulières.

C'était une observation qui se voulait amicale, juste une allusion frivole aux habitudes de saltimbanques que nous partagions; mais elle évoquait tout naturellement la mauvaise passe que traversait *PortaParty*, et je la regrettai aussitôt.

Neil hocha distraitement la tête, sans faire de commentaire. Il commença par s'excuser:

— Pardonne-moi d'avoir été si vague au téléphone.

— Oh, écoute... soupirai-je.

Et je haussai les épaules, incapable de trouver mieux à dire. Lorsque j'y repense, je me persuade sans peine que ma respiration devait s'être complètement bloquée.

— Il s'agit de Janet Glidden, prononça-t-il enfin, les yeux fixés sur la moquette.

— Janet? Qu'est-ce qu'elle veut?

Il déglutit avec difficulté, puis:

— Elle est morte, laissa-t-il tomber. Elle s'est tiré une balle dans la tête la semaine dernière.

Je n'ose pas vous dire quel soulagement m'envahit. Ou plutôt, si, je vous le dis, mais je ne pouvais évidemment pas l'avouer à Neil, ni même le laisser transparaître sur mon visage, car il semblait convaincu d'être en train de m'annoncer là une nouvelle bouleversante. Je finis par murmurer: « Oh, non! » ou quelque chose du même genre, en portant la main à mon front pour l'y laisser quelques instants.

— C'est Linda qui m'a téléphoné ce matin, poursuivit-il.

— Pardon ?

— Mon ex-femme. C'était une vieille amie de Janet... Tu te souviens ?

— Oui.

— Elle n'a pas pu me donner de détails.

Il frottait nerveusement le bras du fauteuil.

— Mais j'ai préféré venir t'en parler, pour être sûr que tu ne te sentes pas... disons, pas responsable en quoi que ce soit.

Je pris le temps de bien comprendre — en vain.

— D'après Linda, continua-t-il, Janet était déprimée depuis des semaines. Ce que tu as pu lui dire au téléphone n'a pas eu le moindre... Je veux dire que... tu as pu constater par toi-même à quel point elle était déjà à bout de nerfs le jour du tournage dans la serre...

— Certes...

J'étais maintenant troublée, mais, plus encore, extrêmement touchée que l'intuition de Neil lui eût aussitôt dicté de me protéger, de m'épargner tout sentiment de culpabilité. Ai-je des raisons de me sentir coupable ? me demandai-je. Ma petite diatribe sur l'« incompétence totale » de Janet était-elle tombée au mauvais moment ? Avait-elle confié à quelqu'un combien ma colère l'avait déstabilisée ? Laissé une lettre d'adieu ? Une lettre !... L'horreur ! Quelque chose du style : « Adieu, monde cruel. C'est cette affreuse naine qui m'a décidée à te quitter. »

— Linda sait-elle que Janet et moi avons eu... euh... un litige ?

Neil secoua négativement la tête :

— En tout cas, elle n'en a pas parlé.

— Elle t'a appelé ?

— Qui, Linda ?

— Non, Janet. Après que je l'ai engueulée. J'avais pensé qu'elle le ferait très certainement.

Non, elle n'avait pas téléphoné, me répondit Neil.

— Je l'ai rappelée, ensuite, tu sais ? J'ai retiré ce que j'avais dit, le plus gentiment possible...

— Je sais. Je me souviens. Vraiment, je pense que ça n'a eu aucune influence sur...

— Pourquoi était-elle si déprimée ? Linda te l'a dit ?

— Non. Elle était seulement... profondément déprimée, sans raison précise.

— « Sans raison précise », répétai-je sèchement, car je commençais à m'impatienter de ce refus de m'en dire plus.

— Janet avait quelques araignées au plafond, Cady. Depuis toujours.

Je lui demandai alors s'il le savait lorsqu'il avait proposé que nous travaillions ensemble.

— Eh bien...

Il choisit ses mots avec soin.

— Je savais qu'elle était un peu névrosée... Mais des tas de créateurs le sont : ça va souvent de pair.

— Oui, je suppose, murmurai-je d'une voix atone.

— Je suis vraiment désolé, Cady. Si je n'avais pas eu cette idée stupide...

— Je t'en prie !

Je voulais me montrer brave, feindre l'indifférence, mais par la pensée je ne cessais de retourner sur les lieux du désastre, de fouiller les débris en quête d'indices, à la recherche de la boîte noire qui me ferait comprendre qui était vraiment Janet et ce qui avait pu la pousser à vouloir basculer de l'*autre côté*.

— Elle n'a pas laissé de lettre ?

— Non, pas que je sache.

— Quand s'est-elle suicidée ?

Neil rumina la question un instant.

— Mardi, je crois.

Donc le lendemain, pensai-je.

— Où ?

— Chez elle. Dans son appartement de Brentwood.

Je l'avais déjà imaginée dans la serre, le théâtre de son

dernier échec, son corps blême et anguleux gisant comme un pantin désarticulé sur la scène improvisée, sous un éclairage parfait. Et si elle n'avait nullement été angoissée de travailler avec une naine, ce jour-là? Si elle avait été prise de panique seulement parce qu'un démon tout ce qu'il y a de personnel la poursuivait?... Si elle était parvenue à tenir ce monstre à distance jusqu'au moment où bibi avait brutalement débarqué pour détruire ses défenses à l'aide de quelques paroles mortifères?

Tu es d'une incompétence totale. Tu es indigne de travailler avec de vrais professionnels.

Neil dut remarquer sur mon visage l'expression catastrophée, car il se leva de son siège, vint s'asseoir sur la moquette tout près de moi et prit l'une de mes mains dans les siennes.

— Écoute, Cady, une foule de gens se posent les mêmes questions que toi en ce moment. Tu n'as aucune raison de te faire des reproches. Tu la connaissais à peine.

— Oui, tu as raison.

Un lourd silence s'installa, seulement troublé par les cris de porcelets des enfants Stoate courant dans leur jardin comme les fous furieux qu'ils sont. Au bout d'un moment, Neil leva les yeux vers moi avec un sourire un peu ensommeillé.

— Il y a autre chose, dit-il.

— Oh, non! Quoi encore?

— Ce n'est pas une mauvaise nouvelle. C'est même plutôt sympathique. On nous a invités aux obsèques.

J'étais absolument stupéfaite.

— Qui, « on »?

— Les parents de Janet.

— Je ne te crois pas.

— Mais si, protesta Neil. Ils ont particulièrement insisté pour que tu viennes.

— Ils ne me connaissent même pas!

— Je suppose que Janet leur avait parlé de notre projet.

— Et ils savent que je l'ai plantée là avec ce maudit clip?

— Apparemment, non. Linda m'a seulement dit qu'ils voulaient inviter des amis de Janet, des amis qui travaillent dans le cinéma. Ils aimeraient que ses obsèques soient un reflet de sa vie, tu comprends ?

Oui, pensai-je, mais si Janet avait raconté l'incident à sa mère ? Et si sa mère ne m'avait invitée que pour provoquer une atroce confrontation ? Je la voyais déjà pleurant hystériquement et précipitant son grand corps gauche et blafard, comme celui de Janet, sur le cercueil de sa fille en tendant un index accusateur (long et blanc, comme celui de Janet) vers la méchante actrice du premier rang.

— Je ne sais pas quoi penser, murmurai-je.

— Je crois, rétorqua Neil, que pour eux cela compterait vraiment que tu sois présente. Tu es quelqu'un d'important à leurs yeux.

— Aux yeux de qui ?

— Des parents de Janet.

— Ne dis pas de bêtises !

Neil haussa les épaules :

— En tout cas, ils savent que tu as interprété Mr. Woods. C'est Linda qui me l'a dit.

— Oh, génial ! Et ils veulent aussi que j'apporte le costume ?

Les lèvres de Neil esquissèrent un sourire bienveillant : il refusait de croire à mon cynisme.

— Ça a lieu samedi prochain, reprit-il. J'ai pensé que nous pourrions en faire une petite excursion. Je ne suis jamais allé à Catalina.

Il laissa tomber ce nom sur un ton faussement timide, une lueur de gaieté dansant dans son regard tandis qu'il attendait ma réaction.

— Catalina ?... Tu veux dire : l'île ?

Il fit oui de la tête.

— Ils veulent l'enterrer là-bas ?

— Ils y habitent, expliqua-t-il avec l'air de s'amuser beaucoup. À Avalon, pour être précis. C'est là que Janet a passé son enfance.

— Personne ne passe son enfance à Catalina !

— Si. Janet.

Il me regarda avec de grands yeux taquins.

— Tu y es déjà allée ?

Je dus reconnaître que non. Je ne connais Catalina que par quelques vieilles chansons et la ligne de maillots de bain qui porte ce nom. L'île est presque entièrement déserte, pour autant que je sache, et quant à Avalon, c'est une ville-jouet, une Mecque touristique très à la mode dans les années vingt et trente, mais qui n'est plus du tout ce qu'elle était jadis. J'ai entendu dire qu'on y trouve encore des barques à fond de verre pour regarder les poissons, des bonbons au sel marin, aussi, et cette immense salle de bal circulaire, au-dessus du port, si souvent représentée sur les partitions de chansons. Comme le dit l'une d'elles, l'endroit n'est qu'à « trente-six milles en traversant la mer », mais personne de ma connaissance n'y a jamais mis le pied.

Neil attendait ma réponse.

— Alors, tu viendras ?

— Mon Dieu, Neil... Je ne sais pas.

— Écoute, ça me rendrait grand service que tu viennes.

— Pourquoi ?

— Tu veux dire à part le plaisir de ta compagnie ?

— Oui.

— Eh bien... Linda sera là. Et je n'ai pas envie d'être piégé en sa compagnie toute la journée. Surtout sur une île !

— Comment peux-tu dire ça d'une femme que tu as épousée ?

— Oui... Je sais... Bon, que veux-tu que je réponde à ça ?

— Elle est donc si féroce ? ironisai-je.

— Non, pas trop.

Je lui jetai un regard dubitatif, et il éclata de rire.

— Elle n'est pas féroce du tout, m'assura-t-il. Simplement, ça m'aiderait de ne pas me retrouver seul à ce moment-là.

— Tu veux que je serve de tampon, c'est ça ?

— Non. D'amie, c'est tout.

— Un tampon amical, alors ?... Eh bien... On peut faire l'aller et retour dans la journée ?

— Oui, si on veut.

— En bateau ? demandai-je.

— Ou en avion, si tu préfères.

— Je préférerais le bateau.

J'écris tout cela dans mon lit. Renée est allée au cinéma (voir *Bill and Ted's Bogus Journey*) avec Lorrie, son amie de *La Grange aux tissus*. J'ai un peu honte, mais je suis contente d'avoir la maison pour moi toute seule, et de pouvoir passer mes disques de Nino Rota sans provoquer les grimaces excédées de Renée. Une délicieuse petite brise agite mes rideaux, et la lune vient tout juste d'apparaître dans le ciel, orange comme une citrouille. Quelques cuillerées de glace rhum raisins me remonteraient grandement le moral, mais je suis trop fatiguée — ou trop abattue, peut-être — pour envisager une expédition vers la cuisine, avec l'escalade par l'échelle jusqu'au congélateur qui s'ensuivrait.

Jeff a appelé, il y a une heure. Ça faisait des lustres que nous n'avions parlé si longtemps. Le tournage du film de Callum a commencé et le plateau est interdit au public ; aussi Jeff se sent-il assez seul, je crois, hors les quelques fins de soirée volées au Château Marmont. Apparemment, il est toujours aussi fou de Callum, mais il se montre étrangement peu enclin à me donner des détails. C'est probablement par superstition : une graine de bonheur a enfin été plantée, et il veut garder en lui cette semence... Si j'ose dire.

Il s'est inquiété de savoir si je travaillais de nouveau, et je lui ai répondu qu'on venait justement de m'engager pour des obsèques.

— Ah oui ? s'étonna-t-il. Quelqu'un que je connais ?

Je lui ai expliqué ce qui était arrivé à Janet, la désignant seulement comme « la fille qui tournait mon vidéo-clip ». C'est à peine s'il a réagi, et je me suis demandé si, à la dure lumière de sa propre expérience, il ne considérait pas qu'une telle mort relève de la simple complaisance (si l'on peut dire cela du suicide). Beaucoup d'amis de Jeff s'efforcent plutôt de rester en vie, eux !

— Qu'est-ce qui va se passer maintenant ? a-t-il demandé.

— À quel sujet ?

— Pour le clip.

— Oh... c'était déjà un fiasco, de toute façon !

Non, je ne lui ai pas parlé de ma crise de colère. Et ne me demandez pas pourquoi. Peut-être après tout éprouvais-je un véritable sentiment de culpabilité.

— Dommage, a-t-il dit. C'était un beau projet.

— Oui, mais que veux-tu ? Un bon plan de perdu, dix de retrouvés.

Il a ri avec mélancolie.

— Est-ce que tu écris, en ce moment ? ai-je poursuivi.

— Un peu.

— Ce qui veut dire pas du tout, c'est bien ça ?

Cette fois, je pouvais en être sûre : il était vraiment amoureux. Jeff n'écrit que lorsqu'il est malheureux.

— Écoute, Cadence...

— Eh bien, moi, j'écris !

— Je t'en félicite.

— J'ai même un nouveau carnet très chic, et tout et tout !

— Et de quoi ça parle ?

Il faisait des efforts sincères pour en parler aimablement, mais je sentais qu'il trouvait d'une inconvenante désinvolture qu'une profane comme moi vînt s'ébattre sur son terrain réservé.

Je fis de mon mieux pour le rassurer :

— Oh, seulement... des petits riens qui m'arrivent, pas plus !

— Ah ! Tu as raison : c'est au moins une bonne thérapie.

— C'est vrai, admis-je.

— Et ta vie sentimentale, ça va comment ?

— Hmmm... Les piles sont un peu à plat, mais...

— Allons ! lança-t-il d'une voix sarcastique. Tu sais très bien de qui je veux parler. Le type avec qui tu travailles, là, l'Africain-Américain.

Je décidai instantanément de ne pas le laisser envahir mon jardin secret.

— Il n'a rien à faire avec ma vie sentimentale, Jeff. Ni maintenant, ni jamais.

— Ah non ?

— Non ! Et il n'est pas africain-américain.

— Mais tu m'as dit qu'il était...

— Noir ? Je l'ai dit, oui, il l'est. Mais il n'emploierait jamais cette expression inventée par des Blancs libéraux.

Je fus contente de lui avoir si bien cloué le bec. Il riposta par un long soupir exaspéré, et, comme je ne voulais pas entamer une discussion acrimonieuse, j'ajoutai sur le ton de la plaisanterie :

— D'ailleurs, tu ne l'emploies pas non plus. Tu t'amusais seulement à l'essayer, c'est bien ça ?

Il m'informa, sur un ton glacial, qu'il avait opté pour le terme en question depuis plusieurs semaines déjà.

C'est ça ! pensai-je. *Depuis que tu as lu cette interview de Spike Lee où il déclarait qu'« afro-américain » était une expression inacceptable.* Mais je préférai ne rien dire. Même pour rire, je sais qu'il vaut mieux éviter de trop le chatouiller sur tout ce qui touche au politiquement correct.

— Je ne savais pas que c'était un sujet sensible, ironisa-t-il.

— Ce n'est pas un sujet sensible. Neil n'est pas du tout comme tu l'imagines, voilà. C'est un bon ami et rien de plus.

— D'accord, d'accord ! Je suis ravi de l'apprendre.

J'avais eu vaguement l'intention de lui dire que les obsèques de Janet auraient lieu à Catalina et que je ferais le voyage avec Neil, mais je savais qu'immanquablement Jeff interpréterait cela à sa manière tendancieuse et s'imaginerait des choses qui n'étaient pas. Pour avoir la paix, je pris donc le parti d'éviter complètement ce sujet et embrayai sur les dernières nouvelles de *PortaParty*, me plaignant assez longuement du manque d'engagements dont nous avions souffert ces derniers temps.

— Tu sais, nous sommes en pleine récession, a observé Jeff du ton le plus pénétré.

— Tu crois qu'ils en sentent les effets, à Beverly Hills ?

Ce n'était pas une question dictée par l'amertume : je voulais vraiment connaître son avis. C'eût été trop facile, pensai-je, d'imputer ce soudain désintérêt au marasme économique. Si ma petite étoile fatiguée a commencé de sombrer et ce, sans espoir de sauvetage, je préfère regarder cette réalité en face.

Jeff me répondit que même ces salauds de bourgeois des beaux quartiers étaient de temps en temps amenés à se serrer la ceinture, et qu'en pareil cas les « petites fêtes d'anniversaire ringardes » auxquelles je participais étaient sûrement la première chose dont ils feraient l'économie.

— Comment ça, « ringardes » ? protestai-je.

Il émit un petit rire narquois :

— Tu sais très bien ce que je veux dire.

— Oui. Je crois.

— Allez, Cadence ! Ne fais pas semblant d'être vexée. Tu vaux beaucoup mieux que ces petites animations à la mords-moi-le-nœud et tu le sais parfaitement.

— C'est mon *métier,* Jeff ! Je n'ai rien d'autre.

Dédaigneux, il a refusé de prendre en compte cette idée :

— Ton métier, ce n'est pas ça !

— Peut-on savoir ce que c'est, alors ?

— Cadence...

— J'aimerais que tu me répondes, Jeff. Je ne suis pas une vraie chanteuse. Encore moins une vraie actrice. Un temps vient où l'on est bien obligé de voir la réalité en face, tu ne crois pas ?

Pourquoi explosai-je ainsi ? Je n'en ai aucune idée, mais j'avais tout à coup le sentiment d'accomplir une juste vengeance, et les mots jaillissaient en bouillonnant de moi en un flux toxique.

— Ce petit boulot « ringard », comme tu dis, est le mien. Le seul que j'aie. Le seul qu'on me *laisse* faire ! Moi aussi, j'aimerais bien en parler avec mépris, mais il faut bien que je sois fière de quelque chose, tu ne crois pas ?

Le pauvre Jeff resta frappé de mutisme quelques secondes. Puis :

— Qui ça, « on » ? demanda-t-il.

— Pardon ?

— « On ». Tu dis que c'est le seul travail qu'« on » te permette de faire.

Je compris aussitôt où il voulait en venir, mais je n'avais que faire de ses pinailleries.

— « On », Jeff, c'est *eux* ! Les enfoirés qui mènent le monde.

— Ah oui ?

— Et ne t'avise pas de me ressortir ta vieille rengaine pour me raconter qu'il n'existe pas de « on ». Il n'y a que ça dans ma vie et il n'y aura jamais que ça. Il m'en sort par tous les trous, des « on » !

— C'est joliment dit.

— Fous-moi la paix ! Tu m'as très bien comprise.

Un long silence s'installa. Puis, non sans circonspection, Jeff suggéra ceci :

— Dis-moi... Toute cette fureur, là, est-ce que par hasard ce ne serait pas parce que tu as... ?

— Non ! Je les ai eues la semaine dernière. Je te dis ce que je pense en étant dans un état absolument normal.

Ces dernières années, Jeff a pris la détestable habitude de tout imputer à mes menstruations cataclysmiques : sautes d'humeur, tremblements de terre, déraillements...

— Tu veux que je vienne ? proposa-t-il.

— Pour quoi faire ?

— Je ne sais pas. Te flanquer la fessée de ta vie, par exemple ?

J'étais contente qu'il ne puisse pas me voir sourire.

— Estime-toi heureux de ne pas avoir appelé la semaine dernière.

— Je le suis. Tu peux me croire !

— Je vais craquer, j'en ai peur, avouai-je.

— Mais oui, c'est ça !

— *J'aimerais* craquer. Je veux qu'il se passe quelque chose, n'importe quoi !

— Alors, ça arrivera.

— Non, Jeff. Plus rien. Plus jamais. J'arrive au bout de mon chemin. Pire que cela : je suis un débris *au bord* du chemin ! Un débris oublié quelque part dans Studio City, sur un dépotoir désaffecté où plus personne ne vient, même pour m'écraser à coups de pied.

— Jolie tirade ! Tu devrais mettre ça au propre.

— Je te la laisse.

— Et Leonard ? suggéra-t-il. Il pourrait avoir quelques idées, ce cher Leonard ? Callum et lui se parlent souvent.

— Évidemment. Il est plutôt mignon, Callum. Et il a une très jolie queue, en plus.

— Cadence !

— Je ne fais que répéter ce que tu m'as toi-même révélé...

Il ne releva pas.

— Tu es à court d'argent ? C'est ce qui te déprime ? Tu sais, je pourrais...

— Non. Enfin, je le suis toujours plus ou moins, mais...

— Tu es sûre ?

— Oui, Jeff. Merci.

J'étais à présent gênée qu'il se fût radouci à l'improviste et réagît à mes propos fielleux en proposant de se sacrifier. Il aurait du mal à me prêter de l'argent, le pauvre : pour autant que je sache, il en gagne encore moins que moi.

— De ce côté-là, ça peut aller, continuai-je. Ce n'est pas d'un prêt que j'ai besoin. C'est d'une vraie vie !

D'une vie *plus longue,* aurais-je dû ajouter ; mais j'avais peur des sentiments auxquels je risquais de laisser libre cours, d'autant que je savais Jeff incapable d'affronter certaines de mes angoisses. La mort de Janet, entre autres choses, m'avait rendue plus douloureusement consciente de la fragilité de ma propre existence, ce qui est — comme aurait dit maman — on ne peut plus naturel pour une personne de ma taille, même lorsque tout va bien. Quand on est un petit paquet d'organes ambulant tel que moi, on ne peut s'empêcher de se demander combien de temps on a encore devant soi.

Alors, malgré moi, je pensai que j'aurais voulu avoir Ned au bout du fil, et non l'amant qu'il avait laissé derrière lui en mourant : ce bon vieux Ned, si simple et si fort ! Lui aurait compris ce que je ressentais sans même que j'aie à le lui expliquer. Dans les derniers mois de sa vie, nous passions des heures ensemble, à jouer aux cartes ou à flâner dans son jardin, et, sans le dire, nous nous amusions de l'ironie du sort qui avait fait de nous des égaux. Ces moments d'intimité partagée, nous les chérissions d'autant plus fort que le temps nous était compté, et que nous le savions tous deux.

13

Je n'ai encore osé parler à personne de ce qui s'est passé à Catalina. Ce n'est pas que je sois gênée, mais, pour le moment, je ne sais toujours pas quoi en penser, et je me lasse un peu de confier des impressions aussi vagues, aussi mal définies aux interprétations d'autrui (surtout s'il s'agit de Renée, ou de Jeff !) avant de les coucher sur le papier. Avec un peu de chance, il me restera assez de place dans ce journal (celui dont Neil par une heureuse coïncidence m'a fait cadeau) pour raconter toute l'histoire. Sinon, je continuerai mon récit sur un autre.

Le bateau que nous avons pris partait de Long Beach, où nous nous sommes rendus samedi en fin de matinée dans le minibus de *PortaParty*. Triste à voir, notre minibus : on ne l'avait pas lavé depuis longtemps, et il était vidé de son habituelle provision d'accessoires et de cotillons de toutes les couleurs. Il navrait le cœur comme une scène déserte. Un carton plein de jouets de plage heurtait la porte arrière, et c'était là tout notre chargement. Je frissonnai un peu, voyant cette preuve matérielle du déclin de la petite troupe, mais ne fis aucune remarque, redoutant ce que Neil aurait pu avoir à me répondre.

— C'est à Danny ? demandai-je en désignant les jouets.

Neil sourit, les yeux fixés sur l'autoroute qui déroulait devant nous son ruban flou.

— Oui. Je l'ai emmené à Zuma, la semaine dernière.

Je fis un commentaire sur les avantages de la plage de Zuma, et il parut un peu surpris.

— Tu aimes la plage ?

— J'adore ça.

— Moi aussi !

Il eut un large sourire, comme si nous venions de nous découvrir un point commun aussi rare que merveilleux.

— À propos, où est-il ?

— Qui ?

— Danny.

— Chez des voisins. Des voisins de Linda.

Je lui dis que j'avais espéré faire la connaissance de Danny : je pensais en effet que, peut-être, Linda ou lui l'emmèneraient pour la journée. Catalina, ç'aurait pu faire une belle excursion pour un gamin, malgré les circonstances.

— Oui, acquiesça Neil. Nous en avons parlé.

— Et alors ?

— Nous nous sommes dit que cela pouvait devenir lugubre. Les obsèques, je veux dire...

Eh bien, bravo ! me dis-je. J'imaginai soudain Mrs. Glidden, m'agrippant cette fois par le col de ma robe en crêpe de Chine anthracite, me secouant comme un prunier et m'étranglant à moitié. Ça donnait avec le son : *Savez-vous ce que ce tournage signifiait pour ma fille ? Le savez-vous ? En avez-vous la moindre idée ?*

— Bien sûr, j'aimerais lui faire visiter l'île, continuait Neil, mais...

J'avais complètement perdu le fil de la conversation et dus l'interrompre :

— Tu dis ?

— Danny aime bien aller chez ces voisins, expliqua-t-il. Ils ont une piscine avec un toboggan.

— Oh... Oui, je comprends.

— Comme ça, il me fiche la paix.

De toute évidence, il ne pensait pas un mot de ce qu'il venait de dire. Je trouvais ça typiquement masculin, cette façon de feindre la brusquerie pour cacher son adoration évidente pour son fils. Moi qui l'avais souvent vu si parfaitement à son aise au milieu de dizaines d'enfants, cela me surprit, qu'il éprouvât de la gêne de tant l'aimer. Mais je suppose que ce n'est pas la même chose quand on parle de ses propres gosses.

— Linda prend le même bateau que nous ? demandai-je.

— Non. Elle a pris l'avion tôt ce matin. Elle a pensé que les Glidden pourraient avoir besoin de son aide.

Je réfléchis quelques instants au sens de cette petite phrase, écartant les unes après les autres plusieurs possibilités des plus morbides.

— De son aide pour quoi faire ? risquai-je enfin.

Neil me sourit langoureusement.

— Je crois qu'il y a un brunch, après la cérémonie.

— Vraiment ?

Un brunch de funérailles ! Ça ne pouvait s'inventer qu'en Californie... Plus nous bringuebalions sur l'autoroute vers Dieu sait quelles scènes ahurissantes, plus cette affaire prenait dans ma tête une tournure surréaliste.

Le quai d'où partait le *Catalina Express* jouxtait celui du *Queen Mary*, le grand paquebot des années trente qui coule sa vieillesse en tenant lieu d'hôtel et de piège à touristes polyvalent. Nous avions deux heures à tuer avant le départ du bateau, et nous nous laissâmes tenter par la bêtise classique : nous payâmes pour monter à bord. Les tickets étaient abominablement chers (Neil dut les payer avec sa carte de crédit), et le trajet jusqu'à la passerelle faillit me tuer à lui tout seul. J'eus l'impression qu'il faisait des tours et des détours sur des kilomètres, serpentant à n'en plus finir à travers le « Vieux village anglais » en toc, puis contournant un énorme hangar circulaire qui contenait le grotesque avion en bois de Howard Hughes, le *Spruce Goose*. Quand je posai enfin le pied à bord du *Queen Mary*, j'étais pantelante comme un chien de berger un jour de canicule.

— Ça va ? me demanda Neil.

Je m'écroulai presque contre une paroi — à moins qu'on ne dise un bastingage, mais peu importe — et me frappai plusieurs fois la poitrine de la paume de ma main. Neil s'accroupit à côté de moi et me tendit un mouchoir. J'épongeai longuement mon front ruisselant et le lui rendis.

Un escadron d'enfants, accompagné par une femme d'une cinquantaine d'années à l'air hagard, s'immobilisa près de nous, émerveillé par ce qu'il devait prendre pour la première des attractions sensationnelles à découvrir sur le bateau. La femme — sans doute une institutrice — nous fixa des yeux juste assez longtemps pour être affreusement gênée de son indiscrétion et perdre le peu de contenance qui lui restait ; puis elle entraîna les enfants en toute hâte. Je pris une profonde inspiration, ensuite une autre et je comptai jusqu'à dix, lentement. Et il me sembla que mon cœur était un petit oiseau désespéré tentant de s'enfuir de ma cage thoracique.

— Mieux, répondis-je enfin.

— Tu en es sûre ?

Je fis oui de la tête.

— Tu veux que j'aille te chercher de l'eau ? Autre chose ?

— Non. J'ai seulement besoin d'ombre. Et d'un endroit où m'asseoir.

Nous fîmes retraite vers un des grands salons, un vaste espace tranquille et élégant, tout en courbes, en dorures et en fresques aux tons verts rafraîchissants. Neil me hissa sur un sofa, puis jeta un rapide coup d'œil à la brochure fournie aux visiteurs.

— Ce n'était pas bien malin de notre part de tenter cette aventure, dit-il d'un ton penaud.

Je lui répondis que nous ne pouvions pas le savoir d'avance.

— Tout ce qui vaut la peine d'être vu est à des kilomètres, poursuivit-il. Sauf, peut-être...

Il se pencha de nouveau sur la brochure.

— Sauf quoi ?

— Il y a un endroit appelé le « Passage hanté ». C'est une espèce de train fantôme, comme dans les foires.

— Pour se retrouver dans l'obscurité entourée de gosses qui hurlent ? Merci bien !

Il sourit.

— Qu'est-ce que c'est, leurs fantômes ? demandai-je.

— Il n'y en a qu'un. Celui d'un matelot qui s'est fait écraser par une porte métallique, dans les années soixante. D'après la brochure, on entend encore son spectre cogner contre les cloisons.

Je levai les yeux au ciel, tout en appréciant, malgré moi, à sa juste valeur le génie glacé de cette stratégie commerciale. Très certainement, les propriétaires de l'entreprise avaient appris par expérience que la visite d'un beau paquebot ne peut satisfaire à elle seule le public américain : une bonne attraction familiale ne saurait se passer de sa petite touche d'horreur. Mais ce matelot « fantôme » avait existé pour de bon, il avait connu une mort atroce à une époque où j'étais née, il avait probablement une famille quelque part, des gens qui l'aimaient, le regrettaient, qui se rappelaient le véritable drame. Quel effet cela leur faisait-il, me demandai-je, de savoir qu'on avait réduit le souvenir de ce pauvre type à un banal effet spécial digne d'un film d'horreur de série B ? Est-ce qu'ils touchaient des royalties ?

— On pourrait arrêter les frais, dit Neil, lisant dans mes pensées.

— On pourrait.

Nous redescendîmes sur le quai sans demander notre reste. Le temps avait changé, il faisait une chaleur inhabituelle pour la saison et une brume industrielle couleur de gravier pesait sur le port. Une longue queue de touristes, chargés d'attirails de plongée, de glacières et de grands sacs fourre-tout, s'étirait déjà devant la passerelle du *Catalina Express.* Je sentis qu'une veine s'était mise à battre sur ma tempe, de plus en plus vite à mesure que mon anxiété grandissait. Et je commençai à me dire que j'avais fait une énorme bourde en acceptant cette invitation.

Le voyage jusqu'à l'île prit un peu plus d'une heure et demie. Par bonheur, le brouillard s'était dissipé sitôt la côte hors de vue. Les sièges, sur le bateau, étaient comme ceux d'un avion, assez confortables, mais le paysage marin qu'ils permettaient de contempler aux autres passagers m'était à moi complètement invisible. Neil s'en aperçut et m'emmena plusieurs fois sur le pont glissant où je m'accrochai désespérément au barreau inférieur du garde-fou pour admirer la couleur de l'eau avec des grognements de contentement. Une dame au teint laiteux, portant un collier de grosses perles à la Barbara Bush, observait ces efforts maladroits d'un air de philanthropie autosatisfaite, comme si j'étais une orpheline leucémique venue du Middle West voir le puissant océan pour la première fois de sa vie.

— Ça doit lui faire plaisir ! dit-elle à Neil, pensant apparemment que je devais aussi être à peu près sourde comme un pot.

Pour ne pas mettre Neil dans l'embarras, je me bornai à lui adresser un bref regard assassin.

La première vue qu'on avait d'Avalon était stupéfiante. La petite ville était presque délabrée, miraculeusement sans apprêt, un coin de la planète oublié par le temps. Des maisonnettes en bois toutes simples, dispersées au hasard comme des épaves de navires, dégringolaient la sèche colline jusqu'à une plage immaculée et incurvée, au bout de laquelle on apercevait la grande salle de bal circulaire, aussi naturelle ici qu'un point sur un i. Il y avait des dizaines de voiliers dans le port, et des mouettes qui plongeaient dans la mer. Il y avait même un carillon, croyez-le ou non, qui sonnait au loin sur une colline comme pour nous souhaiter la bienvenue. L'étonnement qui se peignit sur nos visages défiait l'expression verbale. Je me souviens seulement de m'être dit : « Cligne des yeux, et tout cela disparaîtra. »

De près, bien sûr, il était plus facile de repérer les fausses notes de ce tableau idyllique. La roche érodée qui surplombe le débarcadère a été consolidée avec du ciment, et on voit trop de touristes aux fesses grasses (comme moi ou enfin presque) qui arpentaient la promenade en quête de distractions. Pire encore : quelques-unes des constructions les plus récentes, dans un style pseudo-espagnol postmoderne, jurent violemment avec la charmante simplicité de l'ensemble. Malgré cela, la petite ville me plut beaucoup, et à Neil aussi. C'est absurde, mais nous nous sentions aussi fiers que si nous étions les premiers à l'avoir découverte.

Il nous restait une bonne heure avant les obsèques de Janet, et nous nous installâmes sur un banc de la promenade, regardant le défilé disparate des passants. Ceux qui n'allaient pas à pied circulaient à bord de ridicules petits buggies de golf électriques, car les voitures sont interdites sur presque toute l'île. Je ne pouvais m'empêcher de sourire en observant cette noria de véhicules lilliputiens. Pour une fois, pensai-je, je me trouvais dans un monde un peu plus à mon échelle.

Neil étudiait un plan qu'il avait acheté sur le débarcadère.

— Nous sommes loin de l'église ? demandai-je.

— Non, pas très.

— Montre-moi.

Il me désigna sur le plan un petit carré.

— C'est très loin, protestai-je.

— Tu trouves ?

Je fis oui de la tête, avant de lui assener cette monstruosité :

— À moins que tu n'aies envie d'assister à deux enterrements d'affilée, Neil...

— Dans ce cas, louons un buggy, suggéra-t-il.

Je le regardai en fronçant les sourcils.

— On ne peut pas arriver à une cérémonie funéraire comme ça !

— Pourquoi pas ? Tout le monde le fait, ici !

Nous fîmes donc comme tout le monde, louâmes dans la rue principale un petit véhicule surmonté d'un dais à rayures, et remontâmes une avenue bordée d'arbres, appelée Metropole, à la recherche de l'église. La suspension n'était pas fameuse, mais Neil m'avait confortablement arrimée avec des sangles et chaque fois que les roues heurtaient une bosse, mes petits cris étaient en fait moins des manifestations d'effroi que de plaisir. Pourtant, Neil me jetait des coups d'œil inquiets. Je finis par le rassurer en lui décochant un grand sourire. On éprouvait à rouler ainsi une très curieuse sensation : je me sentais tout à la fois complètement ridicule et délicieusement comblée.

L'église était un édifice sans prétention, aux murs blancs sur lesquels grimpaient des bougainvillées. Toute une file de buggies était garée devant, plus élégants que le nôtre et sans numéro de location ostensiblement peint sur le côté. Ils devaient appartenir à des habitants de l'île, des amis de la famille. Tandis que nous approchions de la porte, je me demandai si Neil et moi n'étions pas les seuls invités venus du continent — mis à part la redoutée Linda, bien sûr.

Du seuil, un homme grand, aux cheveux gris et en uniforme de la marine, observait notre avancée. Quand nous arrivâmes à sa hauteur, il nous regarda d'un air dubitatif et prononça à mi-voix le nom de Janet comme une question. Neil fit oui de la tête et nous le suivîmes à l'intérieur de l'église. Je marchais derrière, à mon rythme, m'efforçant d'avoir l'air dévot — à tout le moins concentré —, consciente que tous les regards convergeaient soudain sur moi. Neil me déposa à côté de lui sur un banc et me tendit une feuille où avaient été imprimés le nom de Janet, celui du pasteur et ce qui concernait le déroulement de la cérémonie. Ce programme des réjouissances et le bois du banc devant le nôtre (assez peu fascinant pourtant) furent tout ce qui retint mon attention dans la demi-heure qui suivit : en dehors de ça, je ne voyais strictement rien.

La cérémonie se conforma à une liturgie protestante classique et minimale, si peu personnalisée qu'on aurait pu croire la défunte morte de vieillesse à quatre-vingt-dix ans. Nous chantâmes quelques hymnes rebattus et reçûmes du pasteur quelques phrases de réconfort tout aussi rebattues. À un moment donné, je vis Neil adresser un sourire à quelqu'un installé dans l'autre travée : ce quelqu'un devait être Linda, sans aucun doute. Je ne pouvais m'empêcher de me demander si le corps de la défunte était présent parmi nous, sous une forme ou sous une autre, mais décidai de ne pas poser la question. Il arrive que ma voix porte un peu trop.

Pour éviter la bousculade, nous sortîmes avant la fin du dernier hymne et attendîmes Linda à l'extérieur, sur la pelouse.

Elle apparut bientôt, donna à Neil un chaste baiser sur la joue, puis, sans attendre les présentations, me tendit une longue main sèche.

— Bonjour, Cady. C'est gentil à vous, d'être venue.

— Mais non, pas du tout, répondis-je bêtement.

L'ex-Mrs. Riccarton était grande, mince, avec un visage ovale et régulier et une peau sensiblement plus claire que celle de Neil. Pas exactement jolie, non, mais élégante et terriblement sûre d'elle. Elle portait un ensemble en soie grise, très chic, et ses cheveux étaient coiffés en chignon. Neil ne me l'avait jamais décrite comme un monstre, et le fait était qu'elle n'en avait absolument pas l'air. Que lui avait-il reproché, déjà ? D'être trop peu sentimentale ? Ou trop organisée ?

— Vous avez rencontré les parents de Janet? me demanda-t-elle.

Je répondis que non.

— Je crois qu'ils sont...

Elle tendit son cou gracieux.

— Oui, là-bas.

Mr. et Mrs. Glidden se tenaient côte à côte sur le trottoir, recevant les condoléances de leurs amis. Leurs silhouettes en forme de poire sur pattes, leurs têtes hirsutes étaient tellement semblables qu'on aurait dit une salière et un poivrier jumeaux. Leurs deux visages, simples et ouverts, avaient la même expression de stoïcisme mélancolique, et l'on devinait au premier coup d'œil qu'ils formaient un de ces couples qui ne font jamais rien l'un sans l'autre. Je me convainquis en en clin d'œil qu'ils possédaient pour l'hiver des anoraks de la même couleur.

— Il vaudrait peut-être mieux attendre, dis-je. Ils sont un peu trop entourés, pour le moment.

Linda acquiesça, puis se tourna vers Neil.

— Je connais un raccourci qui mène jusqu'à la maison, si une petite marche vous fait envie.

Neil parut désorienté.

— Il n'y aura pas de...

Son ex l'interrompit en secouant la tête.

— Les cendres sont déjà à la maison.

Neil me jeta un coup d'œil interrogateur.

— Ça te plairait, de marcher un peu?

— Volontiers, répondis-je, d'un ton aussi naturel que possible.

J'étais décidée à ne pas avoir l'air d'une mauviette devant Linda.

Nous suivîmes donc les longues jambes efficaces de notre guide à travers des broussailles poussiéreuses jusqu'au domicile des Glidden, à quelques centaines de mètres de là. La bâtisse appartenait à une rangée de maisons, toutes semblables mais différenciées par quelques détails, qui faisait face à une rangée de maisons identiques de l'autre côté d'une chaussée bordée de palmiers.

Elles me rappelaient les lotissements que les minotiers construisaient autrefois pour leurs employés, mais en plus joli : des vasques carrelées et des treilles de rosiers grimpants paraient de parfaites petites pelouses de la taille d'un timbre-poste. Je découvris avec surprise qu'un petit groupe de personnes était déjà assemblé devant la porte des Glidden.

— C'est ici que Janet a passé son enfance ? demandai-je à Linda tandis que Neil s'éloignait pour aller nous chercher du punch.

— Je crois, répondit-elle. Mary m'a dit que la famille habite Catalina depuis trois générations.

— Et Mary est... ?

— La mère de Janet.

— Ah...

J'essayais en vain de me représenter Janet — avec ses cheveux noirs comme des fils d'acrylique et ses manières artistes — grandissant dans cette maison toute simple en compagnie de cette paire de salières inséparables. Peut-être était-ce là l'origine de ses problèmes, à la réflexion ? Peut-être Janet n'était-elle pas arrivée à se faire à cette image, elle non plus. Même dans son enfance.

— Son grand-père travaillait à la poterie de Catalina, poursuivit Linda. Plus tard, il a été l'un des premiers employés de Wrigley.

J'ignorais complètement de qui elle voulait parler.

— Wrigley... le fabricant de chewing-gums. Le multimillionnaire de Chicago. C'est quasiment lui qui a créé Avalon. La moitié de la ville travaillait pour lui.

Je hochai la tête d'un air intéressé.

— Neil m'a dit qu'il adorait vous avoir comme collaboratrice.

Je fus un peu prise au dépourvu par ce brusque coq-à-l'âne.

— Vraiment ? répondis-je au bout de quelques secondes. J'en suis flattée.

— Et vous avez de la chance. Il ne se lie pas d'amitié si facilement.

Cette remarque me parut tellement hors de propos que tout ce que je trouvai à répondre fut :

— Ah bon ?...

— Non. Pas facilement du tout, même.

Et elle accompagna ces mots d'un petit sourire fraternel, comme pour confirmer ce qu'elle disait.

J'étais si déconcertée que je regardai autour de moi, en quête d'une possible diversion, laquelle se présenta sous la forme de Neil lui-même qui revenait avec deux verres de punch. La boisson était couleur de citron vert et il y flottait une boule de glace à la vanille : je n'avais jamais rien vu de pareil depuis mes années de collège.

— Très festif ! commentai-je sur un ton pince-sans-rire, en levant mon verre pour porter un toast silencieux à mon chevalier servant.

Il fit de même, avec un bref sourire. J'aurais bien voulu que nous puissions de nouveau nous retrouver seuls. Son ex me faisait déjà l'impression d'être une de ces nanas capables de balancer à une autre une phrase abominablement blessante au nom de la complicité entre femmes.

— J'ai fait la connaissance des parents de Janet, annonça Neil. Ils sont très sympathiques.

— N'est-ce pas ? dit Linda.

— Ils vont venir nous rejoindre, Cady. Ils ont vraiment envie de te connaître.

— Ah ? fis-je. Très bien.

C'est alors que je les vis approcher. Je sentis que je tremblais un peu sur mes jambes, et j'écartai un peu les pieds pour affermir ma contenance. Un instant plus tard, la toujours très attentive Linda les repéra à son tour et s'avança vers eux pour prendre la direction des opérations.

— Mary, Walter...

Le couple la salua à l'unisson.

— La cérémonie était une réussite, dit Linda.

— N'est-ce pas ? C'est ce que nous étions en train de dire à Bud Larkin. Le pasteur.

Mrs. Glidden souriait aimablement, mais ses yeux

étaient encore gonflés tant ils avaient pleuré. C'était émouvant de voir le mal qu'elle se donnait pour être accueillante malgré son chagrin.

— Vous connaissez déjà Neil, je crois...

— Oui.

Mary hocha la tête.

— Et cette demoiselle doit être...

— Cadence Roth.

Je tendis la main avant que Linda pût usurper le droit de me présenter. J'ignorais en quels termes elle comptait définir qui j'étais devant les Glidden, et je ne voulais pas prendre de risque à ce sujet.

— Comme nous sommes heureux que vous ayez pu venir ! déclara chaleureusement Walter Glidden.

Je le remerciai.

— Oui, très heureux, renchérit Mary.

— Savez-vous que ma femme a fait de vous une critique très élogieuse ? poursuivit-il.

Aussitôt, Mary eut l'air gêné.

— Oh, Walter, s'il te plaît !

De quoi parlaient-ils ? Je n'en avais aucune idée, mais mon cœur chargé de culpabilité battait déjà à tout rompre.

Walter caressa la main de sa femme, puis :

— Ne sois pas si modeste, Mary. C'est bien mon droit de vanter tes talents ! susurra-t-il à son oreille.

Mary posa sur son mari un regard plein d'affectueux reproche, puis se tourna de nouveau vers moi :

— Il y a quelques années, je tenais une petite rubrique dans notre gazette locale. Du bavardage, rien de plus. J'avais à l'époque trouvé *Mr. Woods* absolument merveilleux, et... j'ai écrit dans mon article tout le bien que j'en pensais.

— C'était une critique dithyrambique, reprit Walter.

— Oh... Ça n'avait rien d'une critique à proprement parler, rectifia Mary.

Elle me regardait d'un air penaud, visiblement embarrassée par les exagérations de son mari.

— Ç'a dû faire vendre quelques tickets, en tout cas !

Cette fois, Mary protesta plus fermement :

— Walter, je t'en prie ! Je ne crois vraiment pas que les producteurs du film aient eu besoin de mon aide. C'est le premier film de tous les temps par le nombre d'entrées !

Cette femme commençait à m'être très sympathique, et je lui adressai un petit sourire complice.

— Le deuxième seulement, rectifiai-je. Enfin, je crois...

— Ah bon ? s'étonna-t-elle. Quel serait le premier, alors ?

— *La Guerre des étoiles.*

— Eh bien, j'ai préféré le vôtre de beaucoup !

Je la remerciai aussi chaleureusement que je pus.

— Janet était aux anges d'avoir la possibilité de travailler avec vous, ajouta Mary.

— C'est très gentil à vous, de me dire ça.

— Non, ce n'est pas gentil. C'est la pure vérité, déclara-t-elle.

— En tout cas, c'était réciproque, répondis-je en serrant les dents. Votre fille était une artiste merveilleusement douée.

Les Glidden se montrèrent beaucoup plus touchés par cet énorme mensonge que je ne l'aurais cru. Presque instantanément, ils se serrèrent encore davantage l'un contre l'autre, comme s'ils étaient sur des montagnes russes et s'apprêtaient à faire un terrifiant plongeon. La lèvre inférieure de Mary se mit à trembler légèrement, mais elle réussit à garder sa contenance. Walter, lui, parvint à retenir ses larmes en fixant obstinément le sol. Je ne sais quelle fut la réaction de Neil, ni d'ailleurs celle de Linda, car je n'eus pas le courage de les regarder.

Ce fut Walter qui reprit la parole le premier, d'une voix cassée qui faisait pitié :

— Nous sommes... extrêmement fiers d'elle.

— Vous avez tout lieu de l'être, insistai-je.

Un atroce silence s'installa. J'attendais que Neil se chargeât de le rompre, mais ce petit salopard me laissa me débattre seule dans les sables mouvants de mon hypo-crisie.

Finalement, ce fut Mary qui reprit :

— Nous avons beaucoup cherché ce film, vous savez, mais nous ne l'avons trouvé nulle part.

— Quel film ?

— Celui de Janet. Avec vous.

— Vraiment ? fis-je d'une voix étranglée.

— Oui. C'est curieux, non ? Elle en avait tellement parlé...

— Oui, c'est très curieux.

Elle l'a détruit, pensai-je. *Elle a brûlé cette saloperie de pellicule. Elle l'a jetée du haut d'une falaise. Juste après que je lui ai dit qu'elle était nulle...*

— Vous en avait-elle donné une copie ? s'enquit Walter.

— Non, pas encore.

— Quel dommage ! s'écria Linda.

Je lui lançai un rapide coup d'œil, cherchant à deviner si elle avait dit cela par sarcasme, mais son visage était totalement indéchiffrable. Je me tournai à nouveau vers les Glidden.

— Il n'était pas encore tout à fait fini, vous savez...

— Peut-être, remarqua Walter aimablement, mais il aurait quand même dû en rester quelque chose.

— En effet.

Une sueur froide commençait à mouiller l'intérieur de mon ensemble en crêpe de Chine.

— Qu'y chantiez-vous ? demanda Mary.

— *If.*

— *If* ? Je ne connais pas cette chanson...

Le visage de Linda s'anima pour la toute première fois.

— Ce vieux tube de David Gates ? Janet ne m'avait pas parlé de ça.

J'espérai alors de tout mon cœur que ce n'était pas tout ce que Janet s'était abstenue de lui dire, et, surtout, qu'elle ne lui avait pas raconté dans quel état d'abjecte fureur j'avais mis un terme au projet. Je ne souhaitais pas particulièrement que Linda devînt mon amie intime, mais je n'avais pas envie non plus de m'en faire une ennemie.

— Pourquoi ne m'as-tu pas dit qu'elle chantait ça ?

Cette fois, Linda s'adressait à son ex-mari, et c'était le tour de Neil d'avoir l'air affreusement mal à l'aise. Au point que je me demandai même soudain si cette chanson n'avait pas eu jadis une signification particulière pour eux ; si — Dieu m'en préserve ! — ça n'avait pas été « leur » chanson. Après tout, c'était Neil qui avait suggéré que je la chante, lui le premier qui l'avait mise à notre répertoire. Je frissonnai à la seule idée que tout ce temps-là, j'avais peut-être servi à entretenir en lui je ne sais quelle nostalgie matrimoniale.

Walter prit heureusement la parole avant que je puisse trouver la réponse à cette interrogation.

— Dites-moi, peut-être ne verriez-vous pas d'inconvénient...

— Walter, voyons !

C'était la voix de Mary, qui, ayant deviné sans doute la pensée de son époux, l'admonestait d'un regard sévère.

— Tu imagines bien que Miss Roth n'est pas venue ici avec l'intention de chanter !

Je restai interdite.

— Tu as raison, dit Walter avec contrition. Jamais nous ne vous demanderions une chose pareille.

— Non, jamais, répéta Mary fermement.

Linda me fixait d'un regard doucereux, suppliant, qui ne voulait rien dire d'autre, c'était clair, que : *Songez à quel point cela leur ferait plaisir !...*

Neil contemplait le bout de ses souliers, en se gardant prudemment de me porter secours.

— Le problème, hasardai-je, c'est que je n'ai pas l'habitude de chanter sans pianiste.

— Mais on a un piano, argua Linda. Neil, tu pourrais l'accompagner ?

À cette suggestion, Walter regarda Mary avec plein d'espoir dans les yeux, puis ce fut Neil qui me regarda, et quant à moi, j'aurais voulu être ailleurs, dans un autre monde, dans une autre vie qui m'aurait permis, avec la taille appropriée, de serrer entre mes doigts le cou trop mince de Linda et de l'étrangler.

— Ce ne serait pas aussi incongru que vous pouvez le penser, m'expliqua Mary, à qui, visiblement, cette idée commençait à plaire aussi. Nous avons déjà un petit programme. La grand-mère de Janet doit chanter quelques-uns de ses cantiques préférés.

Elle me sourit doucement.

— Après tout, les obsèques servent aussi à réconforter les vivants, non?

Janet avait bien de la chance d'échapper à tout cela, pensai-je.

— Ma foi, finis-je par répondre, si vous n'attendez pas la perfection...

— Bien sûr que non! s'exclamèrent d'une même voix les Glidden, plus que jamais appariés par l'effusion.

Linda ne se tenait plus de joie à la seule perspective de quelque chose de nouveau à organiser. Elle offrit aussitôt ses services à Walter et à Mary, puis se lança dans un grand débat avec eux à propos de chaises pliantes et de l'installation du piano. Tous les trois s'éloignèrent résolument du côté de la maison, me laissant seule avec Neil.

— Ta dernière heure est venue! lui lançai-je avec une expression polaire.

Il se contenta de rire.

— Je parle sérieusement! explosai-je.

— Tu sais... osa-t-il me rétorquer, c'est le moins que nous puissions faire.

— Ah bon?

— Certainement. À la mémoire d'une artiste... euh, comment as-tu dit, déjà? Ah oui : « merveilleusement douée ».

Je lui décochai mon regard le plus noir.

— Je te trouve épatante, tu sais? se permit-il d'ajouter.

Dans le minuscule salon des Glidden devaient s'être entassées au moins une trentaine de personnes — parmi lesquelles Janet, qui, me dit-on, se trouvait à présent installée dans une céramique ancienne de Catalina posée sur le manteau de la cheminée. La « vedette américaine » de mon spectacle fut, comme annoncé, la grand-mère de Janet, qui finalement ne se tira pas si mal de sa sélection de cantiques (en dépit d'un bref incident de prothèse dentaire). Elle fut récompensée par des applaudissements polis, et quelques bises de rigueur sur ses joues fripées.

Ensuite, Walter prit la parole :

— Maintenant, c'est un très grand plaisir pour moi de vous présenter notre invitée d'honneur, une délicieuse artiste avec qui notre Janet travaillait quand... euh... enfin, cette année. Certains d'entre vous savent déjà que cette jeune actrice a été la vedette de *Mr. Woods*, le... euh... deuxième film le plus populaire de tous les temps, je crois, et qu'elle était aussi celle du plus récent clip tourné par Janet. Non, excusez-moi...

Il s'autorisa un pâle sourire.

— De son plus récent film. Janet préférait le mot « film ». Bref, avant que je dise trop de bêtises... Je vous présente Miss Cadence Ross !

Il tenta (et rata) un geste théâtral en notre direction. Neil était installé devant le clavier, sur le tabouret, et moi, juchée en équilibre assez précaire en haut du piano, avec l'impression bizarre d'être une entraîneuse de saloon. J'expliquai à l'auditoire que j'avais chanté cette chanson dans le remarquable film de Janet, malheureusement resté inachevé, que cette rengaine avait toujours été l'une de mes préférées, et que j'espérais qu'elle resterait gravée dans la mémoire de chacun comme un beau souvenir.

La suite fut une telle réussite que j'eus toutes les peines du monde à le croire. J'étais assez en voix — grâce à l'air pur, je suppose — et Neil joua avec une tendresse parfaitement adaptée aux circonstances. C'était indéniablement notre meilleure prestation, bien supérieure à tout ce que nous avions essayé de faire pour ce maudit clip. Il se produisit à ce moment-là un déclic qui ne s'était jamais produit auparavant. Et, très étrangement, on aurait juré que cette musique avait été écrite tout spécialement pour l'occasion — en particulier la fin, où la voix s'élève tout à coup et évoque une sorte d'ascension céleste.

Lorsque la dernière note eut résonné dans l'air avec mélancolie, je fermai les yeux et laissai ma tête s'incliner humblement sur ma poitrine. Il s'écoula un moment de silence total avant que la très aimable assistance ne parvînt à transformer son émotion brute en un tonnerre d'applaudissements. Je m'en délectai longuement, m'exposant aux irradiations de cet accès de chaleur humaine comme on s'expose si volontiers aux rayons du soleil après de longues semaines de pluie. Quand je rouvris enfin les yeux, Neil me regardait, radieux, aussi stupéfait que moi.

« On les a vraiment subjugués ! » Ainsi commenta-t-il un peu plus tard notre performance, alors que nous paressions à la terrasse d'un café sur la plage.

— Merde alors ! Cette Miss Roth peut *vraiment* chanter ! m'exclamai-je.

J'avais déjà sifflé quelques margaritas.

— Nous devrions nous faire engager plus souvent pour des obsèques.

— Nous devrions nous faire engager plus souvent *tout court* !

— Écoute, Cady...

— Arrête un peu, Neil ! C'est fini, non, la belle aventure ? Je me trompe ?

À mon grand désespoir, il ne prit même pas la peine de me contredire. Il haussa les épaules, se dandina sur son siège, fit s'entrechoquer les glaçons dans son verre, mais ne dit rien.

— C'est bien ce que je pensais, poursuivis-je.

— Les choses peuvent changer, hasarda-t-il. C'est seulement la conjoncture qui ne nous est pas favorable...

— Mais oui, c'est ça. Tu en veux un autre ?

Il regarda son verre vide.

— Oh, je ne sais pas...

— S'il vous plaît !

J'agitai les bras comme un sémaphore à l'adresse de la serveuse, puis me tournai de nouveau vers Neil.

— Je te dois au moins une ou deux tournées.

— En quel honneur?

— Le carnet, tu te rappelles?

— C'était un cadeau, protesta-t-il.

— Tu m'as dit que je pourrais t'offrir un verre à l'occasion.

Il sourit :

— C'était une façon de parler, glissa-t-il.

— Si tu veux. Moi, en tout cas, j'ai envie de me saouler la gueule.

J'aspirai les dernières gouttes de ma margarita, reposai bruyamment le verre et ajoutai :

— Ça aussi, c'est une façon de parler.

Il rit, m'observa un moment, puis leva les yeux à l'arrivée de la serveuse.

— Monsieur voudrait un autre gin-tonic! annonçai-je majestueusement. Et la même chose pour moi.

— Tout de suite, déclara la serveuse.

— Pour moi, ce sera le dernier, annonça Neil lorsque la fille se fut éloignée.

— Pourquoi?

— Il faut que je conduise, rappelle-toi!

— Pff! Même si tu le voulais, je t'assure que tu n'arriverais à tuer personne avec ce machin ridicule.

— Peut-être, mais quand même...

— Tu veux que je te dise ce que je crois vraiment? le coupai-je.

— À quel sujet?

— Nous, répliquai-je. Le boulot.

— Je t'écoute.

Il croisa ses longs doigts acajou sur la table en face de moi.

Je n'aurais jamais eu le cran de parler si je n'avais rien bu, mais cette fois, j'osai :

— Je crois que le vrai problème, c'est moi.

— Ne dis pas d'âneries!

— Non, écoute-moi bien...

— Cady, nous avons eu un nombre record d'engagements dès le moment où tu as fait partie de la troupe.

Je lui répondis que je le savais très bien.

— Alors, comment peux-tu...

— Laisse-moi parler, tu veux ? Je crois que dans un premier temps, j'ai plu aux clients parce que... parce que j'avais l'attrait de la nouveauté, et que cela piquait la curiosité de tout le monde. Mais la nouveauté n'a qu'un temps, la curiosité est retombée, et tout ce qui subsiste de nos prestations dans le souvenir de nos anciens spectateurs, c'est une espèce d'arrière-goût un peu nauséeux.

— Cady, je t'en prie !

Il semblait tellement fâché que je n'insistai pas.

— Ce n'est qu'une théorie, me justifiai-je.

— Est-ce que tu t'es rendu compte de ce qui s'est passé tout à l'heure ?

— Où ?

— Chez les Glidden ! Ces gens t'ont littéralement ovationnée, Cady. Ils sont en admiration devant toi. Tu leur as laissé voir le fond de ton âme, et maintenant tous sont à tes pieds.

Je savourai naturellement ces paroles, mais ne m'en sentis pas moins tenue de lui rappeler que tous ces gens étaient réunis pour des obsèques, et qu'il était donc particulièrement facile à ce moment-là de toucher leur fibre émotionnelle. Neil n'était pas d'accord.

— Ils n'ont pas été émus par la vieille dame. Elle, c'est à peine s'ils l'ont applaudie.

— Voyons, Neil, la malheureuse a perdu son dentier ! Difficile de la prendre au sérieux...

Il rejeta la tête en arrière et poussa un grognement d'exaspération, puis :

— On ne peut guère appeler ça...

— Une margarita et un gin-tonic !

La serveuse apparut aussitôt comme par enchantement avec nos consommations. Nous la remerciâmes d'un air penaud et attendîmes qu'elle soit partie pour reprendre notre conversation.

— Est-ce qu'il ne t'est jamais venu à l'esprit, dit Neil, parlant moins fort cette fois, que la récession est générale ? Le monde est grand, Cady. Tu es bien naïve si tu t'imagines que tout tourne obligatoirement autour de toi !

— Parce que ce n'est pas vrai ?

— Non.

— Eh bien, ça me révulse !

Il laissa échapper un rire un peu las.

— Je regrette d'avoir dû t'annoncer cette triste nouvelle.

— Il va me falloir une dernière margarita pour m'en remettre ! répliquai-je en grimaçant par-dessus les cristaux de sel de mon verre.

Le bateau qui devait nous ramener sur le continent ne partait pas avant plusieurs heures ; aussi décidâmes-nous de prolonger la location de notre buggy et de faire une balade dans l'île. Neil, grâce au Ciel, ne semblait pas trop saoul, mais mes gestes, à moi, étaient assez peu assurés. Nous suivîmes la route côtière, dépassâmes les anciennes fabriques de céramique depuis longtemps démolies, puis, tournant à droite après la station d'épuration, nous enfonçâmes dans les collines. Il n'y avait pas le moindre véhicule en vue et la route était entièrement à nous. Elle serpentait entre des bois d'eucalyptus et d'énormes et redoutables bouquets de figuiers de Barbarie, qui, par intermittences, nous laissaient entrevoir en contrebas la mer bleu turquoise. Une fine poussière rouge dansait dans la lumière oblique de l'après-midi, et le paysage alentour avait pris une teinte sépia.

— Je me demande si nous verrons des buffles, dit Neil.

Je le toisai entre mes paupières mi-closes.

— Oh, mais certainement ! ironisai-je.

— Il y en a, sur cette île, tu ne savais pas ?

— Et puis quoi encore !

— Peut-être pas dans les environs, mais il y en a.

— Des vrais, tu veux dire ? Sauvages ?

— Parfaitement ! Tout un troupeau ! Et qui ne cesse de se multiplier.

Je lui demandai alors comment des buffles avaient bien pu arriver à Catalina.

— Au départ, c'était pour un film. Quelqu'un les a amenés dans les années vingt, et les a laissés sur place.

— Tiens... je ne savais pas que les buffles allaient si volontiers au cinéma.

Il me semblait avoir fait un brillant mot d'esprit, mais en dépit de sa bonne volonté, Neil ne réussit à réagir qu'avec un maigre sourire forcé.

— Le plus souvent, m'informa-t-il, c'est ici qu'on tournait les westerns de Zane Grey.

— Ah oui ?

Mon esprit embrumé par l'alcool se représenta une image de dessin animé façon Gary Larson : une maison de retraite pour vieux acteurs buffles, où les pensionnaires s'asseyaient en rond pour évoquer la grande scène de panique dans le troupeau qui leur avait apporté leur brève célébrité.

— Lui-même habitait ici, ajouta Neil.

— Qui ça ?

— Zane Grey. On a transformé sa maison en hôtel, dans le style mexicain. Là-bas, de l'autre côté du port.

— C'est vrai ?

Il fit une embardée et gara le buggy au bord de la route.

— Pourquoi t'arrêtes-tu ?

— J'ai besoin de me dégourdir les jambes. Tu veux descendre aussi ?

Non, il était pour moi beaucoup plus prudent de rester assise, répondis-je.

Il sauta du petit véhicule, fit quelques pas en secouant ses membres ankylosés, puis tira un paquet de cigarettes de la poche de son blazer, en alluma une et en aspira lentement plusieurs bouffées, tout en contemplant le parfait paysage de carte postale qui s'étendait au-dessous de nous. Il ne m'avait pas habituée à le voir habillé avec autant d'élégance. Cela lui allait bien, vraiment. Encore une fois, merci, Janet.

Peu après, il revint et resta debout près du buggy, fumant toujours et regardant en direction d'Avalon.

— Tu sais quoi ? Je n'ai aucune envie de reprendre ce bateau, déclara-t-il soudain.

Je n'avais pas la moindre idée de ce qu'il espérait m'entendre répondre, aussi évitai-je de me prononcer franchement.

— Cette île est ravissante, c'est vrai. J'avoue que je suis agréablement surprise.

— Oui. Moi aussi.

Il aspira une nouvelle bouffée.

— Après tout, nous ne sommes pas obligés...

— Obligés à quoi ?

— À repartir.

Il haussa les épaules, puis me regarda bien en face, avec ces yeux d'une incroyable beauté qui me fixaient.

— Qu'est-ce qui nous presse ? Après tout, nous ne travaillons pas en ce moment ! Je suis sûr que nous pourrions trouver des chambres, à l'hôtel Zane Grey.

« Des chambres » ? « Des chambres », oui. Au pluriel. Je n'ai pas le souvenir qu'une petite lettre en fin de mot m'ait jamais paru à elle toute seule aussi chargée de sens.

— Oui, certainement, aventurai-je avec prudence, parlant sur le ton le plus neutre pour dissimuler mon trouble. Nous pourrions, mais...

Je ne pus aller jusqu'au bout de ma pensée.

— Mais quoi ?

— Je suis complètement fauchée, Neil.

Il écarta ce faux obstacle d'un éclat de rire.

— Ne t'en fais pas. C'est moi qui invite.

— Tu es aussi fauché que moi !

— À quoi servent les cartes de crédit ? répliqua-t-il avec un haussement d'épaules.

— Tu ne dois pas aller rechercher Danny ?

— Non. C'est Linda qui s'en occupe. Elle doit passer le prendre chez ses voisins à peu près à cette heure-ci.

— Elle est déjà partie, alors ?

J'ignore en quoi cela me regardait, mais le fait est que

je tenais à le savoir. Linda, après m'avoir remerciée pour ma prestation, avait pris ses distances et passé quelques instants à s'entretenir avec Neil de choses insupportablement inaudibles.

— Elle a repris l'avion, m'expliqua-t-il. Dès la fin de la réception.

Il sourit avec mélancolie.

— Du moins... après avoir aidé à tout remettre en ordre, je suppose !

Surprise de me sentir aussi soulagée, je changeai de sujet pour ne pas me trahir :

— Est-ce que ça coûte cher, de rentrer par avion ?

— Beaucoup trop cher pour nous, crois-moi !

Oh, comme je me délectai de l'effet que rendait ce « nous » si naturel, de la désinvolture, même, avec laquelle il nous avait réunis en une entité qui fonctionnait en complète synergie, totalement à l'opposé du couple qu'il formait avec Linda ! À présent, chambres séparées ou non, l'île était absolument à nous, à nous seuls. Et toute la nuit, et même le lendemain matin.

L'hôtel Zane Grey était bâti si haut au sommet de sa crête rocheuse qu'il faisait face à peu près au même niveau au carillon que nous avions entendu en entrant dans le port. Un étroit parking situé au bout de la route était l'endroit le plus élevé où l'on pût accéder autrement qu'à pied, aussi attendis-je dans le buggy tandis que Neil escaladait l'abrupt escalier parmi les plantes grasses pour aller s'enquérir de la possibilité d'avoir des chambres. Il revint moins de cinq minutes plus tard, bondissant d'une marche à l'autre.

— Deux chambres individuelles, porte à porte et donnant sur la piscine ! annonça-t-il. Avec une vue !... Tu n'en croiras pas tes yeux.

— Super !

— Mais il y a de la grimpette à faire.

— J'ai vu ça.

— Si je te portais ?

Cette fois, je déclinai son offre : une telle solution me semblait par trop manquer de discrétion, voire de dignité, et je ne voulais pas qu'il me supposât à ce point impotente. De surcroît, je commençais à transpirer affreusement dans ma robe de funérailles.

— Monte le premier, dis-je. Je te rejoindrai là-haut. Ils ne vendraient pas de T-shirts, par hasard ?

— Je crois que si. Pourquoi ?

Je lui expliquai que j'avais besoin d'une nouvelle robe du soir et cela le fit sourire.

— Quelle taille ? demanda-t-il.

— « Large ».

— C'est comme si c'était fait. T'as une préférence pour le motif ?

Je secouai la tête, puis :

— Aucune, grognai-je, tant qu'il ne porte pas d'inscription vulgaire dans le genre : ALLEZ VOUS FAIRE FOUTRE...

— Compris.

Et il commença à gravir de nouveau les marches deux à deux.

— Attends une seconde ! criai-je. Quel est le numéro de ma chambre ?

Il réfléchit un instant avant de répondre :

— Elle s'appelle : « Étoiles de l'Ouest. »

— Pas de numéro ?

— Elles portent toutes le nom d'un roman de Zane Grey.

— Jolie idée.

— C'est dans le bâtiment juste derrière la piscine. Tu ne peux pas te tromper.

Je lui demandai de prendre mon sac, de laisser ma porte ouverte et de faire couler la douche, de préférence tiède. Il sourit, dit : « Bien, madame », saisit mon sac et fut bientôt hors de vue.

Il me fallut presque un quart d'heure pour arriver en haut. Comme il n'y avait pas de rampe, ma progression se fit pour l'essentiel à quatre pattes, et je proférai mille malédictions contre le jardinier inconnu qui avait négligé de balayer les gravillons sur le dallage des marches. Enfin, juste avant d'atteindre le sommet, je vis surgir devant moi une paire de jambes, nues, blanches et mâles, impossibles à identifier et de toute évidence en train de dégringoler l'escalier.

— Belle journée, n'est-ce pas ! lançai-je.

— Oui... euh... Est-ce que je peux... ?

— Je me débrouille très bien toute seule, assurai-je. Faites comme si je n'étais pas là.

Cette pauvre créature montée sur échasses me contourna donc et me laissa finir mon ascension toute seule. Dieu merci, il y avait en haut des marches une rampe à ma portée : je pus ainsi me remettre debout et reprendre haleine. Ce fut pour me retrouver sur une petite terrasse en bordure d'une piscine qui surplombait le port. Effectivement, la vue était grandiose : j'avais l'impression d'être parvenue à un à-pic tout au sommet de l'île.

Non sans un certain soulagement, je constatai ensuite que les alentours de la piscine étaient déserts, hormis le petit groupe des chats de la maison rôdant sur le faux gazon. Ils devaient bien être une douzaine, de tous âges et de toutes couleurs, et ils me regardaient avec une suspicion non dissimulée cependant que je m'avançais pour gagner ma chambre.

— Oh, les jolis matous ! murmurai-je. Je ne fais que passer, alors foutez-moi la paix.

Les rumeurs de cataractes des douches me guidèrent jusqu'à une rangée de chambres, façon motel, bâties sur le bord même de l'à-pic. La première douche devait être celle de Neil, car la porte était fermée. La seconde ruisselait avec un bruit engageant par-delà une porte ouverte, qui portait effectivement l'inscription « Étoiles de l'Ouest ». La chambre était tout juste assez grande pour contenir le lit à deux places ; elle était ornée de peintures murales dans le vieux style du Sud-Ouest et d'un énorme cactus en plastique planté dans un pot de graviers. Un ventilateur à ailes bleues et grises ronronnait sur la table de chevet. Sur le lit, à côté de mon sac, était soigneusement étalé mon nouveau T-shirt, qui portait fort classiquement le nom de l'hôtel.

Je refermai la porte derrière moi, ôtai ma robe avec un soupir de soulagement et filai sous la douche. Neil, cette bonne âme, avait heureusement pensé à retirer le savon et le flacon de shampooing de leur niche beaucoup trop haute pour moi, et à les poser sur le bord. C'était une sensation merveilleusement rafraîchissante que de se débarrasser à grande eau de toute la poussière du voyage, pour ne rien dire des flots de sueur que m'avaient coûtés mes nombreux efforts physiques et mentaux. Je ne me sens jamais complètement à mon aise dans un lieu nouveau tant que je n'ai pas pris une bonne douche.

Je séchais mes cheveux à l'aide d'une serviette devant le ventilateur quand Neil frappa à ma porte.

— Un instant ! criai-je. J'ai presque fini.

— Prends ton temps, répondit-il.

J'enfilai le T-shirt — blanc, avec juste assez de vert pour mettre en valeur la couleur de mes yeux —, fis bouffer mes cheveux, maintenant bien souples et fleurant l'abricot, sans oublier d'appliquer un peu de rouge sur mes lèvres en deux temps, trois mouvements.

— Voilà, tu peux entrer !

Neil portait un T-shirt presque identique au mien (le sien était rouge) et le même pantalon kaki qu'avec son blazer.

— Merveilleux, roucoula-t-il. Une nouvelle femme !

— On fait ce qu'on peut.

Je saisis les bords de mon T-shirt et esquissai une petite révérence.

— Merci d'avoir permis cette métamorphose.

— Tout le plaisir est pour moi.

Je fourrai mon rouge à lèvres et mon petit miroir dans mon sac.

— Eh bien, minaudai-je, je crois que je suis prête.

— Tu veux que j'arrête la douche ?

— Oh, oui, tu veux bien ? Merci beaucoup.

Ce ne fut que lorsqu'il revint de la salle de bains qu'il annonça la suite :

— J'ai pensé à notre dîner. Je nous ai réservé une table.

Nous! Notre dîner!

— Dans un restaurant près de la plage, ajouta-t-il. On y sert de bons fruits de mer : c'est tout ce que je sais. J'espère que ça va te plaire.

— J'en suis sûre.

— C'est le type de la réception qui me l'a recommandé.

— Alors, c'est probablement son beau-frère qui le tient! dis-je avec un sourire narquois.

— Mmm... C'est bien possible.

Il eut tout à coup l'air attristé.

— Si tu préfères attendre et...

— Mais non! C'était seulement pour te taquiner. J'ai tellement faim que je pourrais manger un bœuf entier. Un buffle, même!

En riant, il me précéda hors de la chambre. Comme nous longions la piscine et croisions son bataillon de chats, il se tourna vers moi :

— Tu as remarqué comme cet endroit est vide?

— Oui. On dirait qu'il n'y a que nous.

— Je suppose que la saison est déjà finie.

— Probablement. Mais ça ne me gêne pas, tu sais. Je suis contente que nous ayons l'hôtel pour nous tout seuls.

— Moi aussi, m'avoua-t-il.

Et cette fois, je le laissai me porter pour descendre l'escalier.

Le restaurant valait la peine qu'on le recommande. J'ai déjà oublié son nom, mais les murs étaient joliment patinés par le temps, éclairés de lanternes suspendues au toit en bardeaux, et la terrasse bâtie sur pilotis au-dessus de la mer. Le repas — de classiques beignets de fruits de mer servis avec des cœurs de laitue et une grosse pomme de terre en robe des champs — n'avait en soi rien d'extraordinaire ; mais dans la fraîcheur de l'air salé, nous avions l'impression de manger quelque chose de divin, surtout après deux ou trois cocktails garnis de petits parasols.

— Pas mal, tout ça ! déclarai-je à Neil en faisant tourner l'un des petits parasols entre mes doigts tandis que mon regard se promenait sur la mer moirée de lueurs lunaires.

— Oui. Nous pouvons être reconnaissants de ce moment à Janet.

Je souris, amusée qu'il nous vînt des pensées si semblables ; puis je plongeai tête baissée dans le seul sujet qui continuait de me tracasser :

— Linda a paru aimer la chanson...

— En effet.

— Je veux dire... paru l'aimer beaucoup, insistai-je.

— Bien sûr, fit-il en haussant les épaules. C'est extraordinaire, la manière dont tu la chantes.

— Peut-être, mais j'ai eu l'impression que pour elle... Comment dire ? Que pour elle cette chanson avait une signification particulière. Rien qu'à la façon dont elle a réagi quand je lui ai annoncé que je la chanterais.

Un autre haussement d'épaules fut la seule réaction de Neil.

— Je n'ai pas remarqué.

— Non ? Moi, si.

— Des tas de gens aiment cette chanson !

— Oui, je suppose.

Il semblait ne rien comprendre à mon obstination. Et je me dis qu'après tout je m'étais peut-être trompée de cible.

— Ton ex-femme est beaucoup plus sympathique que je n'aurais cru, ajoutai-je.

Je n'en pensais pas un mot, mais je n'avais à ma disposition aucun autre moyen de le tester davantage.

— Ah oui ? fit-il évasivement en renvoyant la balle dans mon camp.

— Oui. Tu as vu comme elle a été gentille pour les Glidden ?

— Janet était son amie, rétorqua-t-il, comme si cela réglait la question. Elles se sont connues il y a long-temps... Lorsqu'elles vivaient dans le même foyer d'étu-diantes, je crois.

— Tout de même... Elle s'est montrée tellement ser-viable !

— Mais c'est tout Linda, ça ! laissa-t-il tomber sur un ton aigre-doux.

Je lui demandai quel mal il y avait à être serviable.

— Aucun. Sauf si cela ne sert qu'à donner le change, qu'à se substituer à tout sentiment profond.

Je fermai mon petit parasol, le rouvris et le refermai à nouveau. J'aurais préféré qu'il se montrât un peu plus philosophe à l'égard de Linda, voire désabusé. Je n'aimais pas du tout sentir en lui ce maelström d'émo-tions encore bouillantes sous une apparente indifférence ; cela confirmait mes pires soupçons.

— Cette fille est un véritable glaçon, ajouta-t-il.

Je le regardai pensivement.

— Puis-je savoir où tu veux en venir ? demanda-t-il.

— Je n'ai rien dit.

— Non, mais quelque chose te tracasse.

— Ça n'a pas d'importance.

— Si, ça en a. Allez ! Raconte !

— Comme tu voudras. Je pensais seulement que... s'agissant d'elle, on dirait que tu n'as pas encore tourné la page.

— C'est l'impression que je donne ?

Je répondis que ce n'était effectivement qu'une impres-sion.

— Et une jolie grimace, ça pourrait te faire changer d'avis ?

Il serra sa tête entre ses deux longues mains aux paumes roses et fit une moue comique.

Je souris mollement, peu convaincue.

— Qu'est-ce qui te fait croire une chose pareille ? vou-lut-il savoir.

— Simplement la façon dont tu as parlé d'elle à l'instant. Ton amertume. Si tu n'éprouvais plus rien pour elle, tu ne lui garderais pas autant de rancune.

Sa stupéfaction était sincère.

— Si je lui en veux, répliqua-t-il d'un ton posé, c'est parce qu'elle fait encore partie de ma vie, que je le veuille ou non. Elle est la mère de mon petit garçon, et je déteste l'influence qu'elle a sur lui.

Pour certaines personnes, me rappelai-je, il y a des enfants qui entrent en compte. Neil aimait son fils plus que tout au monde, et il était donc parfaitement naturel qu'il s'agaçât de ce que Linda avait le pouvoir d'empiéter sur cet amour. La situation me parut soudain on ne peut plus claire. Bien sûr, qu'il avait tourné la page ! De ravissement, j'aurais aimé pouvoir piquer une tête dans la mer. Avec un de ces petits parasols planté dans mes cheveux.

— En quoi a-t-elle une mauvaise influence ? demandai-je calmement.

— Je te l'ai dit, c'est un véritable glaçon. Pour commencer, elle n'aurait jamais dû avoir un enfant ! Si elle s'astreint à se conduire en mère, c'est uniquement parce qu'elle estime que c'est son devoir. Parce que c'est une noble responsabilité à assumer, une de plus. Mais elle n'est même pas à l'aise avec Danny. Elle lui donne des petites tapes sur la tête comme si c'était l'enfant d'un voisin. C'est un crime, Cady. Quand elle me le rend, c'est à peine s'il ouvre la bouche pendant des jours.

— Quelle horreur !

— Tu peux le dire. Si tu le voyais ! Il se sent obligé de faire comme si elle l'aimait. Il invente des histoires, raconte des trucs pour faire croire qu'elle est gentille avec lui. On devine tout de suite qu'il fabule.

Je hochai la tête, sans répondre.

— Je n'en parle pas volontiers, continua-t-il, parce que ça paraît... tellement classique, tu comprends ? Les bagarres habituelles autour de l'enfant entre parents séparés.

Je tendis le bras et serrai sa main dans la mienne — du moins ce que je pus en saisir : un doigt ou deux. Neil serra la mienne à son tour en me regardant droit dans les yeux.

— Je pense simplement qu'il mérite mieux que ça, conclut-il.

Je répondis que je le pensais aussi.

Ensuite, nous changeâmes de sujet et notre gaieté ne cessa de croître ; à la fin, nous ne vîmes plus le temps passer et, à la fermeture du restaurant, il fallut presque nous jeter dehors. Comment nous parvînmes à regagner sans dommage le haut de la colline dans notre buggy minuscule restera à jamais un mystère. Quand nous arrivâmes au pied du redoutable escalier conduisant au Zane Grey, nous pouffions de rire comme deux adolescents qui viennent de fumer leur premier joint. Par chance, Neil reprit rapidement contenance ; il me prit dans ses bras, me souleva jusqu'à sa poitrine avec un grognement d'effort exagéré et commença l'ascension.

— Seigneur ! marmonna-t-il. Qui aurait cru que quelques gambas pèseraient aussi lourd ?

— Tais-toi et porte ! ordonnai-je.

— Bien, Miss Daisy.

Cela suffit pour que nous fussions secoués derechef par un fou rire hystérique, jusqu'au moment où je pris conscience que Neil commençait à osciller légèrement, comme un chêne dans la tempête.

— Arrête-toi ! criai-je. Nous allons tomber.

Il s'immobilisa alors un instant pour raffermir son équilibre.

— Fais-moi confiance, tu veux ?

Je contemplai l'étincelant collier de lumières de la plage, les noires silhouettes des palmiers, enfin la masse lumineuse du casino, rond et blanc comme un manège de chevaux de bois. Vu de si haut, le paysage était beaucoup trop beau pour inspirer de l'appréhension. Et puis, quelle belle façon de mourir, pensai-je, qu'une longue chute insouciante vers cette mystérieuse splendeur, entre les bras d'un aussi séduisant colosse ! Je serais partie presque sans regret.

— Va quand même un peu moins vite, lui conseillai-je.

Il obéit, et nous arrivâmes au sommet de l'escalier en nous félicitant mutuellement d'un soupir de soulagement. La piscine était maintenant éclairée, et l'eau avait le même vert brillant — du moins l'imaginai-je — que les yeux des chats qui dormaient dans l'ombre alentour. Des rubans de vapeur flottaient à la surface, semblant nous faire signe. Neil resta un moment pétrifié sur le bord, comme hypnotisé ; puis il ôta en hâte tous ses vêtements et plongea. Son corps traversa la piscine comme une longue torpille d'acier noir, puis refit presque silencieusement surface à l'autre extrémité.

— Elle est vraiment chaude ! lança-t-il. Viens donc me rejoindre.

Je regardai rapidement autour de moi pour m'assurer que nous étions seuls, puis me débarrassai vivement de mes chaussures et de mon T-shirt, que j'abandonnai sur celui de Neil. Mon entrée dans l'eau n'eut pas vraiment la grâce de la sienne, mais après m'être laissé tomber dans l'onde aussi lourdement qu'un pavé, je réussis à remonter à la surface en me débattant comme un petit chien et à reprendre mon souffle. Je me tournai vers Neil en souriant avec bravoure, et il me rendit mon sourire, flottant joyeusement, et, pour une fois, évoluant au même niveau que moi.

— C'est vrai qu'elle est bonne ! m'exclamai-je.

— Mmm !

Je ne savais pas trop où regarder à présent, et, levant les yeux, je remarquai la pleine la lune, que j'observai comme si je ne l'avais jamais vue, énorme, pâle, parfaitement ronde. Elle brillait au-dessus de moi comme un gros œil étonné, pareille à un vieux monsieur qui découvrirait une chose bizarre et ne parviendrait plus à en détacher son regard derrière le monocle qu'il aurait glissé en toute hâte sous son sourcil. Quand je baissai les yeux, Neil se rapprochait de moi en barbotant.

— Peut-être ont-ils besoin d'une animation pour divertir la clientèle.

— Qui ? demandai-je en gigotant sur place.

— Les propriétaires de l'hôtel. S'ils nous engageaient, nous pourrions ne plus jamais repartir.

— C'est une idée, ça.

— Je jouerais du piano, et toi, tu chanterais *Feelings*.

— Où ça ? Près de la table de ping-pong ?

Il rit, se rapprochant encore, ses pieds touchant le fond maintenant, mais sa tête toujours au niveau de la mienne.

— Mes petites jambes sont fatiguées, dis-je. Je crois que je ferais mieux de...

— Agrippe-toi, ordonna-t-il.

— Quoi ?

— Passe tes bras autour de mon cou.

J'obéis sans protester, et aussitôt flottai beaucoup mieux : j'avais l'impression d'être soulevée par la main d'un géant, laquelle me balançait sur la poitrine de Neil, qui semblait aussi lisse que la peau d'un marsouin. Mes pieds n'avaient plus à travailler et mes muscles se détendirent complètement. Je sentais la caresse parfumée de son souffle contre ma joue.

— Tu es bien comme ça ? me demanda-t-il en me tenant par la taille et en se reculant un peu.

— Très bien.

Il sautilla légèrement.

— Où as-tu envie d'aller ?

— Nulle part.

Il m'observa un moment, puis m'embrassa sur les lèvres. Je lui rendis son baiser.

À ce moment, un déclic se fit entendre. Il fut suivi du ronronnement d'une machine, puis d'un choc métallique. Quelque part, derrière nous, quelqu'un retirait une canette d'un distributeur.

Neil s'immobilisa dans cette position absurde de papa portant son bébé, et nous restâmes silencieux comme des cambrioleurs. Seuls nos yeux exprimaient notre alarme. Neil regardait dans la mauvaise direction, mais moi, je pus distinguer dans la pénombre une silhouette blanche. Nous entendîmes le petit sifflement émis par la canette décapsulée. L'inconnu s'attarda là un moment, puis il s'en alla par un chemin cimenté dans un claquement de sandales.

— Zut, murmura Neil, souriant d'un air gêné. Tu crois qu'il était là depuis... ?

— Difficile à dire, le coupai-je.

— Hmm. Mais après tout, quelle importance ?

— Aucune.

Le tenant toujours par le cou, je recommençai d'agiter les jambes, et ne fus pas plus déconcertée que ça quand mes orteils rencontrèrent un membre dur et raide.

— Seigneur, qu'est-ce que c'est que ça ? questionnai-je en prenant l'air choqué.

Il me dévisagea tout penaud, sans répondre.

— Et il y a longtemps que ça... dure ?

— Oui. Un assez long moment, même.

Je n'y résistai pas :

— « Assez long » ? Oui, j'en ai bien l'impression.

Il rit, et je fis glisser mon pied contre son ventre bardé de muscles, descendant vers un doux pays des merveilles recouvert d'une dense forêt, puis l'arrêtant à la base du sexe durci, qui s'érigea encore davantage. Je le caressai sur toute sa longueur du bout du pied, lentement, appréciant son contact soyeux. C'était mon petit plongeoir privé.

Il se déplaça vers la partie profonde du bassin.

— Où allons-nous ? demandai-je.

— Quelque part où l'on ne pourra pas nous considérer comme une attraction destinée à divertir la clientèle.

— Oh, pourquoi ? Pense un peu au tabac que nous ferions !

C'étaient les vapeurs de l'alcool qui me rendaient si effrontément provocante. Je ne suis pas bégueule, loin de là, mais je n'ai rien d'une exhibitionniste. Du moins lorsqu'il s'agit de sexe.

Après avoir rassemblé nos vêtements abandonnés, nous nous hâtâmes tout trempés vers la chambre de Neil. Ce fut un miracle si nous ne croisâmes aucun de nos voisins, mais personne ne nous vit, et les pauvres se virent donc privés d'une matière à commérages dans laquelle ils auraient pu puiser au moins jusqu'au prochain millénaire.

La chambre de Neil était exactement semblable à la mienne — mis à part le cactus en plastique, d'une autre variété. Il alluma une petite lampe sur la commode, rapporta des serviettes de la salle de bains et nous sécha tous les deux : lui d'abord, hâtivement, puis moi, m'épongeant précautionneusement tandis que je me tenais debout sur le couvre-lit en chenille pelucheuse. Ma peau toute fraîche était frissonnante et mes jambes tremblantes me portaient à peine — à cause de la fatigue, bien sûr, mais surtout de l'image qu'il m'offrait, brute et sans aucun voile.

— Tu te sens comment ? demanda-t-il à mi-voix en reposant la serviette.

— Parfaitement bien.

— Allonge-toi, alors.

Il poussa les deux oreillers contre la tête de lit et m'aida à m'y appuyer, en me caressant doucement, jusqu'à ce que je sois tout à fait à mon aise. Puis il s'agenouilla près du lit et pencha vers moi sa tête, si énorme tout à coup que j'avais l'impression de la voir sur un écran de cinéma. La lampe derrière lui créait une sorte de halo cuivré autour de ses cheveux, tandis que ses lèvres veloutées se posaient sur les miennes. Sa langue se glissa dans ma bouche un moment, puis s'en alla rôder vers mes oreilles, mon cou, mes tétons, qu'elle titilla avec une exquise adresse avant que sa bouche ne dévorât mes seins, l'un après l'autre, les enveloppant tout entiers d'une chaleur liquide.

L'instant d'après, sa bouche était repartie à l'aventure et descendait, humide, jusqu'à mon ventre, puis entre mes jambes. Je tendis le bras et enfonçai mes doigts dans l'épais buisson de ses cheveux, cependant que sa langue explorait avec précision un territoire qu'elle semblait connaître déjà. Quand il leva les yeux, souriant, un éclair de plaisir entre ses paupières mi-closes, il dit seulement : « C'est bon ! » à voix basse, puis se remit à l'ouvrage avec plus d'ardeur encore.

— Neil! murmurai-je.

— Mmm?

— Viens donc ici.

Il hésita un instant, puis se releva un peu maladroitement, son sexe dressé au-dessus de moi.

— Où?

— Ici. Sur le lit.

Je me reculai vers le mur pour lui laisser plus de place.

— Comme ça? demanda-t-il en s'allongeant.

— Non. Mets-toi à genoux.

Il s'agenouilla au centre du lit, et moi devant lui, tel un pèlerin devant le mur des Lamentations. Ainsi, je pouvais tendre les bras pour caresser le cuir souple de sa poitrine, de son ventre, puis suivre du bout des doigts la mince ligne de poils descendant de son nombril. Je soulevai ses couilles d'une main, les soupesant, puis les laissant m'échapper. Je saisis son sexe, qui frémit, se raidit et s'érigea de nouveau par à-coups, la peau découvrant peu à peu, majestueusement, une chair aussi rose que la nacre d'une conque.

Très vite, ma main fut trop petite pour l'entourer. Il me fallut les deux pour l'immobiliser tandis que ma bouche descendait sur son sexe. Ou plutôt autour de lui : je dus procéder par étapes, à petits coups, un peu comme si je léchais une grande enveloppe en papier kraft. Il poussait de petits grognements d'encouragement et me caressait les cheveux, se penchant pour me faciliter la tâche.

Quand, enfin, je pris cette chair rose dans ma bouche, il se pencha davantage, s'appuyant sur une main, glissant l'autre le long de ma poitrine et de mon ventre, jusqu'à l'instant où je sentis un de ses doigts s'enfoncer en moi, doucement et de plus en plus profond, à une lente cadence qu'épousaient mes hanches. Son sexe s'échappa de ma bouche et heurta ma joue, telle la bôme d'un voilier rabattue par la tempête. J'avais envie que ses lèvres se posent de nouveau sur moi, mais elles étaient à des lieues, maintenant, très haut, quelque part juste au-dessous de la couche d'ozone. Sans doute devina-t-il mon désir, car il s'étendit de tout son long sur le lit et m'attira dans le creux de son bras ; alors ses lèvres me couvrirent à nouveau, un second doigt rejoignit en moi le premier, et le cercle se referma miraculeusement.

Pantelante, je gisais contre lui, me sentant fondre comme du beurre. Le carillon sonnait au loin, bêtement, et quelque part au-dehors un chaton miaulait sa plainte.

— Toi, ça va, apparemment ! commentai-je en jetant une œillade à son membre dur pour me faire comprendre.

Il le saisit et le fit claquer contre son ventre, avec un bruit splendide.

— Ça ne te dérange pas ?

— Non, bien sûr.

Il me sourit et commença à se caresser, lentement d'abord, puis plus vite et plus fort.

— Je peux faire quelque chose pour toi ? demandai-je.

— Non. Reste près de moi. Tout près.

Trop heureuse d'obéir, je me nichai contre son épaule, goûtant l'intense parfum de sous-bois chauffé par l'été que dégageait son corps, le contact de sa peau de plus en plus brûlante. À l'instant où il allait jouir, je glissai ma langue dans son oreille et lui pinçai fortement un téton. Jeff m'a dit une fois que les hommes aussi aiment ça — du moins certains hommes —, et cela s'avéra, car Neil gémit de plaisir. Son sperme jaillit si fort que des gouttes nous éclaboussèrent le visage.

— Ouââh ! m'écriai-je en riant.

Il laissa rouler sa tête de mon côté et m'essuya la tempe du revers de sa main.

— Je vais chercher une serviette, dit-il.

— Non. Reste tranquille.

— Comme tu veux.

Il m'observa avec une étonnante tendresse, puis murmura :

— Ces yeux !

Nous demeurâmes ainsi sans bouger, très longtemps, bienheureusement épuisés. Toujours blottie contre son épaule, je sentis qu'il tendait un bras et saisissait l'un de mes pieds, qu'il massa et caressa un moment, comme une pierre à la surface lisse et douce, l'enveloppant tout entier de sa main. Quelque chose, dans ce geste, me fit réfléchir. M'inquiéter, plutôt.

— Neil ?

— Oui ?

— Tout ça... Ça n'est pas... parce que tu es noir, n'est-ce pas ?

— Pardon ?

De nouveau, il tourna la tête vers moi.

— Ne le prends pas mal, je t'en prie.

— Tout ça *quoi*, parce que je suis noir ?

— Ce qui s'est passé, dis-je. Nous.

— Mais de quoi parles-tu ?

Il lâcha soudain mon pied, sans colère, mais visiblement troublé.

— Eh bien, certaines personnes de couleur considèrent les gens de petite taille comme... des créatures magiques, en quelque sorte. Des talismans, capables d'exaucer leurs vœux... Ils les adorent ; ils feraient n'importe quoi pour eux. Uniquement parce qu'ils sont petits.

Il se redressa brusquement sur un coude, créant un espace entre nous.

— Je n'en crois pas mes oreilles, s'indigna-t-il.

— C'est pourtant la vérité.

— Et qui prétend une chose pareille, hein ? Le Ku Klux Klan ?

— Je sais, ça paraît ridicule et méprisant, mais ce n'est pas vrai seulement pour les Noirs. Les Norvégiens peuvent aussi nous considérer de façon tout aussi désagréable. Ou tout aussi agréable : question de point de vue. Et pour certains peuples d'Europe de l'Est, c'est pareil. En fait, c'est une affaire de culture.

— Et tu as pensé que...

— Je n'ai rien pensé. Je pose une question, c'est tout.

— Quoi ? Si je te prends pour un farfadet ?

— Eh bien... oui.

J'essayai d'adoucir ce que cette suggestion avait de blessant par un sourire.

— En quelque sorte.

Il rit, plus amèrement que je n'aurais souhaité.

— Ne sois pas fâché, je t'en prie.

Il réfléchit un moment, puis demanda :

— Depuis combien de temps as-tu cette idée en tête ?

— Pas longtemps. En fait, elle m'est venue à l'instant. J'essayais seulement de... trouver une explication.

— Une explication à quoi ?

— J'avais envie de savoir pourquoi tu as voulu... Enfin, tu comprends.

— Cady...

Je n'ignorais pas où il allait en venir, ou du moins je le croyais, et je m'efforçais de l'en empêcher.

— Je ne cherche pas de compliments, Neil.

— J'ai plutôt le sentiment que tu cherches à m'insulter, maugréa-t-il.

— Je suis désolée. Ça m'est déjà arrivé, voilà tout.

— Vraiment ?

— Oui.

— Avec un Noir ?

— Mais oui, je t'assure.

Lisant ses pensées sur son visage, j'essayai de corriger ma phrase le plus vite possible.

— Pas comme ça, pas avec quelqu'un pour qui j'avais vraiment... Je veux dire, pas en couchant avec lui, rien de... Oh, zut, zut et zut !

Ma confusion le fit rire. C'était déjà ça.

— Calme-toi, dit-il en s'étendant à nouveau près de moi. Raconte-moi cette histoire.

— Non, c'est idiot. Je n'aurais pas dû en parler.

— S'il te plaît. Raconte !

Je lui fis le récit donc du jour où maman et moi étions entrées dans une épicerie, à Watts, parce que nous avions besoin de téléphoner, et où le propriétaire, un Noir âgé et très gentil, m'avait accueillie avec un grand sourire et emmenée dans la boutique où il m'avait fait crouler sous les beignets et les bénédictions — si bien que nous y étions retournées plusieurs fois lorsque l'argent manquait pour nous faire offrir des sacs de provisions, car tout ce que le vieil homme demandait en paiement était que je touche avec ma main son coude déformé par l'arthrite.

— C'est le seul Noir avec qui c'est arrivé ? demanda Neil.

Non, lui répondis-je, il y en avait eu quelques autres. Il rit, à présent plus fasciné que vexé.

— Je n'aurais jamais dû aborder ce sujet, ajoutai-je. Mais mon manque de confiance en moi a pris le dessus.

Je lui souris tristement.

— Que veux-tu ! C'est typiquement juif !

— Je sais, répliqua-t-il d'un ton un peu ironique. D'ailleurs, pour reprendre ta formulation, « tout ça » pourrait bien venir du fait que toi, tu es *juive* !

— De quoi parles-tu ?

La manière dont il avait appuyé sur le mot fatidique me mit sur mes gardes.

— Du fait que tu as couché avec moi. Ce pourrait être un effet de tes complexes de Juive, pour ce que j'en sais ! De ta manière à toi de concevoir la transgression.

— C'est méchant, de me dire ça.

— Pas plus que de comparer ce qui s'est passé à deux ou trois beignets gratuits.

— Ce n'était pas deux ou trois beignets, protestai-je, frappant du poing sur son ventre encore poisseux. Il m'en a donné des tas ! Et je ne sais combien de sacs de provisions.

— Oh, je vois ! Dans ce cas, bien sûr...

— Et je ne faisais aucune comparaison. Je me posais une question, un point c'est tout.

— Mais oui, mais oui... Et ça a marché, au fait ?

— Quoi ?

— Tu as guéri son arthrite ?

Je le regardai avec un sourire coupable :

— On m'a engagée pour un film peu de temps après. Et nous ne sommes plus jamais retournées à Watts.

Il répondit par un murmure (de désapprobation, pensai-je), puis se leva, ramassa une serviette sur le sol et se dirigea vers le lavabo pour se rafraîchir. Quand il revint quelques instants plus tard, il me tapota délicatement le visage et les épaules avec la serviette humide, soulevant ma tête de son autre main.

— J'ai quand même une chose à te confier, dit-il.

— Laquelle ?

— *Mon* vœu, à moi, a bien été exaucé !

Cette phrase m'accompagna toute la nuit, et je me forçai à rester éveillée uniquement pour avoir la certitude qu'il était bien là, chaud, réel, respirant à mon côté. Un moment, je me levai même du lit pour me tenir debout près de la fenêtre, sentir la brise et graver dans ma mémoire tout ce que je voyais : cette salle de bal féerique, la constellation de lumières le long du rivage, le miracle du corps de Neil sous le drap. Je savais que tout ce qui adviendrait désormais ne serait plus jamais tout à fait pareil, plus jamais aussi pur, aussi riche, aussi intensément vivant. Et ce que j'avais reçu, je voulais le protéger, le mettre en sûreté quelque part en moi pour pouvoir le contempler et le chérir chaque fois que j'en aurais besoin.

Ce sentiment m'habitait encore le lendemain matin, mais je ne voulus pas le formuler, de crainte d'alarmer Neil. Il avait espéré, voulu ce qui était arrivé, me répétais-je ; peut-être même l'avait-il projeté, contrairement à moi. La manière dont il se comporta avec moi toute cette matinée en était la preuve. Il ne cessa de tenir ma main dans la sienne pendant le petit déjeuner, ma main qui semblait minuscule comme une cuiller à café. Il batifola avec moi dans l'eau claire et bleue de la crique secrète que nous avions dénichée. Alors même que nous voguions vers le continent noyé de brume, regardant mélancoliquement *notre* île s'amenuiser et disparaître dans le néant, pas un instant il ne s'éloigna de moi, pas un instant il ne cessa de me toucher, de me sourire, de me parler avec ses yeux. Bientôt, je compris que je n'avais rien à craindre. Tout en lui disait que ces moments partagés étaient un commencement, non une fin.

Il me déposa devant chez moi peu après six heures. Nos adieux, scellés d'un simple baiser sur la joue, furent volontairement brefs pour ne pas attirer l'attention. Renée, qui nous observait de la porte en nous saluant de la main, était à l'évidence dévorée de curiosité — tant il est vrai que les obsèques qui durent toute une nuit ne sont pas si fréquentes. Une fois Neil parti, je la gratifiai d'une explication vague et d'ailleurs peu convaincante, invoquant une erreur sur l'horaire du dernier bateau, et allai directement à ma chambre.

Cela, c'était hier. À présent, il fait de nouveau nuit. Il est même très tard ; j'ai écrit sans m'arrêter depuis je ne sais quelle heure, et je suis presque arrivée à la fin du carnet que Neil m'a offert. Renée n'a cessé d'entrer et de sortir toute la journée, à la fois excitée et un peu inquiète, visiblement, de cette brusque frénésie d'écriture. Hier soir, elle avait un rendez-vous, « avec un militaire », m'a-t-elle dit, mais elle ne semble pas vraiment savoir de quel corps d'armée. Ils ont dîné dans un restaurant mexicain, à Burbank, puis sont allés boire une bière, ou probablement plusieurs, je ne sais pas où. Je soupçonne fort qu'au retour ils ont baisé dans sa voiture.

Elle est au lit, maintenant, et parle dans son sommeil, récitant, d'un ton très distingué, son discours de remerciement pour l'élection de Miss San Diego. Cela m'attendrit chaque fois que je l'entends — ne me demandez pas pourquoi. Pour le reste, j'espérais qu'en écrivant tout ce qui s'est passé, je ressentirais moins le besoin de me confier à quelqu'un, mais je me trompais. Après de tels événements, je crois qu'il me faut une copine prête à m'écouter.

Peut-être raconterai-je donc tout à Renée demain matin.

Le classeur d'écolier

14

Pour la suite de mon journal, j'ai cette fois choisi un classeur d'écolier qui a l'avantage de me permettre d'ajouter autant de feuilles que je veux : puisque la vie devient d'heure en heure plus bizarre, je préfère ne pas être limitée par un manque de papier. Renée a défendu avec acharnement l'idée d'un nouveau cahier à l'effigie de Mr. Woods, affirmant que ce choix serait plus significatif aux yeux de mes futurs biographes, mais j'ai tenu bon : l'elfe, lui ai-je répliqué, est désormais relégué dans la malle aux souvenirs. J'ai choisi une couverture tout à fait neutre — en vinyle blanc — dans l'espoir qu'au long de ces pages il sera question de mon avenir et non plus de mon passé.

Il y a « quelque chose » entre Neil et moi (j'emploie cette expression vague faute d'en trouver une meilleure) depuis maintenant plus de trois semaines. Nous ne vivons pas sous le même toit, mais nous nous parlons au téléphone presque tous les soirs. Quand nous nous rencontrons, c'est généralement en début d'après-midi : nous profitons de ce que Renée est à son travail et Danny à l'école. Neil vient me retrouver ici, ce qui évite les problèmes d'organisation. Nous nous préparons des oranges pressées et d'énormes sandwiches, puis nous regardons un film pelotonnés l'un contre l'autre sur le tapis du salon. Quelquefois nous faisons l'amour, quelquefois non.

Ma voisine aux yeux de lynx, Mrs. Bob Stoate, est absolument consumée de curiosité devant cette situation nouvelle, mais elle n'a pas encore trouvé le courage de me questionner. Je suis sûre qu'elle le fera, tôt ou tard : il y a quelques jours, elle a engagé une conversation totalement dépourvue d'intérêt sur l'état de nos tuyauteries respectives, dans un effort évident pour rétablir la communication entre nous. Je pense qu'elle m'a déjà pardonné l'incident du ruban jaune, car dans sa sordide vision du monde la guerre du Golfe est devenue un sujet aussi peu excitant qu'un journal du mois dernier. Le moins qu'on puisse dire, c'est que la laisser dans une torturante incertitude sur les visites de mon chevalier servant m'est une douce revanche.

Depuis la dernière fois que j'ai écrit, nous avons décroché deux engagements. C'est une légère amélioration, mais franchement, cela ne résout pas grand-chose. Quand le cachet est divisé entre Neil, Tread, Julie, tous les autres membres de la troupe et moi, il y a de quoi se demander si cela vaut la peine de tant se fatiguer. Neil pense qu'il nous faudra peut-être nous passer des autres si nous voulons que *PortaParty* survive. Toutefois, il ne leur a encore rien dit, pour ne pas les démoraliser. De même, nous préférons rester discrets sur ce « nous », un peu pour la même raison. L'idée de former un duo professionnel avec Neil est séduisante, bien sûr, mais je ne peux pas m'empêcher d'être inquiète pour les autres. Que deviendront-ils s'ils ne travaillent plus pour lui ?

La semaine dernière, je me suis enfin décidée à raconter à Jeff ce qui se passait entre Neil et moi ; comme c'était prévisible, il m'a répondu avec suffisance qu'il l'avait prévu depuis le début. À la réflexion, je me demande comment je ne l'avais pas prévu moi-même, puisque Neil affirme m'avoir envoyé ses premiers signaux des mois plus tôt et passé son temps à guetter la moindre réaction favorable de ma part. Peut-être étais-je trop soucieuse de me protéger pour les capter, ou bien les signaux en question étaient-ils moins clairs qu'il ne le croit ? Cela le rassure sans doute aussi de s'imaginer qu'il existait déjà entre nous quelque chose de plus complexe qu'une simple amitié avant qu'un soir nous nous retrouvions dans le même lit.

Au moins, je suis sûre d'une chose : il n'a pas fait cela par charité. De toute évidence, il est aussi ébahi que moi. Et il ne comprend pas davantage pour quelle raison c'est arrivé. J'ai passé la semaine qui a suivi notre retour de Catalina à le persuader que si j'avais couché avec lui, c'était parce qu'il m'inspirait de l'affection et du respect et non parce que j'étais obsédée par *Jungle Fever*. J'ai même hurlé lorsqu'il a remis ce film sur le tapis, car nous en avions déjà parlé dans le passé et nous étions tombés d'accord pour y voir une merde racoleuse, faite pour allécher le public avec un sujet prétendument audacieux avant de se terminer honteusement en queue de poisson sur une conclusion en forme de dérobade qui ne pouvait choquer ni Jesse Helms ni Jesse Jackson. Mais les doutes de Neil étaient visiblement si sincères que j'ai fait tout mon possible pour l'apaiser, en lui assurant (je ne sais combien de fois) que j'étais bien au-dessus de ce genre de choses — ou au-dessous, peut-être —, et que je ne le trouvais ni plus ni moins exotique sexuellement que n'importe quel homme mesurant un bon mètre de plus que moi.

Un matin de la semaine dernière, alors que j'étais occupée à me vernir les ongles (j'ai trouvé un nouveau vernis couleur rouille, très chic), j'ai reçu un coup de fil qui m'a laissée ahurie. Comme je n'en suis toujours pas revenue, je suppose que cela mérite que j'en parle.

— Allô, mon ange ? Ici Leonard !

Mon agent ! Lui que je croyais à jamais sorti de ma vie ! Et prenant l'initiative de m'appeler, s'il vous plaît ! C'était la première fois depuis des années.

— Bonjour, ai-je répondu du ton le plus neutre possible, en agitant les doigts pour faire sécher mon vernis.

Pour le meilleur ou pour le pire, j'ai maintenant une

carrière bien à moi qui ne doit rien à Leonard Lord, et je voulais qu'il le sente à ma voix. Je n'ai pas non plus oublié que cette crapule m'a menti effrontément lorsque je lui ai demandé si Callum était de retour.

— Comment ça va ?

— Bien. Très bien, même.

— Tu travailles ?

— Mais oui.

— Ah, c'est une bonne nouvelle !

— Mmm...

— Dis-moi... Tu n'as pas l'intention de bouger ?

— En ce moment, tu veux dire ?

— Non, pas exactement...

À l'évidence, il était déconcerté par ma froideur.

— Il s'agit plutôt du mois prochain.

— Un instant.

Je l'ai fait attendre presque une minute, en profitant pour faire sécher mes ongles. Je doute qu'il ait été dupe, mais cela valait la peine d'essayer.

— Apparemment, c'est bon, ai-je enfin répondu. Qu'est-ce qui se passe ?

— Eh bien... peut-être rien. Mais peut-être aussi quelque chose d'assez conséquent.

On ne saurait être plus clair, ai-je ironisé intérieurement ; mais je n'ai rien dit, car ce salaud avait réussi en un tournemain à piquer ma curiosité. Y avait-il un joli paquet de fric à toucher ? me demandai-je. Ou quelqu'un s'était-il enfin décidé à écrire un rôle — un rôle d'être humain, s'entend — pour une actrice de ma taille ? C'était pour le moins improbable, mais alors pourquoi Leonard me téléphonait-il ? Surtout après s'être débarrassé de moi en me refilant à l'agence minable d'Arnie Green.

Avant que j'aie pu trouver quelque chose à répliquer, il parlait de nouveau :

— À tout hasard, il faut que je te pose une question, mon ange.

— Je t'écoute.

— Ça va probablement t'agacer.

— Vas-y quand même.

— Où en est ton problème de surcharge pondérale, ces temps-ci ?

Si vous vous en souvenez, la dernière fois que Leonard avait abordé ce sujet avec moi, ce n'était qu'une attaque mesquine, une excuse facile pour justifier sa négligence, laquelle s'était sournoisement travestie en sollicitude amicale. Cette fois, je sentais dans sa question des motivations tout à fait différentes ; elle était lourde de sens, et de toute évidence en rapport avec ce « quelque chose d'assez conséquent » dont l'importance filtrait goutte à goutte dans ses propos.

— Ça va très bien, ai-je répondu, proférant là sans vergogne un abominable mensonge. J'ai beaucoup minci.

— Formidable !

— Je suis le même régime que Cher.

Curieusement, cette phrase me semblait moins malhonnête, bien que je n'aie pas touché un seul de ses affreux milk-shakes depuis trois mois.

— Maintenant, j'ai la taille plutôt bien marquée. Et un petit ami.

C'était une précision sans lien évident avec le reste, je l'avoue, d'autant plus que Neil m'aime telle que je suis, mais il me semblait que Leonard n'en serait que plus convaincu de mon zèle à transformer mon apparence... De toute façon, pensai-je, rien ne m'empêche de me mettre au régime pour de bon, si l'enjeu en vaut la peine.

— Parfait, parfait. Eh bien, mon ange, je te rappellerai. D'accord ?

— Tu sais, je suis aussi chanteuse, à présent. Je me suis fait un répertoire. Je te le dis au cas où cela pourrait intéresser quelqu'un.

— Oui, oui... Excellent, ça ! Excellent !

Mais je me rendais compte qu'il ne m'écoutait plus que d'une oreille. J'entendais son secrétaire — le dernier en date d'une longue série de jeunes pouffiasses de sexe masculin — lui murmurer quelque chose d'un ton soucieux. Mon temps, à l'évidence, était déjà écoulé.

Je lui demandai cependant, sans doute avec un peu trop de fébrilité, s'il pouvait au moins me donner quelques indications.

— Malheureusement non, mon ange. Mais je te rappellerai bientôt, sois tranquille.

Cela ne m'avançait guère : « bientôt », dans le vocabulaire de Leonard, peut signifier à peu près n'importe quel laps de temps entre une semaine et l'éternité.

Je l'ai malgré tout remercié, j'ai raccroché et continué à me vernir les ongles.

Il y a trois jours, Renée et moi avons invité Jeff et Callum pour le dîner. J'en avais l'intention depuis quelques semaines, d'une part parce que j'étais curieuse d'observer l'évolution de leurs relations, d'autre part parce qu'il y a longtemps que Renée me harcèle pour que j'arrange une autre rencontre avec sa deuxième star favorite. Quand j'ai fini par lui dire que Callum aime les garçons — avec une préférence marquée pour Jeff —, j'ai pensé que la perspective de le revoir l'enchanterait moins, mais elle a très bravement encaissé le coup et s'est jetée à corps perdu dans les préparatifs. Son menu n'était d'ailleurs pas mal conçu : des spaghettis, une excellente salade, et pour terminer, à la surprise générale, un gâteau surmonté de glace rhum-raisins — exactement ce qu'utilise Jeremy dans notre film pour attirer Mr. Woods hors de sa cachette au creux du chêne.

— La glace, c'est de la Baskin-Robbins, annonça-t-elle en posant timidement une coupe devant Callum, mais je ne me rappelle plus quelle était la marque dans le film.

— Ç'a l'air délicieux, répondit Callum.

— La glace n'avait aucune marque, dis-je.

— Comment est-ce possible ?

— Parce qu'elle était en cire, Renée. Ou je ne sais quelle autre saleté synthétique. Une vraie glace aurait fondu sous les projecteurs.

— Oh... fit Renée, visiblement déconfite. Je n'avais pas pensé à ça, effectivement.

Callum lui déclara avec galanterie qu'il préférait de beaucoup la glace véritable; mais il jeta discrètement à Jeff un regard entendu, ce qui me fit supposer qu'ils avaient déjà dû échanger quelques commentaires sur Renée et lui avaient sans doute trouvé quelques insuffisances dans le domaine intellectuel. Heureusement, elle ne remarqua rien.

— Qu'est-ce que tu mangeais, alors?

Je crus qu'elle s'adressait à travers moi au Mr. Woods du film, et m'employai donc à lui expliquer que pour cette scène on n'avait eu à utiliser que le robot et que ce jour-là je n'étais même pas sur le plateau.

— C'est à lui que je parlais, me corrigea-t-elle en désignant Callum. Tu la goûtais avant de la lui donner, tu te souviens? Pour lui faire comprendre à quel point c'était bon...

— Ah, oui. Tu as raison.

— Tu ne mangeais quand même pas de la cire?

— Non, quand même pas.

Il lui sourit sans malice et gratta sa jolie tête encore adolescente, aux cheveux maintenant courts et bouclés pour les besoins de son nouveau film, ce qui lui allait à merveille.

— Mais franchement, je ne me rappelle plus ce que c'était. Probablement de la vraie glace. Tu sais, c'était il y a longtemps...

— Oui. Très longtemps, renchéris-je, en lançant à Renée un regard aigu qui signifiait : « Pitié, Renée, épargne-nous d'autres égarements nostalgiques. »

Le coup de la glace m'avait déjà bien agacée, attendu qu'elle m'avait promis à plusieurs reprises d'éviter autant que possible l'expression béate de son idolâtrie. Elle ouvrit tout grands les yeux avec des airs outrés de parfaite innocence, puis plongea sombrement le regard sur sa part de dessert.

Callum en profita pour changer de sujet et se tourna vers moi :

— Jeff me dit que tu as joué les stars à Catalina?

— Oh, oui ! La star des funérailles.

— J'aurais voulu voir ça ! dit-il en riant.

Je me contentai de répondre avec mon sourire le plus modeste. Je me demandais si Jeff avait tout dit à Callum sur Neil et moi, et s'il ne considérait pas notre liaison comme incongrue ou — pire — comique. Après tout, Callum a été élevé en Nouvelle-Angleterre, dans une famille auprès de laquelle George et Barbara Bush auraient presque fait figure de métèques. L'idée m'était bien venue de proposer à Neil de se joindre à nous pour la soirée, mais j'avais aussi songé qu'il lui faudrait amener son petit garçon. Je n'ai pas encore fait la connaissance de Danny, et un dîner en compagnie de cinq adultes ne m'a pas semblé le contexte idéal pour une première rencontre. Je me dis même qu'il serait peut-être déjà suffisamment ardu comme ça de vivre notre intrigue mondaine à quatre.

— Cady chantait souvent sur le plateau, dit Callum à Jeff.

— Ça ne m'étonne pas, répliqua celui-ci d'un ton mielleux.

— Ta gueule ! lui lançai-je.

Callum s'esclaffa devant notre feinte animosité, puis reprit :

— Tu te souviens du jour où tu as chanté *Call Me* pour les trente ans de Mary ?

Je fis oui de la tête.

— Mary Lafferty ?

Renée parut instantanément redynamisée à la seule mention d'une autre vedette du film.

Callum se tourna vers elle pour le lui confirmer et continua :

— C'était la première fois que j'entendais ta maman au piano, Cady. Elle était vraiment formidable.

— Elle donnait des leçons, autrefois, précisai-je.

Je me mis à penser très fort à maman, qui avait ce jour-là impressionné tout le monde dès l'instant où elle s'était mise au piano. Jusqu'alors, je crois que les autres acteurs n'avaient vu en elle que ma protectrice : une petite dame à la voix douce, un peu ridicule, qui venait d'une ville perdue au milieu du désert et n'avait rien pour retenir leur attention. Cette gloire inattendue l'avait un peu grisée, pour ne rien dire du champagne apporté pour l'occasion. En me remémorant tout cela, je ne pus m'empêcher de songer combien elle aurait été flattée de savoir qu'un autre pianiste lui avait maintenant succédé dans ma vie.

— Qu'est-elle devenue, cette Mary Lafferty ? interrogea Jeff.

Je haussai les épaules avec fatalisme :

— Elle ne joue plus, je suppose.

— Mais si ! s'écria Renée. Je l'ai vue dans *Matlock* il y a quelques mois.

— Ah, bon.

Je regardai Jeff et levai les yeux au ciel.

— Heureusement que nous disposons du savoir encyclopédique de Renée...

Celle-ci continua précipitamment, sans relever mon ironie :

— C'était une maman tellement adorable dans *Mr. Woods* ! J'aurais voulu avoir exactement la même.

— C'est vrai qu'elle était excellente, reconnut Callum en consentant un nouvel effort de galanterie. On peut dire qu'elle a créé une espèce de prototype, non ?

Renée, qui n'avait aucune idée de ce qu'était un prototype, se contenta d'opiner du chef.

— Sais-tu qu'elle sniffait de la coke dans sa loge ? demandai-je à Callum.

Mon ex-co-vedette fit tranquillement oui de la tête.

— Comment diable étais-tu au courant ?

— Je le savais, c'est tout.

— Mais tu n'avais que dix ans, petit salaud !

Tout le monde éclata de rire, même Renée, qui n'aime pourtant pas les « gros mots » en société. Jeff lança à Callum un coup d'œil assez peu amène et laissa tomber tout à trac :

— Comment se fait-il que ça ne me surprenne pas, moi ?

Il y avait dans cette fausse question une aigreur perceptible, et je me demandai quelle tension préexistante avait bien pu la provoquer. Il ne me fallut pas longtemps pour comprendre.

— Mary a passé une audition pour *Réaction viscérale,* précisa Callum.

— C'est quoi, *Réaction viscérale* ? s'enquit Renée.

Je lui répondis que c'était le titre du nouveau film de Callum.

Son visage s'éclaira et se tourna derechef vers Callum :

— Est-ce qu'elle a été prise ?

— Non, malheureusement.

— Oh ! Pourquoi ?

Renée plissait le front d'un air consterné.

— Le rôle n'était pas vraiment pour elle. Elle est à un stade de sa carrière où elle n'est plus assez jeune pour jouer les mamans et pas encore assez âgée pour les bons rôles de composition. Et puis, mon agent prétend qu'elle est plutôt défraîchie.

Je n'avais pas de mal à imaginer avec quelle jubilation Leonard avait dû proclamer que la malheureuse était bonne pour la retraite.

— Évidemment, dit Renée pensivement, si elle se drogue...

Callum secoua la tête :

— Elle a arrêté il y a plusieurs années.

— Vraiment ?

— Oui. Je suis désolé pour elle, ajouta Callum.

— Bien sûr...

Un instant, Renée s'attrista avec solennité sur la fin de la carrière de Mary, puis presque aussitôt s'enquit avec gaieté :

— De quoi parle ton film ?

Je remarquai que Jeff s'agitait légèrement sur sa chaise, mais il ne dit rien. Il se borna à regarder son ami et attendit.

— Oh, c'est un simple film d'action avec un bon suspense, mais pas très original, marmonna Callum, l'air un peu confus.

— Moi, j'adore les films à suspense, commenta Renée.

— Je joue un jeune flic débutant de Los Angeles dont le petit frère se fait kidnapper. Mon chef veut m'écarter de l'enquête parce que je suis trop jeune et trop émotif. Alors, je file le kidnappeur en secret, quand je ne suis pas de service, tout simplement parce que je ne peux pas m'en empêcher. D'où le titre. Marcia Yorke joue ma fiancée : elle travaille à la mairie, au service des transports, et c'est elle qui finit par résoudre l'affaire, plus ou moins.

Callum sourit.

— Il y a dans tout ça une bonne dose de féminisme.

Renée ne reconnaîtrait pas une bonne dose de féminisme même si on la lui balançait sous le nez, mais elle fit néanmoins une petite grimace réjouie pour manifester son approbation.

— C'est le rôle pour lequel Mary Lafferty a auditionné ? demanda-t-elle.

Callum secoua la tête.

— Non. C'était pour un rôle secondaire. La femme d'un autre flic.

Je faillis faire observer à Renée que Mary avait interprété la mère de Callum dans *Mr. Woods*, et donc qu'il eût été assez illogique de lui demander d'interpréter sa fiancée dix ans plus tard, mais je me retins en remarquant le vilain petit nuage noir qui s'épaississait au-dessus de la tête de Jeff.

— Tu devrais leur parler un peu du kidnappeur, lança-t-il à Callum.

Celui-ci tourna vers lui un visage sans expression.

— Allez, vas-y, insista Jeff.

— Je ne vois pas en quoi c'est intéressant...

— Moi, si !

— Eh bien, c'est un psychopathe classique.

Callum haussa les épaules et nous regarda, Renée et moi, avec des yeux mi-amusés mi-étonnés, qui semblaient vouloir dire : « Qu'est-ce qui lui prend ? »

— En fait, il s'agit d'un psychopathe *pédé*, lâcha Jeff avec une froideur étudiée.

— Ça, c'est ton interprétation.

Jeff s'adressa à moi, résolu à soutenir son point de vue.

— Il se met du fard à paupières. Il a un poster de Judy Garland au-dessus de son lit... C'est quand même pas mal comme clichés, non ? Et si ça ne vous suffit pas, sachez qu'il a les cheveux...

Il chercha fiévreusement autour de lui, puis souleva un coin de la nappe jaune poussin.

— De *cette* couleur !

— Tu as lu le script ? demandai-je.

— Évidemment ! Qu'est-ce que tu crois ? Puisqu'on n'a pas le droit de pénétrer sur ce putain de plateau ! En tout cas, *moi*, je ne l'ai pas.

Peu désireuse d'approfondir ce dernier point, je me tournai vers Callum.

— Et ce psychopathe, euh... maltraite le petit frère ?

Il secoua la tête avec un remarquable sang-froid.

— À aucun moment ça ne va jusque-là, expliqua-t-il. En réalité, ce qu'il a l'intention de faire reste dans le vague.

— Pas pour moi, lança Jeff assez sèchement. Je trouve que c'est très clair.

— Oui, mais tu réagis en militant.

— C'est interdit, peut-être ?

De nouveau, Callum secoua la tête, cette fois avec un léger sourire.

— Non, mais c'est un peu déplacé lorsqu'on parle d'un simple divertissement.

— Effectivement. Quoi de plus divertissant, d'ailleurs, qu'un pédé qui se fait buter dans la bonne vieille tradition ?

— Écoute, Jeff...

— C'est bien de ça qu'il s'agit, non ?

— Je ne crois pas.

— Tu le pousses dans le vide depuis un hélicoptère, si je ne me trompe ? Toute sa chute est filmée, on le voit hurler de terreur jusqu'au moment où il s'écrase sur le sol. J'entends d'ici les acclamations dans les salles !

— Mais puisque c'est le méchant de l'histoire...

— Le méchant *pédé*. Et tout est fait pour qu'on ne l'oublie pas une minute. À la rigueur, je le supporterais s'il existait un seul film où le héros positif serait gay, ou même un seul film où un gay apparaîtrait comme un type normal. Mais ça ne s'est jamais vu, ça. Nous sommes toujours des tueurs ou des personnages grotesques.

Il me regarda de nouveau.

— Tu ne trouves pas ça un peu tordu, toi, qu'un gay joue un flic hétéro qui liquide un gay ?

Callum posa sa serviette sur la table.

— À mon avis, Cadence et Renée trouvent cette conversation très ennuyeuse, Jeff.

— Oh, vraiment ?

Jeff ne détachait pas son regard de moi.

— Est-ce que je t'ennuie ?

Je laissai passer une seconde, puis répondis calmement :

— Pas trop. Du moins, pas encore.

Pour ce que j'en savais, les arguments de Jeff étaient peut-être valables, mais il n'aurait pas pu choisir un pire moment pour les exposer. Renée semblait profondément choquée, et, quant à moi, je commençais à être fatiguée de jouer les tampons.

— Bon, dit Jeff sur un ton glacial. Je n'ouvre plus la bouche.

Callum essaya de le calmer :

— C'est un vieux script que tu as lu. J'aurais dû t'en faire lire la nouvelle version.

— En effet. Tu aurais dû.

— Tu n'es pas le seul à avoir trouvé que le film risquait de froisser certaines sensibilités. Dans la version définitive, tu pourras constater des changements importants.

— Ah oui ? Lesquels ? On a retiré le poster de Judy Garland ? ricana Jeff.

— Ta gueule, Kassabian !

C'était moi qui venais de crier en lui jetant ma serviette

à la tête — par jeu, dirais-je, du moins espérais-je que ce serait pris ainsi. Elle manqua de peu sa cible et atterrit dans l'assiette vide de Jeff. Il la regarda un instant, sourcils froncés, puis leva les yeux vers moi, mais n'ajouta rien, apparemment certain qu'il avait eu le dernier mot et que j'avais seulement fourni le point final.

— Je vous ressers de la glace ? proposa Renée timidement.

Après le dîner, nous passâmes au « petit salon », formule que Renée s'obstine à employer dès que nous avons des visiteurs, bien qu'il n'y en ait qu'un, ni vraiment petit ni vraiment grand. Je m'installai aux pieds de Jeff et de Callum sur mon coussin en tapisserie, et Renée prit place dans le fauteuil où elle siffla successivement quatre verres de « crème démente » (comme elle s'obstine aussi à dire), avant de faire subir aux deux garçons un récit involontairement horrifique de ses vertes années sur les estrades de concours de beauté. Elle fut si flattée de leur intérêt qu'elle décida de terminer en apothéose, et leur déclama, debout et avec force gesticulations, un poème édifiant sur la paix dans le monde qu'elle avait coutume de réciter à l'époque devant les jurys. Pour ma part, je songeai que sa prestation n'était pas sans rappeler *Qu'est-il arrivé à Baby Renée ?*, mais si les garçons la trouvèrent consternante de ridicule, ils n'en laissèrent heureusement rien paraître.

Il n'y eut plus aucun signe de tension entre Jeff et Callum jusqu'à la fin de la soirée... du moins en notre présence. Ils se montrèrent même tendres. Lorsque j'évoquai le jour où nous avions loué *le* film pour que Jeff puisse vérifier si Jeremy et Callum étaient bien la même personne, ce dernier caressa la nuque de son ami et lui serra affectueusement le genou. Plus je les observe tous les deux, cependant, plus ils me semblent irrémédiablement différents. Jeff est sincère et vulnérable, mais également cassant et coléreux. Or Callum est tout l'opposé : toujours doux, toujours calme, et d'une discrétion sur ses sentiments qui touche à la dissimulation. Les contraires s'attirent, c'est vrai, mais ne faut-il pas aussi que dans un couple on ait *quelque chose* en commun avec sa moitié ?

Jeff a téléphoné, très tard, alors que Renée était déjà couchée. J'étais sûre qu'il le ferait et j'avais attendu son coup de fil pour me coucher. Comme toujours, il a commencé à parler sans même s'annoncer.

— Tu dormais ?

— Non, pas encore.

— Renée est avec toi ?

— Non.

— Tu m'en veux ?

— Pas du tout.

— Je suis désolé d'avoir gâché la soirée.

Je lui ai répondu qu'il n'avait rien gâché du tout, et qu'en conséquence il pouvait très bien se passer de mon absolution. Puis je lui ai demandé où était Callum.

— Il est rentré au Château Marmont. Il doit se lever à cinq heures. N'oublions pas qu'il y a des films à tourner et accessoirement des pédales psychotiques à massacrer.

J'ai poussé un soupir en l'entendant recommencer à fulminer.

— Vous ne vous êtes pas rabibochés, tous les deux ?

Un grognement inintelligible fut la réponse que j'obtins.

— Ce qui veut dire ?

— Eh bien... que je me suis dégonflé, soupira-t-il. Je n'en ai plus reparlé.

Émue par cette volonté de conciliation, je pris mon ton le plus lénifiant :

— Peut-être que le problème disparaîtra de lui-même, Jeff. Je veux dire... si le script a été modifié ainsi que Callum le prétend...

— Tu parles ! Il n'y a pas eu de modifications ! Il a dit ça pour que je lui foute la paix, c'est tout.

— Ne te monte pas la tête. On voyait très bien qu'il se sentait concerné.

— C'est ça, oui ! Concerné pour ses fesses. Voilà ce

qui l'inquiète. Il crève de peur qu'on sache la vérité sur lui si jamais le film fait scandale.

Je réfléchis quelques instants, puis :

— Tu crois qu'il fera scandale ? m'inquiétai-je.

— Ça se pourrait bien. Et même, ça ne m'étonnerait pas du tout. C'est le script le plus infect que j'aie jamais lu, Cadence ! Cette saloperie va coûter deux millions de dollars, et ça n'est rien d'autre qu'un vulgaire prétexte à diaboliser les gays, une fois de plus. Il n'y a pas que moi qui serai écœuré.

Je lui demandai alors ce qu'il estimait que Callum devait faire.

— Il pourrait faire un esclandre. Même s'il n'a pas envie qu'on sache qu'il est gay, rien ne l'empêche de déclarer à la presse que le film est d'une homophobie révoltante. C'est lui la vedette, non ? À ton avis, que ferait Wesley Snipes s'il s'apercevait qu'il a accepté un rôle dans un film raciste ?

— Mais... Callum n'a pas lu le script avant d'accepter le rôle ?

— Eh bien là... les principes de Callum, mieux vaut ne pas en parler.

J'hésitai un instant, puis me lançai :

— Pourtant, ce serait peut-être bien que nous en parlions.

— Qu'est-ce que tu insinues ?

— Je ne te comprends pas, Jeff. Pourquoi restes-tu avec lui s'il est tellement méprisable ?

— Je n'ai rien dit de tel.

— Tu viens de m'affirmer qu'il n'avait aucun principe.

Comme il ne répondait pas, j'y allai de mon coup de grâce :

— C'est donc tellement irrésistible, une jolie queue ?

Il soupira.

— Tu sais, se lamenta-t-il d'une voix sourde, je regretterai toujours de t'avoir fait cette confidence.

— Peut-être, objectai-je. Cependant cet aspect de la question mérite d'être pris en compte, non ?

— Callum a d'autres qualités.

— Par exemple ?

— Il sait être très... attentionné, très tendre. Particulièrement quand nous sommes seuls.

Attentionné et tendre. J'imaginais sans peine quelle emprise pouvait avoir la tendresse sur Jeff. Surtout à ce moment de sa vie. Si Callum était la première personne depuis la mort de Ned à l'émouvoir assez profondément pour qu'il se sente revivre, il lui serait dur de renoncer à cette sensation, fût-ce pour des raisons éthiques. Cela signifierait tout simplement qu'il lui faudrait tout recommencer de zéro.

— Attentionné et tendre, c'est déjà beaucoup, dis-je. Peut-être même que c'est assez. Ou que ce devrait l'être !

— J'ai essayé de m'en contenter, répondit-il sur un ton las. J'ai chassé tout le reste de ma pensée pendant au moins deux mois. En matière de principes et de conscience, tu sais, j'étais décidé à n'avoir aucune exigence, aucune attente, rien.

— Et...

Il eut un petit rire amer :

— Et je me suis retrouvé planqué dans un placard du Château Marmont. Voilà.

— Plaît-il ?

— Bon, ce n'était pas vraiment un placard. Plutôt une espèce de kitchenette. Mais... à l'intérieur, l'impression était la même.

— Jeff, qu'est-ce que tu...

— Leonard est arrivé un soir à l'improviste, m'interrompit-il. Il a frappé à la porte de la suite, et Callum m'a supplié de me cacher.

— Tu plaisantes ?

— Après une humiliation pareille, je me demande comment je pourrais avoir envie de plaisanter.

— Mais Leonard est gay lui aussi !

— Et alors ? Il a très explicitement ordonné à Callum de faire une croix sur le sexe tant que le tournage ne serait pas terminé, et Callum le lui a promis. Tu sais très bien quelles sont les règles dans ce milieu de merde. Et ce navet cryptofasciste représente un sacré paquet de fric.

Un petit gloussement amusé m'échappa.

— Alors, tu t'es vraiment planqué?

— Ne remue pas le couteau dans la plaie, Cadence.

— Je trouve ça plutôt mignon, en un sens.

— Ah oui? Eh bien moi, je n'ai pas trouvé ça mignon du tout! C'était dégradant. Je ne pensais qu'une chose : « Je suis l'un des écrivains gays les plus connus de Los Angeles, l'un des porte-drapeau de la Nation homosexuelle, et je me retrouve comme un personnage de Feydeau, planqué au fond d'un placard... »

— D'une kitchenette.

— Tout ça pour ne pas être vu par deux autres pédés, merde! Dont l'un, s'il faut te le rappeler, est un membre éminent de l'establishment hollywoodien, c'est-à-dire un pilier officiel de l'homophobie doublé d'un symbole vivant de l'hypocrisie honteuse!

C'était Leonard, présumai-je, qu'il décrivait en ces termes choisis.

— Je croyais qu'il était au courant, pour toi et Callum.

— Mais non. En tout cas, pas que je sache.

Il réfléchit quelques instants, en silence.

— Tu ne lui as parlé de rien, j'espère?

Je lui répondis que je ne m'étais même pas hasardée à prononcer le nom de Callum en parlant avec Leonard depuis qu'il m'avait menti au sujet de sa présence à Hollywood : je savais trop bien qu'il était toujours malavisé de prendre Leonard en flagrant délit de mensonge, car alors, ses manières et ses propos ont tôt fait de prendre un tour vipérin!

— Il cherchera peut-être à te tirer les vers du nez, me prévint Jeff. Dans ce cas, fais comme si tu ne savais rien. Selon Callum, Leonard flaire déjà quelque chose.

— Pourquoi veux-tu qu'il me questionne?

— Il sait que tu connais Callum.

— Oui, mais il s'imagine que je ne sais rien du retour de Callum.

— Plus maintenant. Callum lui a parlé de votre rencontre aux studios Icon.

— Oh...

— Leonard a même téléphoné il y a cinq ou six jours pour savoir ce que tu devenais.

Il aurait fallu me voir dresser l'oreille en entendant ces mots : ça valait son pesant de cacahuètes.

— Leonard a demandé de mes nouvelles à Callum ?

— Oui.

— Pourquoi ?

— Il ne l'a pas dit. Ou s'il l'a fait, Callum n'a pas jugé bon de me le répéter.

— Moi aussi, il m'a appelée, expliquai-je. Le lendemain ou le surlendemain. Il m'a même laissé entendre qu'il aurait peut-être un rôle pour moi. Quelque chose d'important, apparemment.

— Il n'a pas parlé de Callum, n'est-ce pas ?

Franchement, entendre Jeff glisser avec tant d'insouciance sur cette nouvelle si exaltante pour moi m'exaspéra un tantinet. N'était-ce pas là une énorme percée professionnelle qui s'annonçait ? C'était lui, après tout, qui m'avait déclaré un beau jour sans ambages qu'animer des fêtes d'anniversaire n'avait rien à voir avec une vraie carrière. Et voilà qu'à présent, tout à ses soucis personnels, Monsieur ignorait superbement la première lueur d'espoir qui fût apparue à mon horizon depuis des mois !

— Je te l'ai déjà précisé, répliquai-je sèchement. On n'a même pas prononcé le nom de ton cher et tendre !

— Qu'est-ce qui te prend ? demanda-t-il.

— Rien, rien.

— Je savais bien que tu m'en voulais.

— Non, je ne t'en veux pas, murmurai-je sur un ton las.

— Mais tu me trouves complètement idiot, pas vrai ? Voire légèrement hypocrite sur les bords ?

— Non.

— C'est parce que je suis convaincu qu'il peut changer, tu comprends ? Moi aussi, j'ai vécu une période où je me cachais. C'est une question d'évolution. Si je suis là pour l'encourager, pour lui faire prendre la bonne direction, imagine l'effet que cela pourrait avoir, Cadence ! Ce gentil gamin tellement sain, que tout le monde a adoré comme un petit frère, et qui dix ans plus tard a tout pour devenir la coqueluche de l'Amérique, mais la coqueluche *gay*, s'il te plaît, et qui se ficherait pas mal que tout le monde soit au courant... S'il imposait cette image avec un peu de panache, ce serait une révolution, Cadence ! Cela changerait le cours de l'Histoire.

Ce discours altruiste me rappelait irrésistiblement les propos que tenait jadis maman sur Paul Newman. Elle l'adorait plus que tout autre acteur, vénérant tout particulièrement son merveilleux regard bleu comme une icône sacrée. Cette passion a duré jusqu'à sa mort. Elle en tirait cependant un plaisir mêlé de culpabilité, car elle était convaincue que son Paul bien-aimé était un Juif qui ne s'avouait pas, un homme qui avait choisi de dissimuler son héritage pour devenir une idole romantique. Pourtant, elle s'accrochait à l'espoir que le jour viendrait où il révélerait la vérité, où il se lèverait pour proclamer au monde entier : « Je suis juif ! » et justifierait ainsi toutes les années où elle avait cru en lui et en son intégrité morale. Elle était persuadée que ce jour était proche lorsque Newman commença à faire de la publicité pour des marques de pop-corn et de sauces d'assaisonnement, en reversant ses gains à des mouvements progressistes. D'un moment à l'autre, affirmait maman, Paul allait annoncer la grande nouvelle le plus tranquillement du monde, en lançant une promotion pour le Gefilte Fish Paul Newman ou la Matzo Ball Soup familiale du même nom. La pauvre a attendu des années cette heure de vérité, lisant religieusement les étiquettes sur les boîtes ; mais, hélas pour elle, sa foi n'a jamais été récompensée — sinon par des litres de sauce pour salade.

C'était exactement la même chose qui attendait Jeff, ne pouvais-je m'empêcher de penser ; mais j'essayai de le lui faire comprendre avec douceur.

— Ton raisonnement tiendrait debout, répondis-je, si nous vivions dans un monde idéal.

— Ce qui veut dire ?

— Eh bien... Callum ne se trouvera jamais en situation de changer le cours de l'Histoire si plus personne ne l'engage.

— Et qui déciderait qu'on ne l'engagerait plus ? Qui a instauré cette règle ?

— Elle existe, Jeff. C'est tout.

— Elle existe parce que des minables comme Leonard Lord sont trop lâches pour oser la contester !

— En partie, oui.

— Eh bien, il est temps de se demander pourquoi. Qu'est-ce qui interdit la présence de stars gays sur les écrans de cinéma ?

— C'est une très bonne question, Jeff !

Je bâillai, le moins discrètement possible car je commençais à tomber de sommeil. Franchement, je me demandais si cette courageuse nouvelle croisade relevait d'une conviction sincère, ou s'il s'agissait seulement d'une justification improvisée pour une liaison qui battait déjà de l'aile.

Il comprit le message et raccrocha, après m'avoir chargée de remercier Renée pour le dîner et souhaité poliment bonne nuit. Je posai le téléphone par terre, éteignis la lampe et m'évadai au pays des rêves, blottie entre les draps qu'imprégnait encore l'odeur de Neil et de nos capiteux plaisirs de l'après-midi.

15

La nuit dernière, il est arrivé une pénible mésaventure à Renée. J'ai même insisté pour qu'elle prît une journée de repos, tellement elle était secouée. Elle est pour le moment allongée sur le canapé, dans sa chemise de nuit rose toute froissée, les cheveux emmêlés comme une vieille guirlande de Noël, un sac de glaçons pressé contre la joue. (C'est moi qui l'ai confectionné, avec un vieux gant de cuisine.) On dirait que cela la soulage un peu, bien qu'elle ait toujours l'air aussi abattu — mais il est vrai que c'est sans doute moins les suites de l'accident qui la démoralisent que la prise de conscience de sa vie peu reluisante qu'il a occasionnée.

Je l'ai dorlotée toute la journée, la gavant de chocolat et lui lisant des articles choisis dans les magazines de quatre sous qu'elle affectionne. J'ai saisi sans peine qu'elle avait surtout besoin qu'on s'occupât d'elle, et j'ai donc téléphoné à Neil pour lui expliquer ce qui s'était passé et annuler le déjeuner en tête à tête que nous avions prévu. Il a immédiatement compris, comme je m'y attendais, et il a même proposé de faire un crochet pour nous apporter des provisions, puis de nous laisser papoter tranquillement entre filles. C'était une occasion de le voir quand même, et bien sûr j'étais tentée de dire oui, mais j'ai pensé qu'il valait mieux, pour Renée, qu'il se tînt à l'écart pendant un jour ou deux : inutile de la déprimer davantage en lui rappelant que certaines ont droit sur cette terre à des hommes dont la gentillesse ne connaît pas de limites.

Comme à peu près tous les malheurs qui frappent cette bécassine, celui-ci est arrivé dans le contexte d'un rendez-vous galant. Cette fois, c'est Lorrie, sa copine foldingue de *La Grange aux tissus*, qui est à l'origine de toute l'affaire : un ami à elle venait de lui présenter un type dont elle savait seulement qu'il avait « disparu de la circulation » quelque temps. (Où était-il ? Mystère... En taule, à mon avis.) Ce type est un redoutable allumé. Lorrie n'en savait rien, bien sûr — du moins, c'est ce qu'elle prétend —, et c'est sans aucune appréhension qu'après une soirée passée à boire quelques verres dans un bar de Venice, elle a laissé Renée seule avec cet individu pour qu'il la raccompagne. Renée répète avec insistance qu'il s'est conduit comme un « parfait gentleman » pendant tout le trajet du retour, et n'a montré aucun signe de dérangement mental jusqu'au moment où ils sont arrivés devant la maison, où il a garé sa voiture dans l'allée et où elle lui a signifié, le plus amicalement du monde, que le moment était venu de se dire au revoir.

Il a commencé par la supplier, raconte-t-elle, par jouer la comédie pour l'apitoyer. Puis, voyant que cela ne marchait pas, son soupirant a explosé d'une vertueuse fureur, se prétendant, en quelque sorte, l'innocente victime d'une publicité mensongère — le joli corps frétillant de Renée ayant, je suppose, joué le rôle d'une affiche prometteuse qui l'avait, lui, dévoyé de son chemin et attiré dans un traquenard en se jouant de sa candeur. Après quoi, semble-t-il, les choses ont vite dégénéré : son galant en est arrivé aux « vilains mots », dont le plus sonore — « Salope ! » — a traversé les murs de la maison avec l'efficacité d'une perceuse électrique et résonné jusque dans ma chambre, m'arrachant aux bras de Morphée. J'ai entendu une portière s'ouvrir et se fermer, puis une deuxième, et pour finir un cri suraigu ! Mon sang n'a fait qu'un tour : aucun doute, c'était la voix de Renée. J'ai allumé la lumière, je me suis laissée glisser du lit nue comme un ver, et j'ai bondi (ou réussi ma meilleure imitation de ce qu'on entend par ce verbe) jusqu'à la porte d'entrée.

J'ai tiré très fort sur le cordon qui me permet d'ouvrir ladite porte, et, du petit porche, j'ai regardé ce qui se passait. Près de l'allée, Renée était affalée sur la pelouse, se soulevant péniblement sur un coude, et gémissant doucement. Elle venait de recevoir un direct du droit et son prince charmant était debout à côté d'elle, l'abreuvant d'injures et de grossièretés. Étant donné la férocité avec laquelle il l'insultait, je fus surprise de le découvrir si malingre. Quant à son visage, blafard, chafouin, au menton fuyant, il m'aurait peut-être fait pitié dans d'autres circonstances, mais pour le moment, il semblait l'expression même du vice et de la méchanceté.

— *Ça va comme ça, Rambo, tu peux aller te faire foutre !*

C'était moi, vous m'avez reconnue et je vous en remercie. J'ignore pourquoi je l'ai appelé « Rambo », comme j'ignore pour qui je me suis prise à cet instant — Thelma et/ou Louise, probablement —, mais l'audace même de mon intervention a produit l'effet souhaité. Le type a tourné la tête pour chercher d'où provenait cette voix d'écureuil enragé, et a découvert sous le porche éclairé un « angelot » grassouillet, pourvu de seins et d'un pubis poilu, qui surveillait le moindre de ses mouvements.

— Je ne rigole pas. Et j'ai déjà appelé les flics, ai-je martelé.

Comme en écho à cette invocation de l'Autorité, une lumière s'est alors allumée chez les Bob Stoate. Les yeux de la brute se sont tournés vers cette lumière, de nouveau vers moi, et enfin baissés vers Renée, qui se redressait maladroitement mais avait au moins cessé de gémir. Mon apparition salvatrice dans le plus simple appareil l'avait, semble-t-il, tellement abasourdie qu'elle en restait muette.

— Tu connais le nom de cette ordure ? lui ai-je demandé, tandis qu'elle clopinait vers le perron.

Elle a émis un borborygme qui voulait dire oui.

— Alors, rentre ! ai-je ordonné.

Elle s'est traînée à l'intérieur de la maison. Son agresseur a alors marmonné quelque chose d'inintelligible (franchement, je doute que lui-même ait su ce qu'il voulait dire), puis il est remonté dans sa voiture et en a violemment claqué la portière.

À peine ce salopard avait-il démarré en trombe et rejoint la route en faisant gicler le gravier de l'allée, que Mr. Bob Stoate en personne, le concessionnaire Toyota, est apparu sur son seuil, enveloppé dans un peignoir en éponge et brandissant un revolver.

— Tout va bien, lui ai-je crié. Il est parti.

Effaré, il me regardait de la tête aux pieds. Il m'a semblé qu'en la circonstance la pudeur était superflue.

— Je suis confuse d'être aussi légèrement vêtue, commençai-je, mais...

Il me coupa charitablement :

— Il ne vous a pas fait de mal, Cady?

C'est certainement la parole la plus aimable qu'un membre de cette maisonnée m'ait jamais adressée, et j'étais si touchée que j'ai failli continuer la conversation sur le même ton — à ceci près que ma tenue ne s'y prêtait guère.

— Non. Il n'a pas osé me toucher. Mais je crois qu'il a amoché cette pauvre Renée.

Là-dessus, je suis rentrée précipitamment car, malgré tout, si longtemps exposée ma pudeur s'alarmait.

Renée, à l'intérieur, était recroquevillée sur le sofa, en larmes.

— Il t'a violée? ai-je demandé.

Elle a fait non de la tête.

— Bon. Je te fais quand même couler un bain.

Quelques minutes plus tard, debout à côté de la baignoire, je lui frictionnais le dos avec une éponge naturelle. Elle avait enfin cessé de pleurer, mais n'était pas rassérénée pour autant.

— Tu devrais téléphoner à Lorrie, ai-je suggéré.

— Pourquoi?

— Parce que ce fumier a essayé de t'assommer.

— Ce n'est pas la faute de Lorrie.

— Dans ce cas, j'appelle les flics. Comment s'appelle ce mec?

— Skip.

— Skip comment?

— Je ne sais pas.

— Renée!

— Je te jure, je ne sais pas...

— Lorrie doit le savoir, ai-je insisté.

— Non. Elle ne connaît que Barry.

— Barry, c'est son ami à elle?

— Oui.

— Dans ce cas, il n'y a qu'à appeler Barry.

— Non.

Renée secouait tristement la tête.

— Laisse tomber, d'accord ?

— Mais enfin, Renée, il t'a frappée !

— Je sais...

Elle a recommencé à renifler.

— Qu'est-ce qu'il y a en moi qui ne va pas, Cady ?

— Mais rien du tout ! Voyons, Renée, ce n'est pas ta faute !

— Je ne devrais jamais accepter ces stupides rendez-vous arrangés. Ça tourne toujours au fiasco.

— Là, tu n'as peut-être pas tort.

— Seulement, les rendez-vous normaux ne donnent rien non plus, je te ferai remarquer.

— Oh, n'exagère pas. Quelquefois, ça marche. Tu as rencontré quelques garçons très sympas.

J'aurais été bien incapable d'en nommer un seul, du moins à brûle-pourpoint, mais heureusement Renée ne me le demanda pas.

— Peut-être, a-t-elle objecté, mais ça ne dure jamais.

Je ne savais que répondre.

— Pourtant, il faut bien que je trouve quelqu'un !

— Ah bon ? Pourquoi ?

— Parce que... Parce que, c'est tout.

Quand Renée élude une question en déclarant : « Parce que, c'est tout », on peut être sûr qu'une vérité ne va pas tarder à faire surface, sous une forme plus ou moins alambiquée.

— Allons, allons, ai-je dit de ma voix la plus rassurante, en prenant mon temps pour tapoter son large dos tout rose avec l'éponge. Tu n'as que vingt-trois ans, Renée. Rien ne presse !

— Peut-être, mais ça sera différent si...

De nouveau, elle s'interrompit.

— Si quoi ?

— Si tu pars.

— Pourquoi partirais-je ? C'est ma maison.

Tout à coup je compris. Bien sûr ! C'était même clair comme le jour.

— Tu as un fiancé, maintenant...

— Pas du tout ! ai-je répliqué avec fermeté.

— Mais je croyais...

— Nous nous voyons très souvent, c'est vrai. Mais ça ne veut pas dire que nous soyons tout l'un pour l'autre.

— Tu couches avec lui, pourtant.

— Et alors ?

— Eh bien, je croyais...

— Il est père d'un petit garçon, Renée. Ce gosse est toute sa vie. Jamais il ne me demandera de venir vivre avec lui.

— Peut-être que si...

— Oui, peut-être. Quand les poules auront des dents.

— Mais s'il venait habiter ici...

— Avec son fils ?

Je l'ai fixée en ouvrant de grands yeux.

— Franchement, ça m'étonnerait !

Elle a ri, et c'était de soulagement, je crois. Je me suis demandé depuis combien de temps la perspective fantaisiste de ma désertion (ou de son éviction) la tracassait ainsi, et si ce n'était pas cela qui l'avait finalement poussée à accepter un rendez-vous avec le premier connard venu. En examinant sa joue contusionnée qui commençait à enfler, je me sentis envahie par un sentiment de culpabilité.

— Renée, nous formons une équipe, toutes les deux. Je croyais que tu le savais.

— Eh bien...

— Mais enfin, ma chérie, tu sais bien que personne d'autre que toi ne serait capable de me supporter !

— Oh, Cady !

Dans un élan d'émotion, elle a fait mine de se jeter vers moi avec toute la légèreté d'un éléphanteau affectueux. J'ai lâché l'éponge et fait un pas un arrière.

— Ne m'embrasse pas ! me suis-je écriée. Tu es trempée.

Nous sommes donc restées entre filles toute la journée. L'humeur de Renée semble beaucoup moins sombre depuis que je me suis remise à écrire, mais elle n'a pas bougé du canapé. Maintenant que Neil ne lui apparaît plus comme une menace, elle a entrepris de faire un vibrant éloge de ses vertus : il est si gentil, si talentueux, si beau !

— Il faudrait engager Denzel Washington, a-t-elle soudain déclaré. Il serait parfait.

J'ai levé les yeux de mon classeur :

— L'engager pour quoi ?

— Pour le film !

— Pardon ?

Elle a soupiré, de l'air de vouloir me signifier que mon idiotie la consternait.

— C'est sur lui que tu écris, n'est-ce pas ?

— En partie.

Je commençais à trouver ses questions un peu envahissantes.

— Dans ce cas...

— Je doute qu'on donne jamais le premier tour de manivelle de ce film, Renée.

— Pourquoi ?

— Je te le dis, c'est tout.

J'essayais de nous imaginer, Denzel Washington et moi, jouant la grande scène d'amour à Catalina sous la direction attentive de Penny Marshall, par exemple, ou de Ron Howard — l'un ou l'autre de ces jeunes cinéastes qui se spécialisent aujourd'hui dans les films dits « sensibles » —, et je n'y arrivais pas. Les temps ont changé, c'est vrai, mais pas à ce point. Et puis l'événement a été en lui-même beaucoup trop parfait, trop délicieusement intime dans la réalité pour qu'on puisse en concevoir une reconstitution cinématographique. C'est peut-être ce qui se passe lorsqu'on a une vie : c'est la réalité qui *est* le film.

Le téléphone vient de sonner, et Renée m'annonce que c'est pour moi.

16

J'ai passé toute la journée aux studios Icon (non plus le parc, mais les studios proprement dits), et tant d'événements bizarres s'y sont succédé que je ne sais plus que penser. Ç'a commencé hier par un coup de fil. Non pas celui qui m'a interrompue alors que j'écrivais — celui-là, c'était Neil, qui appelait simplement pour me dire que je lui manquais —, mais un autre, plus tard dans la soirée, alors que je somnolais déjà. Au bout du fil, c'était la voix de Callum. Il m'invitait aujourd'hui sur le plateau de *Réaction viscérale*. On devait tourner une scène cruciale, et il avait pensé que cela pourrait m'amuser d'y assister. Du moins, c'est ce qu'il a prétendu.

Maintenant, écoutez bien : il m'a envoyé chercher en limousine. Cette énorme péniche sur roues, horriblement vulgaire, qui avait l'air assez spacieuse pour contenir un jacuzzi, s'est arrêtée devant la maison au moment où je finissais mon petit déjeuner. Renée a poussé de grands cris de joie, puis elle s'est précipitée dans ma chambre pour y prendre mes lunettes noires — que j'ai chaussées uniquement pour lui faire plaisir, mais qui m'ont ensuite paru si extraordinairement appropriées que je ne les ai plus quittées jusqu'aux studios.

Au cours du trajet, le chauffeur, un beau blond prénommé Marc, me questionna sans vergogne sur ce que j'allais faire chez Icon. N'ayant aucune intention de lui avouer qui j'étais — une simple visiteuse —, j'optai pour la solution la plus facile et jouai les mystérieuses. « Jouer » n'est d'ailleurs pas le terme qui convient : je commençais à me sentir *réellement* mystérieuse.

Je compris que nous étions arrivés quand j'entendis Marc échanger quelques mots avec un vigile. Je connus alors une troublante impression de déjà-vu : le souvenir me revint des jours lointains où maman et moi, dans notre vieille Fairlane, avions franchi cette même grille pour nous diriger vers le Studio 6 et l'univers de plastique vert de *Mr. Woods*. Ce n'était plus le même vigile, bien sûr, sa voix était cette fois beaucoup plus jeune, mais je n'en ressentis pas moins un petit frisson. Je me remémorai ma toute première visite : la première fois que j'ai vu la toile de fond d'un décor (un sommet alpin recouvert de neige), et le nom d'une vedette (Mary Steenburgen) inscrit sur la porte d'une loge ; la première fois, aussi, que j'ai senti l'odeur lourde, comme un parfum bon marché, des gardénias qui poussaient devant le bâtiment de la cantine.

Le chauffeur me déposa à l'entrée du Studio 11, où je fus accueillie par une jeune assistante de production — une certaine Kath —, qui me précéda dans le Saint des Saints d'un bâtiment sombre et caverneux et m'aida à m'installer sur une chaise pliante au bord du plateau. Callum jouait dans la scène en cours de tournage, dont la mise au point prenait plus de temps que prévu, m'avoua-t-elle. Évidemment, je sais très bien que ce genre de choses arrive tout le temps, et le ton gentiment condescendant de l'assistante ne laissa pas de m'agacer ; aussi hochai-je la tête d'un air entendu, pour lui faire comprendre que je connaissais le métier, merci, et qu'un banal retard n'avait pas de quoi m'étonner. En même temps, je me demandai ce que Callum avait bien pu lui dire sur mon compte.

Le décor était celui de l'appartement du psychopathe, un loft où s'entassaient de vieux meubles des années cinquante, des haltères et des barres parallèles. Je repérai aussi — eh oui, mon pauvre Jeff ! — un grand poster de Judy Garland. Dans la scène en question, il fait nuit et le seul éclairage provient d'une lampe de bureau et d'une enseigne au néon vert qui brille derrière de grandes fenêtres graisseuses. Callum, en uniforme de policier, est à genoux derrière la porte, en train de crocheter la serrure. Le maniaque l'entend et en toute hâte ouvre une trappe dans le sol, révélant l'espace — de la taille d'un cercueil — où le petit frère de Callum, terrifié, est retenu prisonnier.

Dans un état de panique croissante, le maniaque enfile

sur la tête du jeune garçon une cagoule en cuir noir et en chrome dont l'usage semble destiné à des pratiques SM, puis referme la trappe et la recouvre avec un tapis persan. Vêtu seulement d'un string, il grimpe le long du mur et disparaît dans l'ombre. C'est alors que Callum entre avec précaution et traverse la grande pièce à demi plongée dans l'obscurité, s'immobilisant à l'endroit exact où son frère s'efforce désespérément de se faire entendre. Le décor est filmé en coupe, si bien que la caméra peut, pour intensifier le suspense, effectuer des mouvements en souplesse depuis le cachot du gamin jusqu'à l'étage, où son frère ignore tout de sa présence sous ses pieds, et au toit sur lequel épie l'affreux monstre.

La scène avait déjà exigé près d'une quinzaine de prises, m'indiqua Kath, pour des raisons que personne ne comprenait, excepté le réalisateur — selon ses dires un homme très tatillon, un perfectionniste de la vieille école. En conséquence, l'équipe était sur les nerfs. Quand le psychopathe avait accidentellement brisé en mille morceaux une statue du David de Michel-Ange en manipulant trop vivement son tapis persan, le jeune comédien caché sous la trappe — qui, comprenez-vous, mâchonnait du cuir depuis le début de la matinée — avait été pris d'un fou rire inextinguible, et, comme cela arrive presque toujours dans ces cas-là, la crise avait contaminé d'abord le psychopathe, puis tout le monde sur le plateau. Il s'en était suivi une hystérie générale, catastrophique. Seul le toujours impassible Callum était resté pendant tout ce temps un modèle de sang-froid, jusqu'au moment où le réalisateur avait appelé d'un ton glacial à « un peu de professionnalisme, s'il vous plaît ».

Il obtint le résultat qu'il désirait à la dix-neuvième prise, et on annonça enfin la pause pour le déjeuner. Callum échangea quelques mots avec son collègue en string, puis s'approcha et s'accroupit à côté de moi.

— Ça te rappelle des souvenirs ?
— Et comment ! soupirai-je avec accablement.
— Quel métier...

Je jetai un coup d'œil en direction du réalisateur, penché sur un bloc-notes et occupé à donner des instructions à l'un de ses assistants.

— Quand je pense que je trouvais Philip Blenheim emmerdant !

Callum sourit vaguement, sans se compromettre, sachant fort bien de quel côté il lui fallait se ranger pour défendre ses intérêts.

— On va manger un morceau ? proposa-t-il.

— À la cantine ?

Il fit oui de la tête :

— Crois-le ou non, avança-t-il, c'est bien meilleur qu'autrefois.

— C'est parce que tes goûts se sont diversifiés, voilà tout. Il n'y avait pas moyen de te faire avaler autre chose que des macaronis et du fromage !

— Tu t'en souviens ? s'exclama-t-il, amusé.

— Je me souviens absolument de tout, murmurai-je, plus pour moi-même que pour lui, je l'avoue.

C'est à peine si je reconnus la cantine. Il y avait de nouvelles tables, de nouvelles chaises, et une amusante nouvelle décoration murale en céramique représentant toutes les stars des studios Icon faisant la queue à la cafétéria l'une derrière l'autre. Mr. Woods était du nombre, bien sûr (de loin le plus petit de tous les convives, à part les héros de dessins animés), en extase, comme on pouvait s'y attendre, devant une coupe de glace rhum-raisins. Callum prit des plateaux pour nous deux et me précéda, m'annonçant les différents plats offerts au menu. Je choisis du poulet à la Kiev accompagné de purée et une tarte au citron vert.

— Tu ne prends pas de légumes verts ? s'étonna-t-il. C'est pourtant très sain.

Je lui fis remarquer que ma tarte était tout de même verte.

— Les asperges ont l'air très bonnes, insista-t-il.

— Callum, je n'aime pas beaucoup que tu te prennes

pour ma maman. C'est d'autant plus désagréable que tu es déguisé en flic.

Il paya pour nous deux et nous trouva une table près d'une fenêtre. Après avoir cherché un moment dans la salle, il emprunta une pile de scripts pour que, juchée à leur sommet, je me retrouve assise au niveau de la table. Je m'installai en riant sur ce coussin improvisé.

— C'est ce qu'on appelle couvrir l'actualité cinématographique, n'est-ce pas ?

Il s'esclaffa à son tour et but une gorgée de thé glacé.

— Qui déjeune ici aujourd'hui ? demandai-je. Des gens intéressants ?

— Oui, regarde. Il y a Bridget Fonda.

— Où ça ?

— Là-bas, dans le coin.

Effectivement, je l'aperçus, parfaitement identifiable quoique plus petite que je n'aurais cru. Je me demandai si elle aurait dit la même chose de moi.

— Sexy, tu ne trouves pas ?

Callum, à mon grand étonnement, avait pris une expression lubrique presque crédible.

— J'avoue que je me la ferais volontiers.

Je lui lançai un regard amical, mais appuyé :

— Et puis quoi encore ?

Une lueur furtive apparut au fond de ses yeux, mais s'éteignit vite, et il prit son verre de thé glacé sans faire aucun commentaire.

— Je sais que nous sommes dans un studio de cinéma, ajoutai-je en coinçant ma serviette dans mon col à la Peter Pan, mais c'est à ta vieille Cady que tu parles, en ce moment.

Il rougissait.

— Tu ne sais pas tout de moi, se défendit-il.

— Non, bien sûr, lui accordai-je.

Je désignai son assiette avec ma fourchette.

— C'est vrai qu'elles sont appétissantes, ces grosses asperges. Tu avais raison, j'aurais dû en prendre.

Après ces quelques piques, nous n'abordâmes plus le

Sujet Sensible et je ne parlai même pas de Jeff, malgré mon envie de connaître le point de vue de Callum sur leur récent différend. J'avais d'ailleurs appelé Jeff dans la matinée, pensant que lui aussi aurait été invité et souhaitant recueillir ses impressions sur les raisons éventuelles pour lesquelles on avait souhaité ma présence aux studios Icon. Seulement il n'était pas chez lui. J'ai laissé un message sur son répondeur, mais il n'a encore donné aucun signe de vie. J'ai dans l'idée qu'entre lui et Callum la rupture est déjà consommée.

— L'autre jour, j'ai passé une journée très sympa à Malibu avec Philip et Lucy, dit Callum en attaquant son dessert.

Lucy est la femme de Philip Blenheim depuis six ou sept ans. Quand je l'ai connu, il était encore célibataire ; aussi n'est-elle pour moi qu'un visage parmi tous ceux que je repère à l'occasion sur les photos des paparazzi. Elle s'affiche le moins possible dans les endroits en vue, préférant passer son temps à pondre des marmots aux interminables prénoms bibliques et à décorer leurs trois villas — trois ! — de Malibu.

— Elle est, paraît-il, très gentille, commentai-je.

— Très gentille et très simple. Elle te plairait beaucoup. Et toi aussi, tu lui plairais beaucoup.

— Peut-être, oui, si son mari n'avait pas une dent contre moi.

Callum fronça les sourcils :

— Une dent contre toi ? Qu'est-ce que tu veux dire ?

— Oh, tu sais bien. C'est cette vieille histoire...

— Quelle vieille histoire ?

Je lui expliquai brièvement ma brouille avec notre ancien réalisateur : la petite interview stupide que j'avais accordée à un magazine et qui m'avait valu d'être à jamais sur la liste noire de Philip.

— Toute l'équipe du film était au courant, remarquai-je. Comment se fait-il que tu ne t'en souviennes pas ?

— Si, avoua-t-il. Maintenant, je me le rappelle vaguement.

274

— Disons que nous ne sommes plus vraiment copains.

— Pourtant, il t'aime beaucoup, Cady. Nous avons longuement parlé de toi, tu sais ?

Stupéfaite, j'ouvris tout grand la bouche.

— Quand ?

— La semaine dernière, à Malibu.

— Philip et toi, vous avez parlé de moi ?

Il contemplait mon ahurissement d'un air moqueur.

— Mais oui, Cady !

— Et qu'a-t-il dit ?

— Il a beaucoup d'affection pour toi, c'est évident.

— À d'autres !

— Je t'assure. Il était ravi d'apprendre que nous nous étions retrouvés. Il avait perdu tes coordonnées.

Je suis dans tous les annuaires professionnels, bien sûr, mais je ne pris pas la peine de le lui faire observer. J'étais trop abasourdie par ce que j'entendais.

— Je suis sûr que cela lui ferait de la peine, ajouta Callum, s'il savait que tu lui en veux.

— *Moi,* lui en vouloir ?

J'en riais, incapable de toute autre réaction.

— Le monde s'est mis à tourner à l'envers, ou quoi ?

Il rit avec moi.

— J'aurais voulu que tu l'entendes, Cady. Il a toute une théorie sur ce que tu as apporté d'inestimable au personnage. Surtout dans la dernière scène. Selon lui, si elle a tellement bouleversé les gens, c'est parce qu'à ce moment-là ils ont senti, au moins inconsciemment, que depuis le début il y avait *quelqu'un* sous ce costume, un être vivant qui exprimait toutes ces émotions si complexes. Il affirme qu'on n'aurait jamais pu parvenir au même résultat en n'utilisant qu'un simple robot, même avec la technologie la plus avancée.

J'étais pendue à ses lèvres. J'avais même posé ma fourchette et complètement oublié ma tarte — conduite assez inhabituelle chez moi.

— Il a dit tout ça et tu ne l'as pas enregistré ? Tu ne m'as pas téléphoné de la première station-service ?

— J'étais sûr que tu l'avais déjà entendu un million de fois, protesta-t-il en s'esclaffant.

— Pas de la bouche de Philip !

Ni de la bouche de personne, d'ailleurs... En tout cas, pas en ces termes.

— Ce qui est sûr, c'est qu'il n'a aucune animosité contre toi, reprit Callum. Bien au contraire.

Je restai assise sans rien dire, me bornant à secouer la tête.

Et ce n'est pas tout. Cinq minutes plus tard, qui croyez-vous qui entra d'un pas nonchalant dans la cantine ? Philip Blenheim en personne ! Je l'observai attentivement... avant d'alerter Callum, pour m'assurer que je n'avais pas la berlue. Toutes les caractéristiques familières étaient bien là : le crâne chauve et luisant, le corps massif et poilu, aux épaules tombantes, le vieux blouson de cuir et le pantalon en velours côtelé. Du seuil, il promenait son regard sur la salle d'une façon à la fois distraite et précise, comme un grand antiquaire pénétrant dans une foire à la brocante.

— Devine qui est là, dis-je enfin.

Callum tourna la tête, aperçut Philip et lui fit immédiatement de grands signes de la main.

— Attends ! m'écriai-je.

— Pourquoi ?

Je ne savais pas au juste, mais la panique m'avait envahie.

— Il n'y a aucun problème, assura Callum. Je te le jure.

Philip ne m'avait pas vue lorsqu'il s'approcha de notre table, pensai-je, car en me découvrant il marqua un temps d'arrêt, sursautant presque.

— Cady ! Mon Dieu, c'est bien toi ?

Je préfère ne pas imaginer avec quel air idiot je dus le regarder.

— Je n'arrive pas à en croire mes yeux ! s'exclama-t-il. C'est comme si le temps n'existait plus. Vous deux à nouveau ensemble ! Tu as l'air en pleine forme.

— Merci, répondis-je d'un ton hésitant. Toi aussi.

— Qu'est-ce que tu fais ici ?

— Oh...

Je jetai un coup d'œil vers Callum.

— Je traîne un peu aux basques des stars, c'est tout.

— Vraiment, quelle merveilleuse surprise !

Philip me regarda un moment comme un ours bienveillant, puis tira une chaise et s'assit dessus à califourchon. Il se tourna brusquement vers Callum :

— Ça ne t'ennuie pas, fiston ?

Callum, tout sourires, fit non de la tête et Philip s'adressa à moi :

— Callum m'a appris qu'il t'avait rencontrée, récemment. Tu n'imagines pas ce que je l'ai envié.

C'était comme si ma langue était paralysée.

— Il paraît que tu chantes aussi, maintenant ?

— Oui. Un peu.

— C'est formidable ! Je te l'ai dit, dans le temps, que tu as une voix vraiment hors du commun. N'est-ce pas que je te l'ai dit ?

— Oui, c'est vrai.

Seulement voilà : le problème, comme par hasard, c'est que je ne m'en souvenais pas.

— Il faut absolument que tu viennes passer une journée à Malibu. Tu feras la connaissance de Lucy et des enfants.

Je lui répondis que cela me ferait plaisir.

On m'a dit que tu avais perdu ta mère.

Je hochai la tête.

— Je suis absolument désolé.

Il prit un air mélancolique.

— Quelle chic femme c'était !

— Oui.

— Une femme remarquable. Vraiment.

— Mmm...

— Eh bien, les amis...

Il soupira de nouveau, fit claquer ses mains sur ses genoux et se leva.

277

— J'ai une réunion autour d'un nouveau script à l'autre bout du studio. Je ferais mieux de me bouger le cul !

Je ris très fort, dans un effort de dernière minute pour me montrer amicale, subitement exaspérée par ma propre passivité. Voilà qu'il partait, ce titan de Hollywood soudainement redevenu mon vieux pote, et je le laissais faire...

— De quoi parle-t-il, ce script ? demandai-je en jetant la bienséance aux orties.

— Oh, un truc en costumes, me lança Philip.

Il était déjà à plusieurs mètres.

— Une espèce de comédie musicale. Il faut réellement que je file. Mais je t'appellerai, OK ? Est-ce que Callum a ton numéro ?

— Je suis dans l'annuaire, lui lançai-je pendant qu'il se hâtait vers la sortie en traversant un groupe de machinistes dévorant des beignets.

Ils le contemplèrent avec un respect blasé, sans surprise manifeste, comme des bergers de la Bible assistant à une énième vision céleste.

Callum semblait formidablement content de lui.

— Tu vois ? s'écria-t-il, triomphant. Il t'aime bien, oui ou non ?

Qu'est-ce qui se passe, exactement ?

Je veux qu'on me dise ce qui se passe, merde !

J'ai compris qu'il y avait dans l'air quelque chose de bizarre avant même que nous ayons fini de déjeuner — pour être parfaitement précise, au moment où Callum m'a annoncé que je pouvais garder la limousine pour le reste de l'après-midi. Le chauffeur était engagé pour la journée, m'a-t-il expliqué, et, dans ces conditions, puisque le studio l'avait payé, il n'y avait aucune raison pour que je ne profite pas de la voiture. De surcroît, les scènes de *Réaction viscérale* qui restaient à tourner cet après-midi-là étaient ennuyeuses comme la pluie : il était donc tout à fait inutile que je m'attarde sur le plateau si j'avais mieux à faire. Et je suis sûre que Callum n'a pas dit cela parce qu'il estimait m'avoir assez vue comme ça : il voulait vraiment se montrer gentil. Oui... Aussi invraisemblablement gentil que Philip l'avait été.

Marc m'attendait à l'endroit où je l'avais laissé, lisant une bande dessinée au soleil, ses biceps tendant à craquer son uniforme sombre de chauffeur. Dès qu'il m'eut aperçue, il se leva d'un bond.

— Content de vous revoir ! C'est terminé ?

— C'est terminé.

— Où allons-nous ?

Je lui donnai l'adresse de Neil à North Hollywood.

— C'est comme si on y était ! me répondit-il.

Il ouvrit la portière et m'aida à monter, avec les mêmes gestes que Renée le matin.

— C'est une maison de production ? s'enquit-il avec curiosité.

— Non. Un immeuble privé, répondis-je. Je vais chez mon petit ami.

— Parfait.

— Mais il n'attend pas ma visite. Il faudra peut-être que vous sonniez pour moi.

— Certainement, dit-il. Mais vous pouvez aussi le prévenir. Il y a un téléphone.

J'enrage d'avoir à le reconnaître, mais le fait est que j'avais oublié cette banale commodité de la vie moderne, depuis le temps que je vis comme une pauvresse.

— Bien sûr, bredouillai-je. Ce que je peux être distraite !

J'appelai donc Neil pendant que la voiture se dirigeait vers la sortie, surtout parce que je ne voulais pas laisser passer une occasion pareille.

— Devine où je suis, Neil !

— Où ?

— Aux studios Icon, assise à l'arrière d'une limousine.

Il se mit à rire, puis :

— En quel honneur ?

— Franchement, je n'en suis pas très sûre. Ça te ferait plaisir, que je t'accorde une petite visite ?

— Je l'apprécierai d'autant plus qu'elle sera « petite » !

La circulation était si dense que le trajet nous prit une demi-heure. Neil attendait notre arrivée sur le bord de la route, visiblement dévoré de curiosité.

— Eh bien ! s'extasia-t-il tandis que Marc m'aidait à descendre. Eh bien !

— Marc, je vous présente Neil. Neil, Marc.

Ils se serrèrent la main cordialement, avec une énergie qui fit saillir les muscles de leurs avant-bras. Il y a quelque chose d'extrêmement sexy dans le spectacle de deux hommes dont les mains s'étreignent ainsi et qui ont presque l'air de se renifler. J'avoue m'être demandé si Marc ne s'était pas attendu à ce que mon petit ami fût quelqu'un de ma taille, et non un type aussi athlétique que Neil, ou s'il n'essaya pas ensuite de nous imaginer Neil et moi dans un exercice de baise acrobatique et surchauffée. En ce qui me concerne, le fantasme s'était imposé d'emblée à mon esprit : en T-shirt moulant et short de gym violet, Neil était à tomber à la renverse.

— Voulez-vous que j'attende ? proposa le chauffeur.

Je regardai Neil :

— Qu'en penses-tu ?

— Ce n'est pas une mauvaise idée, déclara-t-il en esquissant un sourire.

— Combien de temps pouvez-vous attendre ? demandai-je à Marc.

— Je suis à votre disposition jusqu'à six heures, dit celui-ci après un coup d'œil à sa montre.

— Alors... retrouvons-nous dans une heure environ.

Lisant dans mes pensées, le chauffeur sourit malicieusement.

— À votre disposition, se contenta-t-il de répondre.

Aussitôt arrivée dans l'appartement, j'envoyai promener mes chaussures et sautai sur le lit. Neil régla l'intensité de l'éclairage jusqu'à ce que la lumière dans la pièce fût de la couleur du thé glacé. Il délaça ses baskets, les jeta au loin et se laissa tomber près de moi. Il roula sur un côté et me toucha le bout du nez avec son index, m'observant avec un léger amusement.

— Bon, raconte-moi un peu où tu as trouvé ce valet de pied.

Je lui narrai brièvement tout ce qui s'était passé depuis la veille au soir — sans toutefois mentionner que dans la voiture j'avais osé parler de lui comme de mon « petit ami ».

À la fin de mes explications, il sourit et me caressa longuement les cheveux.

— Quelle matinée ! s'exclama-t-il enfin, comme si les événements n'appelaient aucun autre commentaire.

— Tu ne trouves pas ça extrêmement bizarre ?

— Quoi ?

— Que Philip ait surgi comme un diable d'une boîte, juste au moment où Callum finissait de me rapporter tous ses compliments.

— Si, peut-être.

— Mais peut-être que non ?

— Le monde est petit, tu sais...

— Pas si petit que ça, en règle générale. Philip est entré comme s'il cherchait quelqu'un. À croire que tout était organisé à l'avance.

— Dans quel but ?

— Je ne sais pas. Pour que nous puissions nous réconcilier, je suppose.

— Je comprends...

Il ne semblait pas très convaincu.

— Écoute, insistai-je, tu te souviens de ce coup de fil de mon agent il y a quelque temps ?

— Tiens, oui, c'est vrai.

— Il m'avait laissé entendre que quelque chose d'important se préparait.

— Absolument. Tu as raison, je n'avais pas pensé à ça.

— Et ensuite, Callum, qui a le même agent, m'invite aux studios, m'envoie une limousine, et me passe de la pommade à n'en plus finir...

Neil semblait à présent se perdre dans un abîme de réflexions.

— Pour couronner le tout, ce petit bougre me raconte que Philip m'a toujours adorée — ce qui est un mensonge éhonté, voyons les choses en face ! — et deux minutes après, le Philip en question me tombe précisément dessus avec un sourire fendu jusqu'aux oreilles, pour me signifier combien il est triste que j'aie perdu ma chère vieille maman, m'assurer que j'ai toujours chanté fabuleusement, et s'en aller en m'annonçant d'un air distrait qu'il est comme par hasard en train de travailler sur une comédie musicale. Tout ça est tellement cousu de fil blanc, Neil ! Il veut m'engager pour quelque chose, c'est évident !

— Mmm... Ça m'en a tout l'air, dit Neil en hochant lentement la tête.

— Tu trouves aussi ?

— Mais pourquoi ton agent ne t'appelle-t-il pas, tout simplement ?

— Parce qu'il sait qu'il y a eu du grabuge entre Philip et moi. Il a préféré demander à Callum de servir d'intermédiaire pour éviter à Philip une démarche humiliante. De cette façon, Philip n'avait pas besoin de s'excuser, comprends-tu ? Rétablir le contact ne lui a pris que quelques minutes, et nous avons tous fait comme si nous avions toujours été les meilleurs amis du monde. C'est leur façon de procéder, tu sais ! S'ils ont vraiment besoin de vous, ils oublient tout et du jour au lendemain vous redevenez leur grand copain !

Neil écarquillait ses yeux, comprenant peu à peu. Je voyais que ma fébrilité l'avait gagné.

— Quel est le sujet de cette comédie musicale ?

— Je ne sais pas. Philip est parti à toute allure, comme toujours. Tout ce qu'il m'a dit, c'est que c'était un truc en costumes. Imagine un peu ça, Neil : une comédie musicale de Philip Blenheim !

— Tu devrais peut-être contacter ton agent.

— Non, répliquai-je fermement.

— Pourquoi ?

— Je veux que ce soit lui qui fasse la démarche.

— Allons, ne sois pas si fière...

— Ce n'est pas une question de fierté. Je pense seulement que c'est la meilleure façon de réagir. Il m'appellera, tu peux en être sûr. Demain ou après-demain.

Neil me considéra un moment, puis m'embrassa sur le front.

— Et toi ? lui demandai-je. Tu as passé une bonne journée ?

— Oh... Pas tellement. J'ai fini par informer les autres que je n'avais plus de boulot pour eux.

Je fis une grimace compatissante. Pour moi, *Porta-Party* semblait déjà de l'histoire ancienne — en tout cas, depuis le déjeuner —, mais je ne pouvais m'empêcher de me mettre à la place des autres membres de la troupe. Naguère, portés par les mêmes rêves, nous avions formé une sorte de petite famille. Du moins jusqu'à ce que Neil et moi réduisions cette famille à nous deux.

— C'était pas très gai, précisa Neil.

— J'imagine.

— Julie l'a plutôt bien pris, mais Tread était effondré.

— Pauvre garçon.

— Il m'a même proposé de travailler pour rien. Je ne te cache pas que ça me rend malade, d'avoir dû en passer par là.

— Il ne faut pas, Neil. Ce n'est pas ta faute.

— Je sais, je sais...

Soudain, je me sentis un peu coupable, moi aussi. J'étais arrivée au galop, en ne pensant qu'aux bonnes nouvelles qui me concernaient, alors que pour Neil c'était un des moments les plus démoralisants qu'il ait vécus depuis longtemps.

— Et maintenant ? m'inquiétai-je. Qu'est-ce qui va se passer ?

— Tout le monde va aller trouver Arnie Green, je suppose. Demander s'il y a des petits boulots à assurer chez les particuliers.

Je frémis intérieurement, non à la mention des « petits boulots chez les particuliers », mais au souvenir — déjà un peu pâli — du bureau d'Arnie Green et du matin où j'avais remis mon sort entre ses mains. Tout cela me semblait à présent tellement lointain ! Penser que Neil, avec tout son talent, allait devoir retourner dans cette officine sordide, pour tout recommencer de zéro, me désolait.

— Tu sais, lançai-je, si mon film devient une réalité, il se pourrait qu'on ait besoin d'un pianiste.

Il secoua la tête, avec un triste sourire, puis :

— Je ne crois pas que ça se passe de cette façon, répliqua-t-il.

— Ça se pourrait pourtant bien.

Il se rapprocha de moi et entreprit de déboutonner le devant de ma robe.

— Il y a beaucoup de choses qui se *pourraient* pourtant bien. Dis-moi, tu t'es déjà livrée à des turpitudes en sachant qu'une limousine t'attend devant ta porte ?

— Jamais.

— Moi non plus.

— Alors, profitons de l'occasion ! m'esclaffai-je.

Pour la première fois, je voulus qu'il me pénètre. De peur de me faire mal, il fut d'abord réticent ; alors, si j'ose dire, je pris le taureau par les cornes. J'enfilai un préservatif à son sexe avec des gestes d'une lente et voluptueuse précision, puis m'empalai lentement sur lui, parvenant à la douce certitude qu'il devenait une partie de moi-même, m'appartenait plus qu'à lui, touchant presque mon cœur. Quand Neil fut tout entier en moi, je le vis sourire avec langueur. Il posa sa main sur ma joue et son mouvement au fond de moi commença.

Au moment où je jouis, je fus tout à coup prise de visions — de visions véritables. Par vagues, des images en technicolor vinrent frapper ma conscience et l'envahirent totalement. Je me vis d'abord comme une paysanne en guenilles, une naine révolutionnaire commandant aux insurgés de la prise de la Bastille, puis comme l'artiste vedette d'une petite troupe foraine des années quarante... Et sur les barricades, comme sous le chapiteau, je chantais avec un tel éclat, une telle conviction, que tout le monde sur le plateau, jusqu'au metteur en scène, était abasourdi par la splendeur de ma prestation. Tandis que je saluais le public, Neil jouit à son tour, s'arc-boutant sous moi avec un grondement sauvage de libération. Peut-être n'était-ce qu'un effet de mon imagination, mais vraiment, ce fut alors comme si l'on m'applaudissait.

17

Il y a eu un début d'incendie hier soir à *La Grange aux tissus*, et Renée est en congé pour trois jours, le temps qu'il faudra pour tout remettre en état. Ces vacances inespérées l'excitent comme une gamine qu'on aurait renvoyée chez elle à cause d'une alerte à la bombe. Elle a immédiatement voulu lancer une opération lèche-vitrines, mais je l'ai engagée à sortir sans moi : je préférais rester près du téléphone, au cas où Leonard appellerait.

Évidemment, il ne l'a pas fait.

Du moins, pas encore. Et il est déjà presque quatre heures. Cela fait plus de deux jours que j'attends.

Merde, merde et merde ! Qu'il aille se faire foutre !

18

Cinq jours d'écoulés depuis ce fameux déjeuner avec Callum, et toujours aucune nouvelle de personne. Renée a repris son travail et je tourne en rond toute seule dans ma cage dorée de banlieue.

Visite de Jeff ce matin : la désolation personnifiée, en quête d'une compagnie consolante. Il y a trois jours, au terme d'un petit dîner sinistre chez *Musso & Frank's*, Callum et lui ont rompu.

Jeff s'allongea près de moi sur le sol, et me brandit sous le nez un énorme joint. J'ouvris des yeux larges comme des soucoupes.

— À dix heures du matin ?

Il me fixa avec un regard inexpressif, puis alluma le joint avec son briquet, aspira une grande bouffée de fumée qu'il garda un moment dans sa bouche, et me le tendit.

— C'est un peu tôt, tu n'as pas tort. Mais c'est très bon pour tes règles.

Je lui décochai une œillade assassine mais, bonne fille, je pris quand même quelques taffes à mon tour.

— À ton humeur, laissa-t-il bientôt tomber, je devine que personne n'a téléphoné.

Je secouai sobrement la tête en signe de dénégation, et il s'enhardit :

— Ça veut dire quoi, selon toi ?

Je répondis que je n'en savais plus rien, et m'en suis lâchement tenue là. Je ne trouvais pas de mots pour traduire mes hypothèses les plus sombres. Je suis prête à admettre ma déconvenue comme une grande, mais pas encore, pas officiellement. Une partie de moi continue de s'accrocher au fragile espoir que Leonard y met seulement de la mauvaise volonté — une fois de plus. Après tout, je ne suis qu'un petit animal sans grand intérêt dans sa ménagerie professionnelle. Peut-être est-il accaparé par des négociations avec quelqu'un de beaucoup plus important que moi ; peut-être même que cette personne est pressentie pour la même comédie musicale...

— Je pourrais appeler Callum et lui demander ce qu'il sait, proposa Jeff.

Prise au dépourvu, je restai un moment sans répondre.

— Vous vous êtes donc quittés en si bons termes ?

— Pas vraiment. Mais ça ne me dérangerait pas trop de lui téléphoner.

C'était gentil de sa part, ai-je rétorqué, mais je ne voulais pas m'imposer. Et puis, pour être honnête, je craignais que l'échec amoureux de Jeff n'eût des conséquences fâcheuses sur mon engagement déjà incertain, au point de tout foutre à l'eau. Je n'avais pas assez confiance dans son sang-froid.

Il tira de nouveau sur son joint, fixant le plafond d'un air contemplatif, puis l'éteignit et le fourra dans la poche de son blouson en jean.

— Tu sais ce qui m'énerve le plus ?

— Non...

— Ned m'avait prévenu, autrefois. Il m'avait tout décrit d'avance. L'effet que ça me ferait.

— L'effet que te ferait *quoi* ?

— Être l'amant d'un acteur de cinéma qui ne veut pas sortir du placard.

— J'imagine que Ned devait en connaître un rayon, là-dessus, fis-je observer.

— Oui. Dommage que je ne l'aie pas écouté.

— Qu'est-ce qu'il disait ?

— Que ça pouvait commencer de mille façons différentes, mais que ça se terminait toujours de la même façon, qu'on finissait par se sentir une sorte de maîtresse clandestine.

Je scrutai son visage un moment, me demandant s'il espérait être pris au sérieux.

— C'est l'impression que tu as eue ? demandai-je.

— Oui, plus ou moins.

— Tu y as gagné de la lingerie fine ?

— Oh, non !

Il rit avec mélancolie.

— Je n'y ai rien gagné du tout.

— Dommage. Quand Ned t'a-t-il raconté tout ça ?

— Très peu de temps après notre rencontre. Lorsqu'il m'a parlé de sa liaison avec Rock Hudson. Moi-même, je l'ai dit et répété dans ses termes à un tas de gens, pendant des années. Jusqu'au jour où j'ai rencontré Callum. Là, bien sûr, tout m'est instantanément sorti de la tête.

— Parce qu'une jolie queue t'a tourné la tête, tu veux dire !

— Ta gueule, Cadence !

— D'accord, d'accord. Je n'en parlerai plus.

Ma docilité l'a surpris.

— Depuis quand es-tu devenue aussi obéissante ?

— Depuis que tu m'as anesthésiée.

Il sourit et se tut un moment. Puis :

— Tu sais, reprit-il, je n'ai jamais rencontré personne qui travaillait sur ce film.

— Vraiment ?

— Absolument. Je n'ai même jamais rencontré une seule personne de sa connaissance.

Je secouai la tête avec compassion.

— Comment était-ce ? ajouta-t-il tout à trac. Tu ne m'en as jamais parlé.

— Le film ?

— Oui. Outrageusement homophobe ?

Je lui répondis que l'assassin avait effectivement l'air d'un pédé, mais qu'au bout du compte je n'avais pas vu grand-chose.

— Il y a des manifs qui se préparent, tu sais ?

— Non, je ne savais pas. Qui va manifester ?

— Le GLAAD.

Je pouffai de rire :

— Qu'est-ce que c'est ? Une boîte qui fabrique des hélicoptères ?

Jeff ne trouva pas ça drôle.

— C'est la *Gay and Lesbian Alliance Against Defamation*, énonça-t-il gravement.

— Oh, je vois...

— Il faut qu'un jour ou l'autre on arrête de pratiquer ce genre de diabolisation au cinéma, martela-t-il très sérieusement.

— Et tu comptes participer aux manifs ?

— Je ne sais pas. Je n'ai pas encore décidé.

J'ai honte de l'avouer, mais de nouveau c'est à moi que je pensais : je craignais que le militantisme de Jeff ne mît

Leonard en fureur et qu'il ne se vengeât sur moi en me faisant passer à la trappe.

— Callum est au courant de ces manifs?

— Bien sûr. C'est même ce qui a déclenché notre dernière dispute. Je lui en ai parlé, et j'ai ajouté qu'à mon avis les gens du GLAAD avaient absolument raison. Il m'a rétorqué que je m'acharnais sur son film pour le plaisir, parce que mon amant était mort et que je ne savais pas sur qui faire retomber ma colère. Alors, je lui ai dit que je m'étais fait ma propre opinion bien avant la mort de Ned et que j'en avais ma claque, des connards dans son genre prêts à vivre dans le mensonge pour acquérir le statut de star. Il m'a traité de fasciste et il m'a accusé de vouloir saboter sa carrière. Pourquoi pas, ai-je répondu, si ta carrière est en accord avec la pourriture ambiante? Pourquoi devrais-je souhaiter la prospérité d'un système qui s'obstine à prétendre que je n'existe pas? Le cinéma, ce n'est pas *mon* fantasme!

En un éclair, je revis le visage de Callum à la cantine lorsqu'il avait prononcé sa petite phrase si maladroitement salace au sujet du sex-appeal de Bridget Fonda.

— À ton avis, demandai-je, est-ce que Callum pourrait être bisexuel?

— C'est ce qu'il t'a dit?

— Non, pas en ces termes.

— Eh bien, quoi qu'il ait pu te raconter, il ne l'est pas. Tu peux me croire!

— Je te crois volontiers, répliquai-je en souriant légèrement.

— Callum est un membre à part entière de la Nation gay.

— Dommage que ça n'ait pas suffi.

— Tu sais... Les pédés ne sont pas tous coulés dans le même moule. Aimer sucer une queue ne signifie pas qu'on soit parfait.

— Oh, je n'éprouve aucun mal à m'en persuader, figure-toi!

— Oui, je m'en doute.

Le fou rire nous prit tous les deux et nous finîmes par nous rouler sur le sol comme deux chiots. Mais la crise de Jeff dura plus longtemps que la mienne... elle le laissa à bout de souffle et épuisé. Elle dut aussi avoir un effet cathartique, car il poussa un gros soupir de libération.

— Tu t'en remettras, lui assurai-je.

— Je sais.

— Qui a pris la décision ? Toi ou lui ?

Il réfléchit un instant, puis :

— Ça s'est fait d'un commun accord.

— Comment ça ?

— Eh bien, je lui ai dit que c'était fini, et il a eu l'air soulagé.

— Je vois.

— L'air *très* soulagé, même.

J'hésitai un instant, puis osai enfin lui demander :

— Tu crois qu'il y a quelqu'un d'autre ?

— Oh, sûrement pas !

Il resta songeur un instant, puis fit une grimace sarcastique.

— À moins qu'il ne faille tenir compte de Billy Ivy.

— Qui est Billy Ivy ?

— Une star du porno. Sa spécialité, c'est surtout les rôles d'étudiant BCBG, avec les bagarres en string, les plans de baise où il garde sa cravate... Ce genre de trucs.

— Avant-gardiste, quoi !

— Callum fait une fixation sur lui, figure-toi. Quand il était encore dans le Maine, il regardait ses photos dans *Honcho* pour se branler. Ici, il a acheté l'une de ses vidéos, qui était en permanence dans le magnétoscope au Château Marmont. Je te le jure !

— Vous la regardiez ensemble ?

— Oui. Ça m'a excité la première fois, mais chez Callum, c'est devenu quasi obsessionnel. Au bout d'un moment, il n'y avait plus moyen d'obtenir qu'il baise avec moi sans avoir le cul de Billy Ivy sur l'écran. À la longue, ça devenait presque insultant. Et puis un jour Callum est venu à Silver Lake. C'est d'ailleurs la seule autre fois où il est venu chez moi. Il a feuilleté un de mes vieux numéros de l'*Advocate* et il a découvert que ce Billy Ivy avait un numéro où l'on pouvait le joindre à Los Angeles.

— Pour du sexe au téléphone, tu veux dire ?

— Non. Du sexe pour de vrai. Si on est fatigué de ses films, on peut l'appeler et le faire venir en personne.

Je l'observai avec un sourire amusé.

— Et... tu crois que Callum l'a fait ?

— Je *sais* qu'il l'a fait. Il prétend le contraire, mais il l'a fait.

— Ça t'a vexé ?

— Ce qui m'a vexé, c'est qu'il ait éprouvé le besoin de me mentir.

— C'est tout ?

— Oui. En matière de sexe, je vois les choses de façon plutôt positive.

À voir ma tête, il comprit que j'avais du mal à le croire.

— Bon, reconnut-il enfin, ça m'a quand même un petit peu vexé.

— Merci pour ta franchise, Jeff.

— Mais ce n'est pas pour ça que nous avons rompu. Il paniquait surtout de m'entendre lui dire qu'il ne devrait plus se cacher.

— Ah...

— Mais je n'ai pas cherché à le forcer, si c'est ce que tu penses.

— J'en suis convaincue.

— Au contraire, j'ai essayé de le persuader le plus doucement possible. J'ai seulement insisté pour qu'il y réfléchisse. Pour qu'il songe combien il serait plus en paix avec lui-même en faisant son *coming-out*. Et aussi à ce que cela représenterait pour des millions de jeunes gays qui n'arrivent pas à s'assumer.

— Et qu'a-t-il répondu ?

— Rien. Il est devenu tout pâle, et il a aussitôt changé de sujet.

Du bout de son index, Jeff traça un dessin sur la moquette.

— Après, ç'a été fini. J'étais devenu l'ennemi.

La tristesse qui l'envahissait semblait si intense que je me retins de tout commentaire.

— Tu sais, ajouta-t-il, j'ai vraiment cru que je pourrais le faire changer.

— Oui. Je sais.

— C'est idiot, comme illusion, pas vrai?

— Non, pas forcément.

— Si. Rien ne change jamais, et personne ne peut rien y faire. Ce gosse a vingt ans, et ce pourrait être Rock Hudson en 49. Hollywood en produit sans cesse des comme ça, tous sur le même modèle.

— Un jour, ça changera.

— C'est possible, soupira-t-il. N'importe, Ned se roulerait par terre de rire en me voyant.

Il tapota la moquette avec le bout de son doigt, lentement, tranquillement, comme s'il s'agissait d'y apposer une ponctuation. Je vis que ses yeux étaient brouillés de larmes, mais discerner si c'était sur Callum qu'il pleurait, ou sur un lointain souvenir de son ancien amant qui soudain refaisait surface, était très au-delà de mes pouvoirs d'observation.

19

J'ai tellement la rage au cœur que j'ai envie de mordre. Une semaine et deux jours après le déjeuner avec Callum aux studios Icon, Leonard a finalement appelé. Je n'ai pas grande envie de rapporter notre conversation, mais je vais le faire quand même, ne serait-ce que par souci d'exhaustivité.

— Bonjour, mon ange.

— Bonjour, Leonard.

— Comment ça va?

— Très bien.

— Magnifique ! Écoute, le truc est confirmé.

— Quel truc ?

— Celui dont je t'ai parlé. Tu es libre, samedi en huit ?

Une sourde inquiétude a commencé de se répandre en moi comme un poison verdâtre. Il est plutôt inhabituel d'annoncer le tournage d'une comédie musicale à gros budget comme un événement qui aura lieu « samedi en huit ». Je me suis assise par terre, j'ai inspiré profondément et me suis reprise.

— Explique-moi plutôt de quoi il s'agit, tu veux, et je te dirai si j'ai envie de le faire.

Il n'a pas répondu tout de suite : de toute évidence, il avait senti que j'étais ébranlée.

— Bon. Qu'est-ce que tu penses de ça : Meryl Streep, Whoopi Goldberg, Jay Leno, Candy Bergen, Sly Stallone, Elizabeth Taylor, Michael Jackson, Annette Bening, Warren Beatty, Madonna ?... Arrête-moi quand t'en as assez.

— Ça va, tu peux continuer. Retourne le couteau dans la plaie.

— Je suis très sérieux.

— Ça se voit.

— Il s'agit d'un hommage, mon ange.

— À quoi ? À ma crédulité ?

Il se mit à rire, puis cracha le morceau :

— C'est une soirée de gala en hommage à Philip Blenheim.

Je m'abstins de réagir.

— Tu es toujours là ?

— Je t'écoute, Leonard. Poursuis.

— Eh bien, l'UFL a décidé de remettre à Philip Blenheim un prix spécial pour l'ensemble de son œuvre, et un grand gala est organisé au Beverly Hilton. Le gala de la décennie, semble-t-il. Télévisé par HBO, commenté par *Entertainment Tonight*... Je n'ai pas vu un tel programme depuis des années. Bette Midler doit chanter, Patrick Swayze doit danser. Barbra Streisand chantera probablement aussi... Imagine-toi !

Que vous dire ? J'essayais de garder mon sang-froid,

mais mon visage brûlant d'excitation devait déjà être rouge comme un coucher de soleil sur l'Alaska.

— Et ils veulent que je sois là? arrivai-je à articuler. Moi?

— Qui d'autre?

— Sur scène?

— Non, mon ange : pour tenir le vestiaire! Quelle gourde, évidemment, sur scène!

Je partis d'un rire extravagant, car, tout à coup, Leonard me semblait l'homme le plus spirituel de la terre.

— Tu es vraiment sérieux?

— Absolument.

— Mon Dieu...

— Inutile de me remercier, me coupa-t-il. Ta joie est ma plus belle récompense.

— Non. Ta récompense, rectifiai-je, ce sont mes dix pour cent.

— Oui, ça aussi.

— C'est payé, n'est-ce pas?

— Si c'est payé? Madame me demande si c'est payé!

Soudain, les pièces du puzzle s'imbriquèrent. En un éclair, je revis Philip à la cantine des studios Icon : ce respect inattendu au fond de son regard, l'empressement avec lequel il m'avait affirmé que je chantais sublimement, qu'il l'avait toujours su... Puis je me rappelai la question de Leonard sur mon poids, quand il avait une première fois titillé ma curiosité en me parlant de « quelque chose d'assez conséquent ». Alors, sans aucun effort, je m'imaginai sur la scène du Beverly Hilton, devant un public de stars en tenue de soirée, chantant *If*, par exemple, ou peut-être quelque chose de tout à fait nouveau, tandis que Meryl Streep et Madonna, en coulisse, m'écoutaient avec stupeur et ravissement et que les producteurs les plus blasés se précipitaient sur leurs téléphones...

— Donc, reprenons! lança Leonard. On est déjà en train de remettre le costume en état...

— Pardon?

— Le costume de Mr. Woods. On doit le désinfecter, l'enduire de poly-je-ne-sais-quoi...

Il prit soin, ici, de s'esclaffer joyeusement.

— Ça fait des lustres qu'il est au rancart, mais pour toi il sera comme neuf.

Quelques secondes avaient suffi pour que mon enthousiasme se muât en absolu désespoir. La vérité me prenait à la gorge et les mots refusaient de sortir de ma bouche.

— Cady ?

— Alors il ne s'agit que de ça ? Il te faut juste quelqu'un pour enfiler cette saloperie de panoplie ?

— Pas seulement « quelqu'un »...

— Trouve-toi une autre naine !

— Allons, allons, mon ange ! Tu réagis comme si c'était anodin. C'est historique, au contraire ! Ce sera un instant mémorable. Personne n'a jamais vu Mr. Woods depuis que le film est sorti.

— Foutaise ! J'en ai vu des centaines sur leur putain de circuit à la con.

— Quel circuit ?

— Celui des studios Icon, dans le parc.

— Ceux-là sont des robots, Cady.

— Alors, engage un robot. Moi, je suis une actrice !

— Justement ! C'est d'une actrice qu'ils ont besoin ! Voilà pourquoi c'est toi qu'ils veulent. Tu *es* Mr. Woods !

— Mais oui, mais oui...

— Toi seule sais comment t'y prendre, Cady. Tu sais comment lui donner vie et personnalité. Personne d'autre n'en est capable.

— Et la règle sacrée de Philip ?

— Quelle règle sacrée ?

— La règle selon laquelle l'elfe ne doit jamais être vu du public.

Leonard poussa un soupir condescendant :

— C'est précisément ce que j'essaie de te faire comprendre. Ce sera la toute première fois ! Personne ne s'y attendra, et il y aura une ovation quand tu entreras en scène. Ça va casser la baraque, ni plus ni moins ! C'est toi qui remettras le prix à Philip.

— Tu veux dire Mr. Woods. Pas moi.

— Mais tu ne saisis pas ? Ce sera à la une des journaux du monde entier !

Malgré ma colère et mon désappointement, cette affirmation me prit de court. Je réfléchis un moment et envisageai une autre possibilité. L'idée me semblait réalisable.

— Écoute, j'ai une suggestion à te faire, dis-je.

— Oui ?

La voix de Leonard trahissait une certaine méfiance.

— Si je faisais toute cette comédie en costume d'elfe et revenais sur scène un peu plus tard sans costume ? Pour... chanter, par exemple ?

Tout d'abord, Leonard ne trouva pas de réponse à m'opposer.

— C'est ça qui les surprendrait vraiment, insistai-je. C'est ça qui ferait un tabac !

— Franchement, je ne crois pas que...

Et il s'interrompit brusquement.

— Tu ne crois pas quoi ?

— Ne le prends pas mal, Cady. Ce n'est pas toi personnellement qui poses problème.

Mais non, bien sûr, pensai-je. *Comme d'habitude.*

— Seulement, poursuivit-il, je ne crois pas que ce soit ainsi que Philip voit la soirée.

— Oh...

Je commençais à comprendre beaucoup de choses.

— Alors, c'est Philip lui-même qui organise son hommage à Philip Blenheim ?

— Disons plutôt que les organisateurs le consultent sur chaque détail. Ils ne veulent pas commettre d'impair.

— Naturellement.

— Il tient vraiment à ce que tu sois présente, Cady. C'est lui-même qui me l'a demandé.

— C'est pour ça qu'il est venu me lécher le cul la semaine dernière aux studios Icon ?

Leonard fit mine de ne rien savoir :

— Je ne te suis plus, mon ange.

— Je crois que tu me suis parfaitement, au contraire. C'est toi qui as tout arrangé avec l'aide de Callum, pas vrai ? Tu savais très bien que Philip et moi, nous ne nous parlions plus. C'est pour ça que tu as provoqué une rencontre. Pour que nous puissions nous rabibocher, et qu'ensuite j'accepte d'enfiler une fois de plus cette capote géante et de remettre un prix à ce connard qui...

— Cady, écoute-moi...

— Callum participera à l'hommage, je suppose ? Oui, forcément.

— Bien sûr, mais...

— Voilà donc pourquoi vous vous êtes tous concertés ! Pourquoi il m'a envoyé une limousine et puis... C'est tellement cousu de fil blanc ! Comment n'ai-je pas deviné tout de suite ? Quelle imbécile je suis !

Leonard répondit par un silence blessé. Puis il parla de nouveau :

— Je n'arrive pas à croire que tu te montres aussi acrimonieuse.

Ce que moi je n'arrivais pas à croire, c'est que Leonard n'eût pas encore pété les plombs et raccroché. En dix minutes, il venait d'accepter de moi plus de reproches que je n'avais osé lui en adresser en dix ans. Tant de bonne volonté ne pouvait signifier qu'une chose : il avait trop besoin de moi pour risquer que je me braque définitivement. De toute évidence, les exigences de Philip avaient été très claires.

— Qu'est-ce qui t'embête ? demandai-je. Tu es à court de nains ?

Leonard resta coi.

— C'est bien ça, n'est-ce pas ?

Je ris amèrement.

— Tu ne trouves personne qui réussisse à entrer dans cette saloperie de costume.

— Ce n'est pas vrai, et tu le sais très bien.

— Va donc voir chez Arnie Green : tu n'y as pas encore pensé ? Il paraît qu'on y trouve des nabots formidables. Faudra peut-être leur couper les pieds, mais quelle importance ? Ou alors, essaie un enfant, ça pourrait marcher. Sans abri, de préférence, hein ? Pour rester dans le politiquement correct !

— Cady, je ne te reconnais plus.

— Et pourtant, Leonard, c'est bien moi. Moi, Cadence Roth ! Telle que je suis quand je n'ai plus besoin de faire attention à ce que je dis. Quand je me fous complètement de ce que tu peux penser !

Et c'est à ce moment qu'il m'a enfin raccroché au nez.

Depuis, il s'est passé plus d'une heure et quoique je sois encore sous le choc, j'ai réussi à me calmer. Comme je m'y attendais, compte tenu de l'évidente urgence de sa mission, Leonard m'a rappelée il y a quelques minutes. Quand j'ai décroché, il a tout de suite commencé à argumenter, sans même prendre la peine de s'annoncer, avec le ton d'un vieux parent indulgent et attristé :

— Depuis combien de temps nous connaissons-nous, Cadence ?

J'ai répondu par un grognement excédé.

— Est-ce que je t'ai jamais mal conseillée ? Est-ce que je t'ai jamais trahie ? N'ai-je pas toujours agi au meilleur de tes intérêts ?

— Économise ta salive, Leonard. Tu ne me persuaderas pas.

— Dis-moi seulement pourquoi.

— Parce que cela me fait trop mal.

— Le costume ? Je suis sûr qu'on peut facilement...

— Non, pas le costume. Tout ce projet tordu. Je suis fatiguée, écœurée, c'est tout. Il faut que je devienne enfin moi-même. Je ne peux pas continuer à vivre comme ça.

— À vivre comment ?

— Invisible.

Après un temps de silence, il répliqua :

— Ç'a pourtant eu quelques bienfaits, tu ne crois pas ?

— Pas assez, à mon avis.

— Pense à tous les gens que tu as rencontrés. À la vie que tu as menée.

— « La vie que j'ai menée » ? C'est précisément ce à quoi je pense, figure-toi.

— Allons ! Elle n'a pourtant pas été si moche que ça.

— Tu crois ? Essaie donc de vivre comme moi, un jour !

— Oui, bon...

Il rit d'un rire forcé.

— Je suppose que sur ce point tu as un peu raison.

Même alors, malgré ma rancœur et mon amertume, l'image de cet éblouissant alignement de stars me revenait à l'esprit pour me tenter. Il me fallait toute ma détermination pour faire taire la gamine pleurnicheuse qui, à l'intérieur de moi, s'obstinait à me dire que je ferais mieux d'envoyer promener mes principes, puisque Meryl, Bette et Barbra seraient présentes et que ce serait certainement l'occasion de faire leur connaissance. Mais je ne pouvais oublier les années d'ostracisme que m'avait fait subir Philip, ni le silence humiliant qu'il m'avait d'emblée imposé. Je serais mieux avisée de rester sur mes positions, pensai-je, de tenter de réussir ma sortie en gardant ma dignité intacte. J'avais besoin de savoir que j'étais au moins capable de cela, que j'avais la force de contrôler seule mon destin, au mépris de tous les miroirs aux alouettes qu'on dresserait sur mon chemin.

— Je te fais perdre ton temps, dis-je fermement.

— Écoute, mon ange...

— Je suis actrice et chanteuse, Leonard. Si tu peux m'aider à chanter et à jouer, c'est parfait. Sinon...

— Tu ne veux pas faire ça pour Philip ?

— Pourquoi voudrais-je faire quoi que ce soit pour Philip ? Lui ne bougerait pas le petit doigt pour moi.

— Ce n'est pas vrai.

— A-t-il déjà choisi la distribution pour sa nouvelle comédie musicale ?

Cette fois, croyez-moi, je lui avais cloué le bec !

— Eh bien, euh... Vois-tu, je n'ai pas beaucoup d'informations là-dessus.

— Tiens, tiens ! Voilà qui m'étonne fort.

— On n'en est encore qu'au stade du script. Mais s'il y a un rôle qui puisse te convenir, je suis sûr que...

— Oui, oui. À d'autres !

— Mais pourquoi réagis-tu de cette façon ?

— Parce que tu es un menteur, Leonard.

— Je ne t'ai jamais menti, protesta-t-il sur le ton de la vertu outragée.

— Et puis quoi encore ?

— Quand ? Quand t'ai-je menti ?

— Quand je t'ai demandé si Callum était revenu. Tu m'as répondu qu'il était à l'université quelque part sur la côte Est.

— Et alors ? Il y était, à ce moment-là.

— Non, Leonard. Il n'y était plus. Il baisait avec un ami à moi dans Griffith Park.

J'entendis sa respiration se bloquer et trouvai ça terriblement jouissif.

— Pas dans le parc, pour être exacte. Chez lui. Le parc, c'est l'endroit où Callum l'a dragué.

— Qu'est-ce que tu insinues ?

— Que Callum était à Hollywood et que tu le savais. Que tu m'as menti effrontément. Pourquoi, d'ailleurs ?

— Cady, c'est à peine si je me rappelle cette conversation.

— Alors, quelle raison aurais-tu pu avoir de me mentir ? Parce que tu te doutais bien que j'essaierais de contacter Callum ?

— Eh bien, je suppose que... Peut-être.

— Peut-être ?

— Ce garçon avait besoin d'être tranquille, Cady.

— Et moi, j'allais lui casser les pieds, le harceler pour qu'il me trouve du boulot et te compliquer la tâche, c'est bien ça ?

Il réfléchit un moment, puis marmonna :

— Oui, j'ai dû penser quelque chose dans ce genre...

— Donc, tu m'as bel et bien menti !

— Oui, euh... D'accord, c'est vrai.

Là-dessus, nous restâmes tous les deux silencieux quelques secondes. Puis il reprit :

— Tu peux être assez... assez tenace, tu sais ?

Je répondis une deuxième fois par le grognement le plus disgracieux dont je suis capable.

— Mais c'est une qualité que j'admire, continua-t-il. Que j'admire beaucoup, même, alors ne le prends pas mal.

Je commençais à avoir le sentiment que je pouvais amener Leonard à dire ou faire ce que je voudrais, éventuellement même à se repentir pour tous les péchés de la terre. Ce nouveau pouvoir me donnait un léger vertige. Rien ne vous rend plus fort, je crois, que d'opposer un « non » catégorique et sans appel à quelqu'un qui a vraiment besoin de vous. Avec un peu de temps, j'aurais pu trouver d'autres façons de le tourmenter, mais soudain je me sentis exténuée, vidée de mon énergie. Il était temps d'en finir une fois pour toutes, me dis-je. Tout ce dont j'avais envie, maintenant, c'était d'être couchée entre les bras de Neil pour pleurer tout mon soûl.

— Il est temps que je te laisse, tranchai-je.

— Cady, je te demande instamment de réfléchir, insista Leonard. Je ne veux pas que tu prennes ta décision tout de suite.

— Je viens de la prendre, Leonard.

— Je te rappellerai dans un jour ou deux. Je t'ai sûrement annoncé trop de choses en une seule fois. Pour le moment, je ne dirai rien à Philip. Il peut facilement trouver quelqu'un d'autre, j'en suis sûr, mais moi, je ne veux pas. Je veux que ce soit toi qui viennes, pour jouer le rôle que tu as créé. Ça sera bon pour ton karma.

Mon karma ? Comme tout le reste avait échoué, Leonard faisait maintenant appel à la métaphysique ! J'aurais presque pu avoir pitié de lui, si cette dernière tentative n'avait été elle aussi d'une hypocrisie aussi patente. Tout ce que Leonard sait du karma, il a dû l'apprendre un jour en faisant des courses au *Bodhi Tree* en compagnie de Shirley MacLaine.

Deux heures plus tard.

Je viens de recevoir un appel de Callum. Le répondeur était branché et je n'ai pas eu envie de décrocher.

« Salut, Cady. Ici Callum. Leonard m'a expliqué ta... euh... ta réaction, lorsqu'il t'a parlé du gala en hommage à Philip. Je voulais te dire que moi, j'aimerais vraiment que tu sois présente. Et je suis sûr que Philip aussi. Il t'admire vraiment beaucoup, crois-moi. Et puis ça promet d'être une soirée fantastique, et sans toi ce ne serait plus la même chose. J'espère que ce n'est pas moi qui t'ai blessée, même si Leonard a l'air de penser que si. Je suis toujours au Château Marmont. Appelle-moi, tu veux bien ? »

C'est ça, petit con : je vais te rappeler, compte sur moi.

Après le dîner.

J'ai plusieurs fois essayé de joindre Neil dans la soirée, mais personne n'a répondu. Renée, de son côté, pense que j'ai perdu la boule. Quand je lui ai annoncé que j'avais refusé de participer au gala, elle m'a regardée bouche bée, en quelque sorte frappée d'horreur :

— Oh, Cady !...

— Ne te fatigue pas, Renée. J'ai entendu tous les arguments.

— Mais s'il a dit qu'il regrettait...

— Qui ?

— Philip Blenheim.

— Il n'a rien fait de la sorte. Il a laissé le sale boulot à Callum et Leonard.

— Mais il n'est pas possible qu'il t'en veuille. Il n'aurait pas insisté pour qu'on t'engage.

— Je me fous du savoir s'il m'en veut ou non. *Moi*, je lui en veux.

Voyant qu'il y avait là une vérité, Renée a abandonné le sujet, mais son visage exprime depuis une mauvaise humeur croissante. Elle reste assise sur le canapé, se bourre de Mini Oreos et boude, le nez dans son magazine. Le message est clair : je me suis conduite comme une idiote irascible et j'ai cédé à un mouvement d'orgueil déplacé. En conséquence, elle me punit par un silence réprobateur de l'avoir délibérément privée d'une étincelante soirée parmi les stars.

Nous avons décidément une curieuse relation, Renée et moi. Tantôt c'est moi qui suis sa maman, tantôt c'est elle la mienne. Je ne sais pas vraiment ce qu'il en est pour le moment, mais son attitude me laisse un goût amer. Si elle a envie de mettre un peu de glamour dans son existence ennuyeuse, pour une fois, elle n'a qu'à le trouver toute seule. Moi, j'en ai par-dessus la tête. Tout ce que je veux, maintenant, c'est pouvoir vivre en accord avec moi-même.

Neil vient d'appeler et je lui ai expliqué ce qui s'était passé. Il m'a proposé de venir me prendre pour que nous passions la fin de la soirée chez lui.

La perspective est loin de me déplaire.

20

Quand Neil m'emmena chez lui, il pleuvait à verse. L'immeuble de briques blanches avait pris une couleur d'eau de vaisselle grisâtre comme un vieux Kleenex, alors que le gazon artificiel brillait comme jamais, d'un vert éclatant, radioactif. J'étais sortie de la maison en hâte, sans imperméable ; aussi Neil m'abrita-t-il sous le sien pour marcher jusqu'à l'ascenseur. Nous formions une bizarre créature à deux bras, quatre pieds et une seule tête qui avançait sous le ciel plombé. L'endroit où je me trouvais — ma tête arrivant à peine au-dessus du genou de Neil — était une niche de sécurité et de paix : ma petite serre à moi, tiède et sentant délicieusement la toile de jean. J'y serais volontiers restée des heures.

Une fois dans l'appartement, Neil me prépara du chocolat chaud. Il avait découvert quelques jours plus tôt que c'était ma boisson préférée lorsque j'avais besoin de réconfort et en avait justement acheté une grande provision pour moi, comme s'il avait senti intuitivement que j'en aurais bientôt sacrément besoin. Pendant le trajet, il avait écouté le récit de mes malheurs avec une attention compatissante, mais sans se livrer au moindre commentaire. Je savais qu'il me dirait ce qu'il en pensait et jugeai préférable de ne pas le presser. Je ne revins à ce sujet que lorsque nous eûmes fini notre chocolat et pris place sous les couvertures, face à face.

— Tu crois que j'ai fait une connerie ?

— En quoi ?

— En refusant.

Ses belles lèvres ébauchèrent un sourire.

— Non, si tu te sens mieux comme ça.

Je répondis que je n'étais pas sûre de me sentir mieux.

— Si tu trouvais dégradant de porter encore une fois ce costume, dit-il, c'était la meilleure chose à faire.

— Je trouvais surtout dégradant qu'on refuse de me voir *sans* ce costume.

— Telle que tu es ?

— Oui, telle que je suis.

Mon regard s'accrocha au sien, plein de reconnaissance pour sa compréhension tranquille.

— Explique-moi quelque chose, Neil...

— Quoi ?

— Pourquoi les gens trouvent-ils Mr. Woods adorable, et moi seulement encombrante ?

— Allons, protesta-t-il, n'exagère pas.

— C'est ce qu'ils pensent, Neil. Ils ne veulent pas l'avouer, mais c'est exactement ce qu'ils pensent.

— Tu dis ça parce que tu es déprimée.

— Non. N'essaie pas de faire virer le tableau au rose. Ce que j'attends de toi, c'est la vérité.

Il cligna deux ou trois fois des paupières, l'air pensif.

— Crois-tu que ce soit parce que je suis une femme ?

— On croirait entendre Streisand ! rugit-il en s'esclaffant.

— Sois sérieux. Crois-tu qu'un homme de ma taille serait plus facile à accepter ?

— Je n'en sais rien.

— Comment me voient-ils, à ton avis ?

— Qui ?

— Les gens.

— C'est difficile à dire, répondit-il après un instant de silence. Une fois qu'ils te connaissent, tu es tout simplement Cady.

— Tu penses qu'ils ont pitié de moi ?

— Pas moi, en tout cas, répliqua-t-il fermement. Je t'admire quelquefois pour ce que tu parviens à endurer sans te plaindre, mais je ne ressens jamais de pitié. Si c'était le cas, je ne pourrais rien vivre avec toi. Tu es la personne la plus forte que je connaisse, Cady. La plus indulgente, aussi. C'est ce qui te rend si belle.

Malgré mes efforts pour la retenir, une larme roula sur ma joue. Neil l'écrasa avec son pouce, tandis que j'écoutais la pluie battante crépiter sur les vitres des fenêtres. J'entendis un crissement de pneus sur la chaussée, puis, brusquement, l'alarme d'une voiture, hurlant au loin comme une bacchante surprise par l'orage.

Au bout d'un moment, je lui demandai :

— Tu trouves réellement que j'ai du talent ?

— Cady...

— Dis-moi la vérité, je t'en prie.

— Je trouve que tu en as beaucoup.

— Et je pourrais séduire le grand public ?

— Séduire le grand public, je ne sais pas trop ce que ça signifie. Mais je pense que tout le monde t'adorerait s'il te connaissait.

— Leonard, lui, trouve que je ne pourrais jamais lui plaire.

— Il te l'a dit ?

— Pas ouvertement, mais je sais ce qu'il pense. Selon lui, je ferais fuir les chevaux, je terroriserais les masses !

— Qu'est-ce qu'il en sait ?

— Dans ce domaine, il sait à peu près tout. Il n'est pas

devenu riche autrement. C'est son boulot, de deviner à l'avance les réactions du public. C'est une vieille tante fielleuse qui possède un authentique David Hockney et une villa somptueuse dans les collines, tout ça parce qu'il fait de l'or en barres en épousant la mentalité d'un plouc des fins fonds de l'Iowa.

— Est-ce qu'on a besoin de lui ? objecta Neil.

— Je doute même qu'il sache que je suis capable de jouer.

— Quelle importance ? Ce n'est qu'un agent.

— Tu sais, j'en suis *vraiment* capable ! Je suis une très bonne actrice quand on m'en donne l'occasion. J'ai beaucoup plus à offrir que ma petite taille.

Je dois avouer qu'il s'agit pour moi d'un point assez sensible. Les premiers temps, quand maman et moi sommes arrivées à Hollywood, nous utilisions mes 79 centimètres comme une carte de visite pour approcher les gens qui comptaient. Par exemple, nous allions au *Comedy Store* un soir où Robin Williams s'y produisait et glissions à l'agent de sécurité un petit mot écrit à la main pour qu'il le lui apporte en coulisse : « Salut, Robin ! Je suis la plus petite femme du monde et je trouve que vous êtes un acteur extraordinaire. Si vous avez envie de me rencontrer, je suis dehors. » C'était d'une effronterie éhontée, mais ça marchait presque à tous les coups — Diana Ross ayant été la plus notable exception —, et tous les mois maman faisait le récit de nos conquêtes dans de longues lettres narquoises à Tante Edie, sans se priver d'enjoliver la réalité.

Mon point de vue à moi, c'était que ma taille pouvait m'aider à atteindre certains objectifs, et je m'en servais donc comme d'un appât — tout en sachant fort bien, au fond de moi, que mon talent et mon énergie étaient assez grands pour qu'on me trouve ensuite intéressante pour d'autres raisons. En fait, c'était surtout maman qui croyait dur comme fer à l'efficacité du procédé. Je n'oublierai jamais le soir où elle me tança vertement parce que j'avais coiffé mes cheveux en un chignon très haut pour assister à une première. « Ça détruit tout l'effet, se désola-t-elle. Tu prends cinq bons centimètres, comme ça. Tu es presque aussi grande que cette fille du Dakota du Nord. » Maman gardait soigneusement tous les chiffres en mémoire.

— J'ai réfléchi à quelque chose, fit Neil.

— Oui ?

— Si nous allions trouver Arnie Green avec quelques bonnes photos de nous deux ?

— Pour quoi faire ?

— Lancer notre tour de chant en duo ! « Riccarton et Roth ». Le moment est venu, tu ne crois pas ?

— « Riccarton et Roth » ?

— Oui. Ça sonne bien, non ?

— Si on aime être le second sur l'affiche.

— D'accord, dit-il en riant. « Roth et Riccarton », si tu préfères !

Je testai alors le rythme de ces mots en les répétant plusieurs fois dans ma tête.

— Non, tu as raison, dus-je reconnaître. « Riccarton et Roth », ça sonne beaucoup mieux.

Il me caressa les cheveux :

— Je connais un type qui tient une boîte au coin de la rue. On y donne des numéros de variétés. Il ne nous prendrait sans doute pas tout de suite, mais pour l'*Open Mike Night* nous ferions un tabac. Et ensuite... eh bien, qui sait ?

— Oui, ce serait un début.

Il fronça les sourcils :

— Tu trouves ça minable, hein ? s'enhardit-il.

— Pas du tout. Ça ne serait pas mal.

Pas aussi bien qu'une soirée avec Meryl, Bette, Barbra et Madonna, mais pour une fois j'essayai de toutes mes forces de modérer mes ambitions. Je commence à comprendre que ce sera nécessaire si je veux survivre dans cette ville. Tout bien considéré, une *Open Mike Night* à North Hollywood est préférable — par exemple — au démarchage par téléphone ou je ne sais quelles pubs idiotes dans lesquelles on ne verrait même pas ma bobine. J'étais tombée bien plus bas que cela, et pourtant je m'étais toujours débrouillée pour m'en relever.

Neil se leva pour allumer une cigarette, puis revint s'étendre près de moi en fixant pensivement le plafond.

— Il faut que nous nous trouvions un look qui ait de la classe, dit-il, entraîné par son idée. Pour moi, un smoking avec un nœud papillon assorti à ta robe, par exemple.

— Oui, ce serait joli.

— Et tu pourrais chanter assise sur un de ces grands tabourets de bar, sous un spot, tu vois ?

J'objectai que ma voix portait mieux si j'étais debout.

— Bon, alors nous te construirons un piédestal, avec une rambarde pour que tu ne risques pas de tomber. Je pourrais le pousser devant moi avant ton entrée. Ce serait une façon de t'annoncer, une sorte de signe distinctif, quoi !

— Tu crois qu'on pourrait y adapter des marches ?

— Bien sûr.

— Il vaudrait mieux que tu n'aies pas besoin de me porter, expliquai-je. Ça crée moins de malaise dans le public.

— Vraiment ?

Il semblait étonné, comme s'il n'y avait jamais songé.

— Si, si, je t'assure. Mais l'idée du piédestal est excellente. Elle me plaît beaucoup.

— Je m'en doutais.

Je souris, mais avec lassitude.

— Tu es sûr que ça pourrait marcher ? demandai-je avec une moue dubitative.

— Absolument certain.

Il me caressa la joue.

— Tu peux rester cette nuit ?

Je lui répondis que j'en avais bien l'intention.

— J'en ai, de la chance.

— Nous pouvons essayer de former ce duo, Neil, mais je n'ai pas besoin d'un Pygmalion.

— Je sais, Cady.

— D'ailleurs, je suis mon propre Pygmalion, insistai-je.

— Hé là ! protesta-t-il. Moi, je ne suis que pianiste.

— Tu veux seulement jouer ? Pas chanter de duos ?

— Si tu veux, acquiesça-t-il en riant.

— Des duos, ce serait bien, je crois.

— Alors, nous en ferons. Autant que tu voudras.

Je lui fis remarquer qu'il ne devrait pas se montrer si docile, car je risquais d'en profiter.

— Je suis seulement content que tu restes pour la nuit, dit-il.

Tandis que de grandes gifles de pluie continuaient de claquer contre les vitres, il nous prépara un bon dîner — un ragoût de bœuf avec une salade et du pain frotté d'ail. En l'attendant, je regardai la télévision au lit, apaisée par l'odeur de la viande en train de cuire et les bruits qu'il faisait dans la cuisine et qui me parvenaient étouffés. L'écran, cependant, entre deux récapitulations des événements de la journée, déversait des images des auditions de témoins dans le cadre de l'affaire du juge Clarence Thomas, où l'on avait entendu les dépositions les plus étonnantes depuis le début de la procédure.

— Ça alors, c'est incroyable ! m'écriai-je soudain.

Neil déboula aussitôt, un grand tablier blanc de boucher noué autour de la taille et tenant une louche à la main comme un sceptre.

— Qu'est-ce qui se passe ? s'inquiéta-t-il.

— Apparemment, pour draguer Anita Hill, son accusatrice, Thomas lui avait raconté qu'il avait une bite aussi longue que celle de Long Dong Silver !

— Qui ça ?

— Tu sais, cet acteur porno...

— Tu le connais ?

— Je l'ai vu. Mon ami Jeff m'a montré un magazine où il posait, une fois. Il a une immense bite toute mince qui lui pend jusqu'aux genoux. On dirait un bout de tuyau d'arrosage. Un vieux tuyau inutilisable. Et sur une des photos, il y avait fait un nœud.

— Tu es en train de te payer ma tête, protesta Neil en riant.

— Pas du tout, cher monsieur. Et si nous en parlons, on doit en parler tout autant à la direction des chaînes.

Neil rit plus fort.

— En ce moment même, ils doivent regarder cette photo et interroger leur conscience pour décider si c'est quelque chose que l'Amérique a réellement besoin de voir de ses yeux. Qu'ils la montrent donc ! Qu'ils fassent voir au monde entier quel ignoble porc est ce Clarence Thomas !

— Comment peux-tu être si sûre qu'elle ne ment pas ? objecta-t-il.

— Quelle raison aurait-elle de mentir, Neil, alors qu'elle se retrouve sur la sellette et doit rendre publique une histoire de bite ?

— Parce qu'il l'a plaquée, tiens.

— *Plaquée ?*

— Ou du moins parce qu'il a refusé ses avances. On sent bien qu'il l'excitait beaucoup.

— Je t'en prie ! m'exclamai-je en levant les bras au ciel.

— Et puis, il a épousé une Blanche.

— Et alors ? C'est une raison pour se venger ?

— Pour certaines femmes noires, ça peut en être une. À leurs yeux, c'est le pire crime qu'on puisse commettre.

— Regarde-la donc, dis-je en lui désignant sur l'écran ce visage calme et digne. Est-ce qu'elle te fait l'effet d'une raciste ? Voyons, Neil, elle était professeur de droit civil !

— Oui. À l'Oral Roberts University.

— Et alors ?

— Alors, je ne trouve pas qu'il y ait de quoi se vanter. C'est comme... c'est un peu comme enseigner l'écologie chez Exxon, tu vois.

Je réfléchis à ces mots quelques secondes, puis lui décochai un regard irrité.

— Retourne donc à ton ragoût, maugréai-je.

Nous dînâmes assis sur le lit. Au cours de la soirée, les

médias, avec leur habituelle complaisance dans le sordide, firent répéter au moins quatre cents fois à la pauvre Anita Hill les mots « longue comme celle de Long Dong Silver » : impossible de changer de chaîne sans tomber précisément sur le moment où elle les avait prononcés, et sur la vision affligeante de cette ribambelle d'hommes blancs d'un certain âge qui l'écoutaient (Teddy Kennedy tout particulièrement) en faisant les plus louables efforts pour garder un visage impassible.

Au bout d'une heure, écœurés par ce spectacle, nous coupâmes la télé. Je me sentais doucement engourdie par le bruit de la pluie et l'agréable sensation d'avoir l'estomac plein. Voyant que je m'assoupissais, Neil éteignit la lumière et se glissa dans le lit à côté de moi en ramenant les couvertures sur nos deux corps. Je me blottis contre lui et plongeai dans un profond sommeil.

Quand le soleil, filtré par le store, me réveilla, j'étais seule dans la pièce. Entendant que Neil s'activait dans la cuisine, je me laissai tomber à bas du lit, vêtue seulement d'un T-shirt, redonnai une allure présentable à ma coiffure et allai le rejoindre. Je le trouvai occupé à faire le ménage avec une énergie quasi vengeresse : vidant les restes des assiettes dans la poubelle, épongeant la desserte, emballant des ordures, etc.

— J'espère que ce n'est pas en mon honneur que tu fais ce grand nettoyage, dis-je.

— Je crois que je deviens gâteux, répondit-il. J'avais complètement oublié ce qui était prévu pour ce matin.

— Tu as rendez-vous avec une autre fille et elle arrive dans cinq minutes, c'est ça ?

Il rit, mais brièvement et, je le sentis, non sans une certaine amertume.

— Linda doit m'amener Danny.

— Oh...

— Ce n'est pas son jour habituel, mais elle m'a appelé dimanche pour me demander de lui accorder ce service. Le problème, c'est que ça m'était totalement sorti de la tête. Je suis désolé, vraiment.

— Je peux très bien partir tout de suite. Tu veux que j'appelle un taxi ? proposai-je.

— Mais non. Pas du tout.

— Ça ne me vexerait pas, tu sais ?

Il haussa les épaules et me regarda d'un air penaud :

— Inutile. De toute façon, ils seront là dans dix minutes.

En d'autres termes, il n'y avait plus rien à faire et il nous faudrait vaille que vaille affronter la situation. Rien d'étonnant à ce que Neil semblât quelque peu paniqué. J'étais seulement agacée qu'à cause de cet oubli, un très important premier contact dût se produire dans la précipitation.

— Tu as besoin de quelque chose ? me demanda-t-il.

— Non. Ou plutôt si, d'un gant de toilette mouillé.

— Tout de suite.

— Tu as toujours mon T-shirt vert, celui que j'ai laissé ici la dernière fois ?

— Bien sûr.

— Alors, apporte-le-moi aussi, s'il te plaît.

Il me laissa ensuite seule dans la chambre. Je me déshabillai et me débarbouillai en catastrophe devant le miroir du placard, puis j'enfilai le T-shirt — fraîchement lavé, au moins, et d'une couleur seyante —, mis un peu de poudre et de rouge à lèvres et sortis mon vaporisateur pour m'asperger de quelques gouttes de « Charlie ». Après un nouvel effort pour domestiquer mes cheveux ébouriffés, je jetai la brosse, exaspérée. C'était certes pour Linda que je faisais tout cela, mais je serais incapable de vous dire précisément pourquoi.

Je retournai bientôt au salon, où Neil ramassait des journaux éparpillés par terre.

— Tu as besoin d'un coup de main ? demandai-je.

— Non, ça ira. Tu es très jolie, comme ça.

Je répondis par un grognement dubitatif.

— Je suis désolé, vraiment, répéta-t-il.

— Ça n'a pas d'importance.

— Elle ne restera pas, tu sais. Elle fait juste un crochet pour m'amener Danny.

— Mais tu auras besoin d'un peu de temps seul à seul avec lui. Appelons un taxi maintenant, et...

— Non, m'interrompit-il. C'est moi qui te reconduirai tout à l'heure.

— Comme tu voudras, dis-je en haussant les épaules.

— C'est un gentil gamin, Cady. Il ne mord pas !

— Et si c'était moi qui mordais les enfants ? rétorquai-je.

Il se mit à rire et laissa tomber sa pile de journaux sur la table à l'instant où l'on sonna à la porte.

Malgré moi, je sursautai légèrement :

— Elle est toujours à l'heure ?

— Toujours, fit-il en se dirigeant vers la porte.

Je lissai mon T-shirt et attendis, m'éloignant pour qu'il ait tout le loisir d'expliquer ma présence et d'amener en douceur le moment des présentations. Il ouvrit la porte toute grande, laissant apparaître une Linda très simplement vêtue — pantalon noir, chemisier en vichy et lunettes noires — et, se tenant très raide contre sa jambe droite, le ravissant petit garçon au regard coléreux qui rendait inévitables ces face-à-face entre ex. Danny portait des bottes de cow-boy en vinyle, un jean et une chemise en velours côtelé d'un bleu-vert très vif. Tandis que son père et sa mère se disaient bonjour, ses yeux se promenèrent dans la pièce et s'arrêtèrent bientôt sur moi : inconsciemment, il avait dû sentir qu'une autre créature vivante se trouvait dans les parages, et à hauteur de son regard de surcroît. Il me sembla qu'il mesurait environ trente centimètres de plus que moi.

— J'espère que nous ne sommes pas en retard ? demanda Linda.

— Non, vous êtes rigoureusement à l'heure, répliqua Neil. Salut, Skeeter !

— Bonjour, papa.

— Regarde qui est là.

Neil, subitement rayonnant, me désigna d'un geste.

— Figure-toi que nous étions en train de répéter...

— Bonjour, dit Linda. Comment allez-vous, Cady ?

— Très bien, merci.

— Danny, je te présente Miss Roth... commença-t-elle.

— ... La dame avec qui je chante, acheva Neil.

L'enfant n'avait pas cessé de me scruter du regard. Je m'approchai de lui, avec le visage le plus amical possible, pour lui permettre de voir comment fonctionnait le drôle de machin qu'il avait devant lui.

— Salut, Danny !

Je levai les yeux vers Neil.

— C'est quoi, cette histoire de Skeeter ?

— Un petit surnom, m'expliqua Neil en souriant.

— Je préfère Danny, avouai-je en tendant la main au petit garçon.

Il la serra comme il se devait — quoique un peu mollement — mais évita mon regard.

— Voilà ses gouttes pour les oreilles.

L'ex-Mrs. Riccarton tendit à Neil un sachet de papier kraft.

— Les indications sont sur la boîte.

— Compris.

— Tu peux m'appeler chez Vonda à partir de six heures ce soir, si tu veux.

— Parfait.

— Ravie de vous avoir revue, Cady.

— Pareillement, répondis-je avec courtoisie.

— Et surtout, pas de bêtises. Promis ?

Il s'écoula quelques fractions de seconde déconcertantes où je crus qu'elle s'adressait à moi. Puis, heureusement, je la vis donner de petites tapes sur les cheveux de son fils, trois petites tapes mécaniques, à intervalles réguliers. C'était le geste que Neil m'avait décrit un jour, froid, économe, désincarné ; le geste que dut faire mon père la dernière fois qu'il a posé les yeux sur moi — du moins c'est ainsi que je l'ai toujours imaginé.

Linda s'en retourna sans même avoir mis le pied dans l'appartement. Je me demandai si c'était son habitude, ou une manière à elle de faire passer à Neil un message concernant ma présence chez lui. À peine la porte était-elle refermée que Danny passa devant moi et fila en ligne droite vers sa chambre.

— Hé, Skeeter, ne sois pas si pressé ! cria Neil, d'un air d'exaspération joviale.

J'étais consciente qu'il faisait de son mieux pour alléger l'atmosphère.

— Dès qu'il arrive, m'expliqua-t-il ensuite, il faut qu'il se précipite pour voir si toutes ses affaires sont là, vérifier que personne n'y a touché.

Je lui répondis par un sourire.

— Je suis vraiment désolé, répéta-t-il.

— C'est toujours aussi expéditif ?

— Quoi ?

–– La relève de la garde.

— Aujourd'hui, c'était plutôt mieux que d'habitude, répondit-il. Au début, elle ne montait même pas jusqu'au palier : elle s'arrêtait au bord du trottoir et attendait que je lui fasse signe par la fenêtre que Danny était arrivé à bon port.

Je restai silencieuse quelques secondes, puis tournai les yeux dans la direction où Danny avait disparu.

— Il est très mignon, commentai-je.

Neil acquiesça de la tête.

— Et il a de la chance d'avoir un papa comme toi.

— Je ne sais pas. Je fais ce qu'un père normal est censé faire. En espérant ne pas me tromper. C'est tout.

— Alors, je le répète : il a de la chance. Des tas de gens n'ont jamais eu droit à ça, tu sais ? Pas moi, en tout cas.

Je lui souris.

— Ce doit être pour ça, que j'aime les types grands et protecteurs.

Cette petite démonstration d'autoanalyse me fit rougir d'embarras, et je ne lui donnai pas le temps de réagir :

— Il vaut mieux que je parte, maintenant. Pour lui, c'est déjà beaucoup en une seule fois.

Neil prit une expression de chien battu :

— Il sait déjà qui tu es, Cady, objecta-t-il.

— Oui. La dame qui chante avec toi.

— Et aussi une grande amie.

— Peu importe, murmurai-je.

Je cherchai des yeux le téléphone sans fil, pensant appeler moi-même un taxi. Neil le laisse généralement par terre, quand je suis là, mais il l'avait replacé sur son support dans les fébriles préparatifs qui avaient précédé l'arrivée de Linda. J'allais lui demander de me le donner, quand Danny fit soudain son apparition.

— Rebonjour, lui dis-je. Ton père m'a appris que toi aussi, tu joues du piano.

— Oui. Un peu.

— Il va même jusqu'à prétendre que tu en joues très, très bien, insistai-je.

Le garçon haussa les épaules d'un air maussade.

— Danny, regarde les gens en face quand ils te parlent, intervint son père, qui résistait de moins en moins bien à la tension ambiante. Oui, c'est un grand pianiste, reprit-il en se tournant vers moi. Tu veux bien jouer quelque chose pour Miss Roth, Skeeter ?

— Non.

— Pourquoi ?

— J'suis fatigué.

— Neil, m'interposai-je, je crois qu'il vaudrait mieux...

— Fatigué ?

Neil ne m'écoutait pas.

— Il est dix heures du matin !

— J'ai pas envie ! trancha le gamin.

Puis il tourna les talons et regagna sa chambre d'un pas lourd.

Neil me lança un regard désolé.

— Je le comprends, le rassurai-je.

— Moi pas. Il sait très bien qu'il ne doit pas se conduire comme ça. Je vais lui dire deux mots. Attends ici, s'il te plaît.

Neil me laissa là et rejoignit son fils. Je poussai un sou-

316

pir qui exprimait l'exaspération générale, puis je me dirigeai vers les toilettes. Par chance, la porte était ouverte et je pus me glisser sans peine à l'intérieur, tirant la porte derrière moi comme je pus.

Une fois à l'intérieur et assise sur le siège, je m'aperçus que la pièce contiguë était justement celle où se réglaient des comptes entre le père et le fils. Je n'entendais que des fragments de leur dialogue, un peu comme sur un autoradio lorsqu'on roule dans un tunnel ; néanmoins, le ronronnement sévère mais posé de la réprimande qu'inflige à son enfant un parent qui se veut moderne était facilement identifiable. Je distinguai d'abord les mots « impoli » et « pas gentil », puis, en tendant l'oreille, des bribes de phrase : « ... vraiment pas ainsi que je t'ai élevé », « ... pas sa faute si elle est comme ça ». Ensuite, ce fut la voix de Danny qui prit le relai. J'entendis : « ... m'est égal », « trop bizarre », et, enfin, « Elle me dégoûte ! »

Mon pipi fait, je battis en retraite aussi vite que je pus. J'allai prendre mon sac dans la chambre de Neil et retournai dans le salon. Neil revint une minute plus tard, la main posée légèrement sur l'épaule de Danny, comme si le pauvre gosse n'était plus qu'un prévenu qu'il conduisait en garde à vue.

— Alors, me lança-t-il d'un ton un peu trop gai, c'est l'heure de mettre les voiles ?

— Je pense, oui.

— Regarde comme le temps s'est éclairci.

— Hmm. En effet.

— Si on s'arrêtait en route pour manger une glace ?

Je lui objectai que Renée devait m'attendre à la maison.

— Bon, alors... euh... Comme tu voudras.

Nous quittâmes donc l'appartement tous les trois, le père et le fils en tête. Ils m'attendirent à côté du minibus, et Neil me hissa sur le siège arrière en continuant de commenter d'un ton léger la brièveté de l'orage de la veille et la soudaineté avec laquelle le ciel s'était éclairci au matin. Puis, tandis que nous roulions, il expliqua à son fils que j'étais une merveilleuse chanteuse, que j'avais joué Mr. Woods et que, ce matin, j'étais arrivée de très bonne heure, très impatiente, pour répéter notre nouveau tour de chant.

Danny, assis à son côté, ne pipait mot.

21

Un jour plus tard (Dieu merci!).

Neil m'a appelée ce matin pour me demander de lui pardonner le comportement de son fils.

— Ça ne lui ressemble pas du tout, a-t-il insisté.

— Ce n'est pas grave.

— La seule explication, c'est que Linda lui a peut-être dit quelque chose...

— À notre sujet, tu veux dire?

— Oui. Peut-être.

— Justement, est-ce que tu lui as tout raconté?

J'étais sûre qu'il n'avait pas parlé de nous à Danny — et qu'il ne le ferait probablement jamais — mais je n'avais encore aucune certitude sur ce qu'il avait ou non révélé à son ex-femme.

— Elle sait que nous sommes amis.

— Ce n'est pas ce que je te demande.

— Alors... non. Pas le reste.

— Dans ce cas, comment aurait-elle pu en parler à Danny?

— Je ne sais pas, répondit-il avec embarras. Il n'est pas impossible qu'elle ait deviné.

— Et ça te gênerait?

— Non.

— Épargne-moi ces bêtises, Neil. Si tu es inquiet à l'idée que ton fils ait pu découvrir quelque chose...

— Je ne suis pas inquiet. J'essaie seulement de m'expliquer pourquoi il s'est conduit de cette façon.

— Je trouve qu'il n'y a rien à lui reprocher, répliquai-je. Il a fait de son mieux, compte tenu des circonstances.

Neil comprit le sens de mes mots, j'en suis sûre, mais préféra n'y rien répondre. Il opta virilement pour une échappatoire et changea de sujet :

— J'ai appelé Arnie Green hier.

— Ah oui ? À quel sujet ?

— Tu le sais très bien. « Riccarton et Roth ».

— Oh...

— Il pense qu'il peut nous trouver du boulot, Cady. Il trouve que c'est une excellente idée.

— Tu ne m'étonnes pas : il trouve aussi que faire danser des caniches est une excellente idée.

Neil resta silencieux.

— Oublions tout ça, d'accord ? ajoutai-je.

— Cady, écoute... Si tu veux essayer une autre agence...

— Non. Je n'ai plus envie de le faire, c'est tout.

— Bon, comme tu veux.

Il parlait d'une toute petite voix, comme je ne l'avais jamais entendu faire.

— J'ai d'autres idées, repris-je. Et je n'ai pas envie de les galvauder en les servant au patron d'une agence de ringards comme celle d'Arnie Green.

Comme c'était Arnie qui m'avait le premier mise en contact avec Neil, je savais que ces mots lui feraient du mal, mais tant pis. Je *voulais* qu'ils fassent mal. Je voulais que Neil éprouve au moins un peu de la douleur qui m'accablait.

— Dans ce cas, hasarda-t-il sur un ton penaud, si tu as besoin d'aide...

— Non, merci.

— Tu as envie qu'on aille voir un film, cette semaine ? Ou dîner dans un endroit sympa ?

— Non, pas vraiment.

— Cady, si j'ai dit quelque chose qui...

— S'il te plaît, Neil, laisse tomber. D'accord ?

— Mais je ne veux pas que tu...

— Écoute, je n'ai pas en ce moment l'énergie suffisante pour fournir un effort d'indulgence. Vraiment. Il faut que toi aussi tu réfléchisses de ton côté. Moi, j'ai mieux à faire.

Là-dessus, je raccrochai — ou plutôt pressai le petit bouton de mon téléphone sans fil —, rayant Neil de ma vie par ce seul petit geste, mesquin et mélodramatique à la fois. Presque instantanément, j'éclatai en sanglots. Je m'effondrai sur le sol et pleurai, pleurai jusqu'à ce que mes yeux n'eussent plus de larmes. Quand j'eus la certitude qu'il ne rappellerait pas, je me remis tant bien que mal et marchai jusqu'à la cuisine pour me faire cuire des œufs.

Quand, enfin, le téléphone a sonné de nouveau, peu avant midi, c'était Jeff qui m'appelait. Apparemment, j'ai libéré des hordes de furies lorsque j'ai parlé à Leonard de la rencontre entre Jeff et Callum à Griffith Park. Jeff m'a appris que Callum lui avait téléphoné dans une colère noire, car lui-même avait reçu de Leonard un coup de fil rageur, au cours duquel mon agent bien-aimé l'avait accusé de se conduire « de manière totalement antiprofessionnelle à un moment particulièrement délicat de sa carrière ». Si le moment est particulièrement délicat, c'est, semble-t-il, parce que le GLAAD a lancé dans tous les médias une campagne contre *Réaction viscérale*, en décrivant le film comme un exemple type de l'homophobie hollywoodienne. Leonard a même informé Callum que des « activistes » ont en outre menacé d'empêcher le tournage d'une scène cruciale en extérieur la semaine prochaine.

Comme vous pouvez l'imaginer, Leonard est hors de lui. Que se passerait-il si un journaliste de la presse à sensation — ou, pire encore, un militant du GLAAD — surprenait la très virile vedette du film en train de s'amuser avec un petit camarade à Griffith Park ou dans quelque autre lieu de drague à ciel ouvert ? Selon Jeff, que cette soudaine panique plonge dans le ravissement, Callum a dû rassurer Leonard en lui jurant ses grands dieux qu'il n'avait folâtré dans les buissons qu'en une ou deux occasions et n'avait jamais recommencé après sa rencontre avec Jeff. Pour sa part, ce dernier n'en croit pas un mot, mais il prétend qu'il s'en fout, et pour une fois je le crois.

Callum a en outre accusé Jeff d'avoir mobilisé lui-même les gens du GLAAD, ce qu'il a farouchement nié (à Callum d'abord, puis à moi). Il y avait des tas de copies du script en circulation, a-t-il répliqué, et aussi des tas d'homos exaspérés qui infiltraient les studios ces temps-ci.

Je lui ai demandé si, parmi les militants du GLAAD, on savait que Callum était gay.

— Bien sûr.

— C'est toi qui le leur as dit ?

— Cadence, voyons !...

Il semblait piqué au vif.

— Seulement, a-t-il poursuivi, j'ai couché avec ce mec pendant des mois, et je ne vis pas totalement coupé du monde, figure-toi. J'ai des amis, j'ai une vie. Après tout, c'est lui qui est censé être invisible. Pas moi !

— Callum sait-il qu'ils sont au courant ?

— Il ne m'en a pas parlé et je ne le lui ai pas demandé.

— Que t'a-t-il dit exactement ?

— Que tu avais vendu la mèche à Leonard au sujet de Griffith Park, et qu'il aimerait bien que je te demande gentiment d'être plus prudente à l'avenir.

— Et qu'as-tu répondu ?

— Qu'il n'avait qu'à faire ses commissions lui-même s'il avait des reproches à te faire.

— Il ne m'en fera aucun, affirmai-je.

— Pourquoi ?

— Parce qu'il est obligé d'être *très* gentil avec moi.

— Et pour quelle raison ?

Je lui expliquai ce qui s'était passé : l'affaire de la soirée d'hommage, la comédie que m'avaient jouée Philip, Callum et Leonard, et, pour finir, mon refus catégorique, qui équivalait à faire avorter le brillant come-back de Mr. Woods. Quand j'en eus terminé, Jeff réagit seulement par un long silence interloqué. Puis il me demanda :

— Tu es vraiment décidée à ne pas le faire ?

— Absolument.

— Tu es sûre que c'est mieux ainsi ?

— Bon sang, Jeff, soupirai-je, si *toi,* tu ne me comprends pas, alors qui me comprendra ?

— Je sais, je sais. Mais Bette Midler *et* Madonna...

— Jeff...

— Je comprends ta position de principe et je devine bien quels sont tes sentiments, crois-moi...

— Mais ?

— Eh bien... Je ne sais pas.

— Moi, je sais, sifflai-je entre mes dents.

— Et s'ils trouvent quelqu'un d'autre pour enfiler ce putain de costume ? Ils vont essayer, c'est certain.

— Quelqu'un d'aussi petit que moi ? Ça m'étonnerait qu'ils trouvent !

— Tu es bien sûre de toi !

Je rétorquai que si jamais ils trouvaient une autre personne, eh bien ! ce serait tant pis. Je n'en ferais pas un drame.

— Tu as raison, finit-il par admettre. Qu'ils aillent se faire foutre, ces salopards ! C'est exactement comme ça qu'il faut réagir. C'est la seule façon d'avoir un tant soit peu de pouvoir sur eux.

— Merci.

— À moins que...

— À moins que rien du tout ! coupai-je, agacée.

— Non, attends une minute...

— Jeff !

— Et si tu apparaissais sans costume ?

— Mais je viens de t'expliquer que...

— Non. Tu n'as pas compris ce que je veux dire. Si tu portais le costume, ou si tu acceptais de le porter, si tu faisais les répétitions et tout le toutim, et si ensuite, au dernier moment, tu retirais le costume et... Tu saisis ? Juste avant d'entrer en scène.

J'accueillis d'abord cette idée par le silence glacial qu'elle me semblait mériter.

Jeff continua :

— Ils ne pourraient plus t'arrêter, à ce moment-là ! Tout le monde les trouverait trop ignobles, s'ils essayaient.

— OK, Einstein. Et ensuite ?

— Ensuite ? Tu chanterais. Ou n'importe quoi d'autre : à toi de voir !

— Sans répétition, sans discussion préalable avec l'orchestre ? J'attraperais un micro placé sur un pied d'un mètre cinquante de haut et je commencerais à chanter ?

— Pour le micro, quelqu'un pourrait t'aider. Quant à l'orchestre, peu importe. Tu n'as qu'à chanter *a cappella*. C'est encore mieux, pour mettre en valeur ta voix.

— Jeff, réfléchis un peu ! Philip Blenheim sera sur la scène, debout devant moi, attendant que je lui remette son prix.

— Eh bien, tu chanteras pour Philip Blenheim. Ce sera ta manière à toi de lui rendre hommage. Le public trouvera ça charmant, et tout ce qu'il pourra faire, c'est rester planté sur place et t'écouter avec un sourire Ultra-Brite.

Jeff partit d'un rire triomphant.

— Ce serait absolument génial ! Crois-moi, Cadence, voilà exactement ce que tu dois faire.

Ce que je ressentais à ce moment était un étrange mélange d'irritation, d'effroi et de totale exaltation. Car, en un éclair, je réalisai que Jeff avait raison. Il était temps que je commence à me considérer moins comme la victime d'une guerre qui n'avait rien de sainte, et plus comme un guérillero. Pourquoi tirer rageusement ma révérence en silence au moment même où s'offrait la plus belle occasion de ma vie de frapper un grand coup ? À quoi bon camper sur mes positions par souci de ma dignité si personne n'en savait jamais rien ?

— Mon Dieu, Jeff... Tu crois ?

— Je ne crois pas. Je sais !

— Mais c'est Mr. Woods qu'on annoncera...

— Et c'est alors qu'entrera sur scène un très élégant petit bout de femme, absolument sûre d'elle et de son identité. Crois-moi, Cadence, j'en ai déjà le frisson !

Moi aussi, j'en avais le frisson, mais pour des raisons différentes. Qu'adviendrait-il, par exemple, si je n'arrivais pas à m'extirper du costume à temps ? Ce truc est une vraie prison de latex et de câbles, très lourde, et non, pas un léger voile que je pourrais jeter en quelques secondes comme Salomé à la fin de sa chorégraphie. Et si quelqu'un remarquait mon strip-tease et m'empêchait d'aller plus loin avant que j'aie le temps d'apparaître aux yeux du public ? D'un autre côté, il s'agissait seulement d'un gala dans la salle de bal d'un grand hôtel, non d'un plateau de cinéma surpeuplé et rigoureusement surveillé. Avec quelques éléments de diversion soigneusement préparés et un complice efficace, l'opération ne serait peut-être pas si difficile à réussir.

Jeff avait dû entendre tourner les rouages de mon cerveau au bout du fil.

— Je sais que tu te représentes déjà la scène, dit-il sur son ton le plus encourageant.

— Oh, oui !

— Alors, qu'est-ce qui te fait hésiter ?

— Je ne sais pas. La frousse, je suppose.

Il rit.

— Tu vois quelque chose qui pourrait foirer ?

— Un million de choses !

— Et... ce serait grave, pour toi ?

— Non.

— Alors ?

— Tu m'aideras ? demandai-je.

— Volontiers, mais... et Neil ? Le show-business, il connaît ça beaucoup mieux que moi.

— Si je voulais qu'il soit là, je le lui demanderais, répliquai-je froidement.

— Oh... Excuse-moi.

— Donc, tu m'aideras ?

— Que faudra-t-il que je fasse ? interrogea Jeff.

— D'abord, que tu restes avec moi pour m'aider à sortir de cette saloperie de scaphandre en latex.

— Le latex, ça me connaît, chérie !

— Je m'en doute.

Sa propre grivoiserie le fit exploser de rire, mais il se calma subitement : à l'évidence, il commençait à sentir le poids de la responsabilité qui lui incombait.

— Je pense à quelque chose, tout à coup ! s'inquiéta-t-il. S'ils te demandaient d'entrer en scène avec Callum ? Habillée en Mr. Woods, bien sûr. Vous seriez obligés d'attendre ensemble en coulisse...

— Aucun risque. Ça ferait trop de surprises en même temps : Jeremy devenu grand et la première apparition de Mr. Woods ? Le public aurait du mal à tout absorber d'un coup.

— Je ne sais pas, murmura Jeff, songeur. Ils pourraient se dire que l'idée, à cause de la différence de taille, est extrêmement touchante...

— Peut-être, mais ce n'est pas le genre d'idée qu'aurait Philip Blenheim. Il voudra que l'elfe entre en scène tout seul. À mon avis, Callum apparaîtra le premier et c'est lui qui annoncera Mr. Woods.

— Si tu le dis... En tout cas, arrange-toi pour avoir une loge individuelle. De cette façon, tu pourras rester cachée jusqu'au dernier moment.

— Excellente idée !

— Et ne permets à personne de discuter tes conditions. Dans cette affaire, c'est toi qui as toutes les cartes en main.

Je sentis ma gorge se serrer en imaginant ma petite niche personnelle entre les loges de Bette et de Barbra.

— Maintenant, il vaudrait mieux que je raccroche et que je l'appelle, annonçai-je.

— Qui ?

— Leonard.

— Non. Attends que ce soit lui qui téléphone. Et n'accepte qu'avec beaucoup de réticence. Après tout ce que tu lui as balancé, tu ne dois surtout pas te montrer enthousiaste tout à coup. Ça pourrait éveiller ses soupçons.

— Oui, tu as raison.

— Mais ne sois pas agressive non plus, sinon il risque de craindre une quelconque vengeance de ta part.

— Quel remarquable criminel tu ferais, Jeff !

— Tout est dans la nuance, insista-t-il.

— Il faut que je te laisse, maintenant. J'ai besoin de réfléchir.

— Je croyais que tu étais décidée ?

— Oui, je suis décidée. Seulement, j'ai besoin d'un peu de temps pour me faire à cette idée.

J'hésitai un instant.

— Encore une question, Jeff. Et réponds-moi franchement, s'il te plaît.

— Laquelle ?

— Tu ne fais pas tout ça uniquement pour foutre Callum dans le caca ?

Lui aussi hésita un peu, puis rétorqua :

— Pourquoi ça le foutrait dans le caca, comme tu dis ?

— Eh bien... Ce n'est pas du tout ce qu'ils avaient prévu.

— Non. C'est cent fois mieux ! Personne ne sera lésé, Cadence. Le changement de programme se fera à l'avantage de tous les participants, qu'ils le veuillent ou non. Tu verras. Blenheim lui-même reconnaîtra après coup que c'est plus intéressant, plus émouvant.

— D'accord, dis-je. Ce sera ta faute, si nous nous retrouvons à « crawler dans la merde ».

— Quoi ?

— C'est une des expressions préférées de Leonard, expliquai-je en gloussant de rire.

— M'étonne pas, grommela Jeff.

— J'essayais seulement de me montrer un peu hollywoodienne pour te charmer...

— Eh bien, le charme n'agit pas !

— Je te laisse, maintenant.

— Appelle-moi dès que tu auras des nouvelles de ce connard.

— Compte sur moi.

— C'est la plus brillante idée que j'aie jamais eue de ma vie, proclama Jeff modestement.

Je passai les deux heures qui suivirent à faire les cent pas dehors dans un état proche du délire : les idées se bousculaient dans ma tête ; images de désastre et images de triomphe se succédaient en une ronde infernale. L'une de mes pires craintes était que Leonard n'eût déjà informé Philip de mon refus et que celui-ci, furieux, ne se fût jeté sur le *Livre Guinness des records* à la rubrique « Les plus petits du monde » pour faire venir de Yougoslavie ma rivale et ses soixante-quatorze centimètres. Elle serait transportée par avion comme une langouste vivante juste à temps pour sauver la soirée, et Philip lui vouerait une telle gratitude qu'il renierait son vœu de garder secret le fonctionnement de l'elfe et déverserait un torrent de publicité à la gloire de son exquise et minuscule nouvelle découverte. J'imaginais déjà cette petite dinde gracieusement assise sur ses bagages à l'aéroport, envoyant des baisers aux journalistes et leur racontant l'histoire de sa vie dans un anglais délicieusement hésitant.

Mais quand l'optimisme reprenait le dessus, je voyais aussi tout ce que l'avenir me réservait de voluptueux : une photo en double page dans *Première*, un contrat discographique, un rôle taillé à ma mesure dans la comédie musicale de Philip, et, surtout, Leonard arborant le plus beau de ses sourires à cinquante-deux dents pour se féliciter de mon succès en jurant qu'il avait cru en moi dès le premier jour. Neil serait si fier de moi qu'on nous verrait nous ébattre impudemment sur son gazon artificiel dans la rubrique « Couples » de *People*. Je pus, dans ces troublantes heures d'incertitude, imaginer à peu près n'importe quoi, car j'étais certaine — pour la première fois de ma vie, peut-être — que presque tout était possible.

Quand Leonard rappela enfin, j'acceptai sur un ton soigneusement étudié (une lassitude un rien dépressive et pourtant affable) de me glisser une dernière fois — « au nom de l'amitié » — dans le latex de Mr. Woods. Il était tellement aux anges qu'il ne fit pas la moindre difficulté pour me promettre une loge individuelle — ce qui indiquait clairement que j'aurais pu exiger bien davantage.

Je sais maintenant qu'il y aura un essayage préalable aux studios Icon la semaine prochaine, au cas où des « ajustements » seraient nécessaires (nouvelle allusion à mon poids, je suppose).

Mr. Woods n'aura qu'une phrase à dire, et elle sortira — préenregistrée — d'un haut-parleur miniature fixé dans sa tête. Leonard m'a aussi assuré que je ferai mon entrée toute seule.

22

Encore cinq jours à attendre.

Peut-être est-ce une erreur, mais hier j'ai révélé à Renée ce que Jeff et moi avons manigancé. Je trouvais insupportable de garder ce secret plus longtemps alors que je suis si souvent avec elle ; et, pour être franche, j'avais également besoin d'une conseillère en élégance pour le grand soir. Quand je lui ai expliqué notre plan, elle a hurlé encore plus fort que l'autre jour lorsque je lui ai annoncé qu'après réflexion j'avais décidé d'enfiler une dernière fois ce satané costume. Elle considère que c'est une idée géniale, absolument irrésistible — ce qui, aux yeux de certains, pourrait apparaître comme une bonne raison de se faire du souci.

Ce matin, elle m'a emmenée à *La Grange aux tissus* pour choisir l'étoffe dans laquelle nous ferons ma robe de débutante. Nous nous sommes décidées pour un lamé vert, très sombre et brillant, qui sera une sorte de clin d'œil ironique au latex verdâtre de Mr. Woods. (De surcroît, comme vous le savez, le vert foncé est une couleur qui met mes yeux et mes cheveux en valeur.) Nous avons aussi acheté du Velcro, de manière à ce que la robe puisse être enfilée ou ôtée en quelques secondes. Je passerai une heure (voire davantage) emprisonnée dans le costume en latex, et il n'est donc pas question que je porte ma robe en dessous. Et puis, comme Renée me le rappelle sans cesse, ma coiffure et mon maquillage auront besoin de quelques soins lorsque ma tête sortira de ce minisauna. Ce qui exige la présence à mon côté d'une vraie professionnelle, capable de faire des merveilles en quelques instants — quelqu'un dans son genre, par exemple.

Le fait est que les talents qu'elle a acquis au temps de ses concours de beauté pourraient se révéler très utiles, mais je nourris quelques doutes sur sa capacité à garder son sang-froid au milieu de cet aréopage de stars. Callum à lui tout seul l'a mise dans tous ses états : c'est dire ! D'un autre côté, plus j'aurai d'hommes de main à ma disposition, plus il me sera facile de mettre mon plan à exécution. Je suppose que, le moment venu, une grande part sera inévitablement laissée à l'improvisation.

En attendant, j'ai cherché quelle chanson je chanterai devant Philip, et j'ai eu, je crois, une excellente idée : ce sera *After All These Years* — un air tiré de la comédie musicale *The Rink*. C'est gai et rythmé comme il se doit, mais le ton des paroles est d'une réjouissante ironie, surtout si c'est moi qui les chante à Philip :

> *Gee, it's good to see you*
> *After all these years*
> *Gee, you've really lifted my morale*
> *Kept it all together*
> *After all these years*
> *What's your secret, old pal ?*
>
> *I can see that fortune has been kind to you*
> *Guess you've had no obstacles to climb*
> *Gee, you look terrific*
> *After all these years*
> *Completely unchanged by time !*

Les mots *obstacles to climb* (obstacles à surmonter) pourraient bien déclencher l'hilarité dans l'aimable assistance, mais ça ne me dérange pas, bien au contraire : tout me sera bon pour amuser le public ! Quoi qu'il en soit, le message n'échappera pas à Philip.

Au début de la semaine, Jeff m'a accompagnée aux studios Icon pour l'essayage. Revoir ce costume m'a fait le même effet que si j'avais contemplé la dépouille embaumée d'un ancien ennemi acharné. Il était disposé sur une table, dans une pièce réservée — de quoi penser aussitôt à Lénine dans son mausolée ! —, et des techniciens collaient, coupaient, soudaient avec un calme de cliniciens hyper-professionnels pour ramener l'agaçante créature à la vie. Les circuits électriques branchés sur ses yeux et ses muscles faciaux étaient neufs et plus légers, ce qui me donnait plus d'espace qu'autrefois pour respirer, mais pas assez pour que je sente une réelle différence. L'intérieur, qu'on avait récemment nettoyé de fond en comble, empestait la résine époxy, mais un des techniciens m'assura que d'ici à samedi l'odeur se serait dissipée.

Pendant quelques instants terribles — alors que je me glissais en titubant dans l'assemblage de latex et de câbles, bras tendus en avant comme une somnambule — j'envisageai l'éventualité catastrophique que cette saloperie fût devenue trop petite pour moi (ou moi trop grosse pour elle). Toutefois, quand je fus à l'intérieur et qu'on m'y enferma en tirant sur le fermoir, si ma taille et mes fesses se retrouvèrent légèrement à l'étroit, dans l'ensemble je me sentis plutôt à l'aise. Je fus même si soulagée que, tournée vers le technicien, je plaisantai au sujet de mon poids. Il rit et me répondit que je n'avais pas d'inquiétude à avoir : lui et ses collègues avaient déjà élargi le costume à la demande de Philip, au cas où le problème se poserait. Et vlan ! Ce n'était pas du tout, mais alors pas du tout ce que j'avais besoin d'entendre.

Je m'attendais vaguement à ce que Philip montrât le bout de son nez, mais il n'en fit rien. Au dire du technicien, il est en contact régulier avec l'atelier, mais tient expressément à ne pas voir Mr. Woods avant la soirée d'hommage pour ne rien perdre de l'impact qu'aura sur lui cette soudaine apparition. « On croirait un jeune marié avant la cérémonie », ajouta en riant le technicien — une façon comme une autre, j'imagine, de dire que ce sont ces charmantes et imprévisibles bizarreries qui rendent Philip irrésistible. J'aurais vomi sur-le-champ si les circonstances s'y étaient prêtées.

Lorsque Mr. Woods fut à nouveau debout sur ses pieds, testant ses diverses fonctions, la nouvelle de sa résurrection sembla s'être répandue par télépathie d'un bout à l'autre des studios. Les uns après les autres, secrétaires intérimaires, directeurs artistiques et frétillants sous-fifres des services de publicité demandèrent à entrer dans la salle bondée où l'elfe se donnait en spectacle. Après quelques secondes de tâtonnements, je parvins à faire fonctionner toutes les commandes comme si je n'en avais jamais perdu l'habitude. À croire que ça ne s'oublie jamais, à l'instar de la bicyclette. En pressant les différents boutons dans ma main, je pouvais faire froncer le nez à mon alter ego, lui faire rouler les yeux ou gratifier les spectateurs d'un charmant sourire à fossettes, et tout le monde autour de moi poussait en chœur des « Oh ! » et des « Ah ! ». J'avais presque complètement oublié cette sensation schizoïde : être présente sans l'être, se retrouver l'objet de l'attention générale sans être vue, le cœur vivant d'une créature qui n'est pas soi. « Ce qu'il est mignon ! » roucoulaient-ils tous inlassablement ; et la légèreté avec laquelle ils prononçaient ce « il » cruellement inapproprié me faisait aussi mal qu'autrefois.

L'essentiel, bien sûr, était que Jeff fût présent, observant tout avec attention et gravant dans sa mémoire tous les détails de ma fausse enveloppe charnelle. Je savais que, le moment venu, il serait ainsi capable de m'aider à m'en débarrasser sans risquer trop de fâcheuses surprises.

À l'instant où je me glissais à l'intérieur, il m'avait adressé un sourire accompagné d'un clin d'œil rusé qui signifiait : « Ne t'inquiète pas. Je te sortirai de ce truc en moins de temps qu'il n'en faut pour le dire. »

Quand nous eûmes quitté les studios, je lui demandai si notre plan lui semblait plus difficile à réaliser qu'il ne l'avait cru.

— Non, répondit-il. Ça m'a l'air au contraire assez simple.

— Tu es toujours sûr que c'est une bonne idée ?

— Absolument.

Il tourna la tête et me regarda.

— As-tu parlé à Callum, récemment ?

— Oui, très brièvement. Il m'a appelée pour me dire qu'il était ravi que je participe au gala. Pourquoi ?

— Pour rien de particulier.

— Je ne l'ai pas informé que tu serais là aussi, si c'est ce qui te tracasse.

— Ça n'a aucune importance.

Je lui demandai où en était la campagne de protestation du GLAAD.

— Nous avons manifesté devant l'entrée des studios, répondit-il.

— « Nous » ?

— Oui. J'y suis allé. Et après ? J'ai des convictions, moi.

— Est-ce que Callum t'a vu ?

— Oui, je crois.

— Et... ça ne t'a pas fait une impression bizarre ?

— Si. Mais moins bizarre que de me planquer dans un placard, répliqua-t-il sombrement.

Ma détermination, qui avait, je l'avoue, un peu faibli au cours du bref trajet de retour, se renforça de nouveau lorsque je feuilletai chez moi *Variety* et découvris que pour *Le Retour de Batman* les producteurs employaient des gens de petite taille en costumes de pingouins pour accroître une colonie de pingouins véritables. Interpréter le rôle d'un pingouin : voilà un boulot digne d'un véritable acteur ! pensai-je amèrement.

Dans un autre studio, on était en pleins préparatifs pour un film intitulé *Le Lutin*, un thriller dont le personnage principal est un nain mais aussi un tueur en série qui vient troubler la douce quiétude d'une famille d'Américains moyens. Ce n'est pas demain la veille que le cinéma nous présentera comme des humains normaux. Tant qu'on y est, il fallait aussi choisir un autre titre : *Nanisme fatal* par exemple ! Tout cela était heureusement de nature à me persuader encore et encore que des mesures draconiennes s'imposent si je veux changer le cours de ma vie.

Quand Renée rentra du travail, ma couture était déjà bien avancée. Elle ôta ses chaussures, s'assit près de moi sur le sol, puis s'empara de la robe, histoire d'examiner les emmanchures, tout en exposant le lamé à la lumière pour qu'il en capte les reflets.

— C'est vraiment très élégant, s'exclama-t-elle, admirative. Je suis contente que nous ayons choisi ce tissu.

J'acquiesçai.

— Neil va la trouver magnifique, ajouta-t-elle.

— Neil ne la verra pas, répliquai-je. Sauf peut-être à la télévision.

— Il n'ira pas au gala ?

— Non.

— Pourquoi ?

— Parce que je ne lui en ai pas parlé.

— Mais pourquoi ? Il adore t'entendre chanter ! Il trouvera que c'est une méga-idée, un plan super-top, j'en suis sûre.

— Oui, mais... Disons que c'est trop compliqué.

Elle me regarda en fronçant les sourcils :

— Il s'est passé quelque chose ?

— Non.

— Si, Cady, il s'est passé quelque chose. Raconte-moi.

Comment se peut-il, je me le demande, qu'une fille qui emploie dans la même phrase des expressions de cour de récréation comme « méga-idée » et « super-top » ait de temps à autre un tel talent pour deviner mes chagrins cachés ?

— Son ex est arrivée l'autre matin avec leur gamin, expliquai-je. Le matin où j'étais chez lui.

Renée se couvrit la bouche de ses doigts :

— Elle vous a surpris au lit, tu veux dire ?

— Non, rien de ce genre !

— Ah bon ! Mais alors...

— C'était étrange, voilà tout. On était tellement guindés, empruntés, faussement gais ! Comme dans l'un des épisodes les plus crétins du *Cosby Show*, tu vois ? Je me suis sentie complètement déplacée. Quelqu'un qui se trouvait là sans en avoir le droit.

Renée, perplexe, me scrutait en plissant les yeux :

— Parce que tu es blanche ?

— Non. Parce que Neil était gêné. Il aurait bien voulu se sentir à l'aise, mais il n'a pas pu.

— « Gêné » ? répéta Renée.

— Oui.

— Parce que tu es blanche, donc ?

— Oublie un peu ma couleur ! Parce que je suis... moi, rien de plus !

— Franchement, je ne crois pas que...

— Écoute, tu n'étais pas là, que je sache.

— Mais, objecta Renée, il t'a emmenée à Catalina.

— Et alors ?

— Sa femme y était aussi, non ?

— Oui, elle était là. Et alors ?

— Ce jour-là, il ne s'est pas senti gêné.

— Peut-être, mais nous ne baisions pas encore.

La crudité du terme lui fit faire la grimace.

— Qu'est-ce ça change ? demanda-t-elle.

— Tout. Que nous soyons amis ne posait aucun problème, bien au contraire. Il n'en paraissait que plus sympathique. Mais c'est un problème si nous sommes amants, vois-tu, parce que dans ce cas les gens risquent de se dire que c'est un pervers. Surtout les membres de sa famille...

— Voyons, Cady...

— Je parle sérieusement, Renée. Réfléchis, bon Dieu ! L'endroit où on fourre sa queue, c'est quand même pas un truc anodin !

Elle rougit comme une vierge effarouchée.

— Tu crois qu'elle est au courant, Linda ? demanda-t-elle.

— Difficile à dire.

— Dans ce cas...

— Peu importe qu'elle le sache ou non. Ce qui compte, c'est qu'il n'assumera jamais.

— Si tu lui donnes un peu de temps, peut-être que...

— Non. Jamais. Et sûrement pas devant ce gosse avec qui il passe la moitié de sa vie. Papa ne peut avoir une petite amie qui soit cette espèce d'avorton.

Renée baissa les yeux.

— Je savais que ça arriverait, ajoutai-je doucement. Je ne savais pas quand, voilà tout. Ça se passe toujours de la même façon, tu sais ? Tôt ou tard. On peut choisir de l'accepter ou non. Moi, j'ai choisi de ne pas l'accepter.

Renée leva les yeux et me regarda d'un air lugubre. Sa lèvre inférieure tremblait un peu.

— J'ai été idiote, de croire que ça pourrait marcher, continuai-je. Il y a assez longtemps que je connais les règles...

— Mais c'est un si gentil garçon !

— Oui, il n'y a pas plus gentil. Mais c'est ainsi, répliquai-je sur un ton définitif.

Elle tenait ma robe de la même façon que si elle se fût apprêtée à l'utiliser comme mouchoir, aussi je la lui repris des mains.

— Si tu as l'intention de pleurnicher, je préfère que tu ailles dans ta chambre, laissai-je tomber.

— Tu n'es pas triste ? s'enquit-elle.

— Pas le temps. J'ai un spectacle à préparer.

23

Une pensée bizarre vient de me traverser l'esprit. Et si le retentissement de mes grands débuts de chanteuse parvenait aux oreilles de mon père ? Comme il n'a même pas soixante ans, il est probablement encore en vie, quelque part dans ce pays. Si un soir, cherchant au hasard un programme de télé, ou feuilletant un magazine, il tombait sur cette naine aux multiples talents dont le nom lui rappellerait soudain quelque chose, que ferait-il, hein ? Ma célébrité suffirait-elle à lui donner envie de me retrouver après vingt-sept ans ? Apparaîtrait-il sans crier gare sur le pas de ma porte, plein de remords, ou tout au moins de respect pour la vie que j'ai réussi à me construire ? Et lui pardonnerais-je alors ?

Non. Non et non !

24

Plus que trois heures à attendre.

Il serait certainement plus sage que je fasse un petit somme, mais je suis sur des charbons ardents. Et puis, je préfère noter les derniers événements tout de suite, car ce soir, évidemment, j'en aurai beaucoup plus long à vous raconter.

Ce matin, Jeff m'a accompagnée au Beverly Hilton pour la répétition technique. Leonard est resté un moment, et m'a prise dans ses bras pour une longue étreinte ostentatoire. Lorsque je l'ai présenté à Jeff, leurs regards ont tendu entre eux une rancune si palpable qu'on aurait pu y suspendre du linge. À l'origine de cette animosité, il y a, bien sûr, toutes ces histoires autour de *Réaction viscérale*, mais aussi le fait que chacun d'eux voit en l'autre le corrupteur de Callum. Leonard considère donc Jeff comme une sorte d'agent infiltré, voire un saboteur potentiel qu'une imprudence impardonnable aurait muni d'un laissez-passer. Néanmoins, aucun des deux n'a failli aux règles de la civilité — du moins ouvertement.

Je ne sais plus à quel moment, j'ai fait à Leonard une remarque sur son spectaculaire amincissement, et il m'a gratifiée en réponse d'un laïus tellement interminable sur les vertus de son dernier régime (une bonne femme lui apporte des sacs de légumes biologiques une fois par semaine) que j'ai réellement pensé qu'il pensait que je pensais qu'il avait le sida. C'est tout Leonard, ce genre de crainte. Pour ce que j'en sais, du reste, il se pourrait fort bien qu'il ait le sida : ce n'est certainement pas lui qui en parlerait le premier. Toutefois, même si c'est parce qu'il est plus bronzé que jamais, il a plutôt bonne mine. Le fait que la présence de Jeff l'ait alarmé était tout bénéfice pour moi en tout cas, car son attention s'en est trouvée distraite et je me suis sentie moins dangereusement exposée à ses regards inquisiteurs. D'emblée, je me suis efforcée de prendre un air compétent et indifférent à la fois : c'était une manière de signifier que j'étais tout bêtement là pour faire mon boulot et rentrer chez moi ensuite, en bonne professionnelle qui garde les pieds sur terre et la tête froide.

La salle de bal était beaucoup plus grande que je ne l'avais imaginée. (Une des plus grandes des États-Unis, au dire de Leonard, et c'est sans doute pour cette raison que tant de galas cinématographiques ont lieu au Beverly Hilton.) Mis à part quelques techniciens et deux ou trois producteurs égarés, l'endroit était vide. On avait dressé une scène de dimensions assez modestes, car, de toute évidence, la véritable attraction sera le prestigieux parterre de stars qui composera le public. Pour les besoins de la télévision, les invités seront assis sur des gradins qui entourent la scène, façon cabaret : ce sera (la boisson en moins) comme une grande fête peuplée de visages étonnamment familiers. Certains sièges portent des étiquettes sur leur dossier, et Jeff bondit de gradin en gradin, opérant à ma demande une reconnaissance des lieux. Il revint en arborant un rictus de petite frappe et colla une étiquette volée sur mon bras. J'y lus : MRS. FORTENSKY.

— Va remettre ça à sa place ! ordonnai-je.

— Pourquoi ?

— Parce que, répliquai-je en lui tendant l'étiquette, je tiens tout particulièrement à ce que Mrs. Fortensky soit bien placée.

Il rit.

— Y a-t-il un Mr. Fortensky ? demandai-je.

— Bien sûr. Et un Mr. Eber, le coiffeur des stars.

— Normal, commentai-je. La soirée sera longue. Les mises en plis de ces dames ne tiendront peut-être pas le choc. Tu as remarqué d'autres noms ?

— Eh bien, fit Jeff avec une nouvelle mimique, Callum sera assis à deux sièges de Miss Jodie Foster.

— Tu plaisantes !

— Pas du tout.

— Et qui d'autre ?

— Je ne t'en dis pas plus. Tu serais trop surexcitée.

— Comme tu veux... Jeff, je te l'avoue : je prends mon pied, ici !

— Ça ne m'étonne pas.

Un peu plus tard, le régisseur nous entendit rire et vint se présenter. Il nous conduisit jusqu'à ma loge, où le costume de l'elfe m'attendait déjà, telle une dépouille mortelle dans son cercueil : une longue boîte métallique pourvue d'un gros cadenas, destinée à protéger des voleurs ce coûteux assemblage de mécanismes sophistiqués. C'était la même qu'au temps du tournage, et je me la rappelais sans la moindre tendresse. Comme promis, la loge m'était réservée — ce qui n'avait de toute évidence guère posé de problèmes, puisque les autres intervenants arriveront en tenue de soirée et monteront sur scène sans devoir se changer. En fait, je suis probablement la seule personne à avoir besoin d'une loge ce soir.

Le régisseur nous apprit par la suite que le maître de

cérémonie pour la soirée serait Fleet Parker (un choix assez évident, compte tenu du nombre de films de Blenheim où il a exhibé ses superbes pectoraux siliconés). Quant à moi, j'apparaîtrai tout à la fin, juste après Callum, qui viendra faire la promo de son nouveau film et racontera quel merveilleux papa Philip a été pour lui pendant le tournage. Puis Fleet pointera à nouveau le bout de son nez et prononcera encore quelques mots pour indiquer à Philip que le moment est venu de quitter la loge royale qu'il aura occupée toute la soirée et de rejoindre sa jeune vedette sur scène. Encore quelques minutes de baratin, après quoi Fleet prononcera une phrase qui me servira de signal. Je dois alors faire mon entrée en trottinant le plus gracieusement possible, tendre à Philip son trophée (une statuette hideuse), émettre gentiment mon émouvant blablabla préenregistré et ressortir du même pas hésitant d'enfant en bas âge.

— C'est très simple, conclut le régisseur. Une brève apparition, puis vous ressortez avant que l'effet ait le temps de se dissiper. C'est sur la surprise que nous jouons.

— Compris.

— Faudra-t-il qu'elle porte ce costume longtemps ? s'enquit Jeff.

— Avant d'entrer en scène, vous voulez dire ?

— Oui.

— Oh, environ une heure, pas plus. Les organisateurs ont demandé que Miss Roth soit là dès sept heures, mais il est inutile qu'elle se change avant neuf heures. Il y aura quelqu'un pour l'aider, de toute façon.

— Je suis justement là pour ça, affirma Jeff très fermement.

— Non, je veux dire quelqu'un pour vérifier les circuits et s'assurer que tout fonctionne. Resterez-vous avec elle en coulisse ?

— Naturellement, répondit Jeff, franchement autoritaire cette fois-ci.

Le régisseur plissa légèrement le front, un peu perplexe, aussi m'empressai-je d'ajouter :

— Écoutez : il me faut quelqu'un pour... Enfin, vous voyez...

J'ouvris de grands yeux candides et laissai ma phrase en suspens, comme pour lui faire comprendre qu'il pouvait imaginer sans peine de quel genre de services intimes et impossibles à mentionner une personne comme moi pouvait avoir besoin.

— Très bien, capitula-t-il en hochant la tête, apparemment peu désireux d'obtenir des précisions.

Le premier petit nuage s'était éloigné, et je me félicitai une fois de plus d'avoir persuadé Jeff de retirer son badge d'Act Up avant d'entrer dans la salle de bal. De mon point de vue, plus nous passerions inaperçus en la circonstance, mieux cela vaudrait.

Quelqu'un appela le régisseur pour qu'il règle un problème d'éclairage, ce qui nous permit d'étudier la disposition des lieux tout à loisir. Le trajet assez court qui sépare ma loge de la scène est en ligne droite ; aussi le parcours que je devrai accomplir sans costume sera-t-il moins périlleux qu'on aurait pu le craindre. Quant aux micros, il y en a en fait plusieurs, sur pied, au bord de la scène : nous décidâmes donc que Jeff sortirait de la loge le premier et courrait en déposer un par terre, en profitant du bref moment d'obscurité qui précéderait mon entrée. Je n'aurais plus qu'à le ramasser avant de me diriger vers Philip et commencer à chanter.

— Et s'il est coupé ? m'inquiétai-je.

— Sois tranquille, j'en trouverai un qui marche.

Je lui répliquai que s'il n'en trouvait pas, c'étaient ses roupettes que je me chargerais de couper.

— Et la statuette ? demanda-t-il.

— Quoi, la statuette ?

— Peux-tu la tenir dans une main et le micro dans l'autre ?

— Zut, sûrement pas !

Ce problème logistique crucial ne m'avait pas effleuré l'esprit.

— Bon, décida Jeff. Dans ce cas, laisse tomber la statuette !

Je le considérai en écarquillant les yeux :

— Il faut bien que je lui remette son prix, Jeff !

— Pourquoi ?

— Parce que c'est prévu. Mon but n'est pas de saboter la soirée.

— Alors tu reviendras chercher la statuette. Ou c'est moi qui te l'apporterai.

— Hmmm... Ce n'est pas très élégant.

Jeff haussa les épaules :

— Un coup d'État n'est jamais élégant, observa-t-il.

— Si tu essaies de me rendre nerveuse, lui dis-je, bravo : tu t'y prends très bien !

Il me fit un petit sourire en coin.

— Si tu préfères, tu n'as qu'à prendre la statuette et la poser pour ramasser le micro. Et surtout, prends ton temps. Travaille ton effet. Tu sais ce que tu as à faire. Tu auras un projecteur braqué sur toi en permanence, alors sers-t'en. Ce ne sera pas l'entrée en scène de n'importe qui, Cady ! C'est toi qui fixeras l'attention du public. Tu as des accessoires à ta disposition : à toi de les utiliser.

Tout cela était juste, je l'admets, même si de nouveaux scénarios catastrophe se présentaient en pagaille à mon esprit.

— Et s'ils éteignaient le projecteur ?

— Quand ?

— Quand ils verront que c'est moi.

— Ils ne feront pas ça.

— Pourquoi pas ?

— D'abord, parce que Blenheim sera déjà sur scène.

— Et alors ?

— Alors, ton entrée a toutes les chances d'apparaître comme une surprise de dernière minute qu'il aura concoctée lui-même. Il est assez connu pour ce genre de coups, non ?

— Assez, oui.

— Donc, s'il est là pour t'accueillir avec un grand sourire, les gens ne suspecteront rien d'anormal par la suite.

— Et s'il ne sourit pas ?

— Il sourira forcément. Il se prend pour un défenseur des minorités menacées, n'oublie pas.

Jeff parut réfléchir à quelque chose, puis demanda :

— Est-ce que tu comptes seulement chanter ?

— Qu'est-ce que tu insinues par « seulement » ?

— Eh bien... Tu n'as pas l'intention de lui dire quelque chose ?

— Si, évidemment.

— Et qu'est-ce que tu vas lui raconter ?

— Aucune idée.

J'y avais beaucoup pensé, naturellement, mais n'avais encore rien décidé.

— Quelle est la phrase de Mr. Woods ? s'enquit Jeff. Celle que doit dire le micro dans le costume.

Je répondis qu'il était inutile d'y penser.

— Pourquoi ? insista Jeff. Ils ont dû la choisir avec soin. Elle aiderait à te relier au personnage.

— Pourquoi faut-il que je sois reliée au personnage ?

— Pour que le public sache qui tu es, Cadence ! Et puis, tu veux les honneurs de ce rôle, non ?

— Oui, certes.

— Ça me paraît légitime.

Je reconnus qu'il avait raison. Encore une fois. Peu après, nous repartîmes, après que j'eus mesuré l'étendue de la scène du haut des gradins. Mon cœur battait un peu, lorsque j'imaginais le minuscule esquif que je serais au moment de flotter sur cette mer de célébrités ; mais, tout bien pesé, cela ne m'angoissait pas trop. Le plus gros obstacle serait évidemment de réussir à m'extraire de cette saloperie de cocon en latex comme une ravissante chrysalide devenue papillon : pour le reste, ce serait comme chanter à une fête d'anniversaire — en plus imposant, c'est tout.

Jeff me déposa chez moi peu après midi, et nous convînmes qu'il repasserait me prendre à six heures. Il me dit au revoir très calmement — surtout pour ne pas m'alarmer, je crois, car je sentais bien qu'il était aussi tendu que moi. Il me salua une seconde fois d'un coup de klaxon après avoir tourné le coin de la rue, comme pour m'assurer une fois de plus que nous faisions exactement ce qu'il fallait faire.

Il régnait dans la maison une pagaille invraisemblable, car j'ai été tellement préoccupée par ce gala ces temps derniers que je me suis souciée de tout sauf du ménage. Je secouai quelques coussins dans le salon, ramassai et jetai de vieux journaux épars, fourrai mon linge sale dans le placard. On prétend que mettre de l'ordre dans sa maison aide à en mettre dans ses pensées, mais pour moi, cette fois-là, l'effort se solda en tout cas par un fiasco. Je décidai donc d'affronter mes démons et de répéter encore une fois mon entrée en scène, en me servant de ce que je savais maintenant de la disposition de la scène. Conférant à *Big Ed*, mon vibromasseur, le rôle de micro de substitution, je me glissai prestement dans la cour et commençai à chanter à pleins poumons, ne m'arrêtant que lorsque j'eus atteint le bananier qui, dans mon esprit, figurait Philip Blenheim.

J'arrivai au bout de ma chanson sans accroc. À la fin, au lieu des acclamations qui auraient dû saluer ma prestation, je n'entendis que le bruit assez peu gratifiant de deux mains qui applaudissaient sèchement. Je sursautai si fort que je laissai tomber *Big Ed* dans l'herbe, et, levant les yeux, aperçus Mrs. Bob Stoate qui me souriait de toutes ses dents par-dessus la palissade.

— Très joli, commenta-t-elle.

— Merci.

— J'espère que je ne vous ai pas fait peur, ajouta ma nouvelle groupie avec une sollicitude hypocrite.

— Pas du tout.

— Chanter, c'est votre nouveau hobby ?

— Non, répondis-je placidement. Je chante aussi à des fins professionnelles.

— Vraiment ? Je ne savais pas. Je sais que vous jouez quelquefois dans des films, mais... pour la chanson, je n'étais pas au courant.

Elle était visiblement si impressionnée que je perdis

soudain la tête et lui déclarai tout à trac que je chantais justement ce soir.

— Non! C'est vrai? Où ça?

— Au Beverly Hilton. Avec Bette Midler, Madonna et Meryl Streep.

Elle me fixa longuement avec un petit sourire coincé sur les lèvres, et je n'eus guère de peine à deviner qu'elle se demandait combien d'araignées je comptais déjà au plafond.

25

Le grand soir!

Jeff est arrivé à l'heure dite et nous a amenées à l'hôtel, Renée et moi. Il ne s'attendait pas à ce que Renée fût des nôtres, bien sûr, et il n'a pas manqué de me faire les gros yeux d'un air choqué, mais je n'ai rien dit. Je savais parfaitement qu'il la trouvait trop tête en l'air pour le travail qui nous attendait, mais franchement, cela m'était égal. J'avais décidé au dernier moment que le joyeux optimisme et l'inaltérable loyauté de Renée soutiendraient mon moral. Du reste, mon instinct avait vu juste, si j'en juge par ce qui se passa un peu plus tard.

Quand nous fûmes arrivés à hauteur de l'hôtel, je me dressai sur le siège de la vieille guimbarde de Jeff pour prendre la température de l'ambiance. Il y avait déjà des cordons de sécurité devant l'entrée pour tenir les fans à distance, et des lampes à arc brillaient d'une clarté anémique dans le pâle crépuscule d'hiver. Je vis des limousines cracher quelques arrivants pressés, mais ce n'étaient que des silhouettes ternes et anonymes de producteurs. Renée porta théâtralement la main à sa bouche en apercevant sur le trottoir une blonde en robe à paillettes qu'elle prit pour Meryl Streep, mais lorsque je lui appris qu'il ne s'agissait en réalité que de Sally Kirkland, son visage s'affaissa comme un soufflé sous la pluie : elle n'avait jamais entendu parler de Sally Kirkland.

J'aurais pu rester debout sur ce siège pendant des heures, à regarder affluer mon public, si un policier ne nous avait fait signe de circuler. Jeff redémarra et alla se garer dans un parking que le régisseur nous avait indiqué. Nous descendîmes de voiture, allâmes nous présenter à un agent de sécurité et pénétrâmes dans les coulisses par une porte qui, pensai-je, ressemblait plus à une entrée de service qu'à une entrée des artistes. À l'intérieur, il y avait du côté des loges une telle bousculade que Jeff et Renée durent me protéger et former devant et derrière moi un double bouclier humain. J'essayai de reconnaître dans cette cohue des visages de stars, mais sans succès. Renée, pourtant, m'affirma lorsque nous fûmes en sûreté dans ma loge que j'avais passé « une minute entière au moins » en communion charnelle avec les jambes de Lucie Arnaz.

Offerte par Philip, une bouteille de champagne nous attendait (au dire de Jeff, une marque très onéreuse), ainsi que plusieurs douzaines de roses jaunes envoyées par Callum et Leonard. C'est, du moins, ce que disait la carte, écrite de la main d'un quelconque fleuriste : « Callum et Leonard ».

Je la fis lire à Jeff.

— Ils sont ensemble, maintenant ? m'enquis-je.

— Ça m'étonnerait ! s'exclama-t-il en riant.

— Pourquoi ?

— Parce que ni Leonard ni son amant ne voudraient jamais diviser leur collection de Stickley.

— Leonard pourrait quand même baiser avec Callum, fis-je observer.

Jeff sourit avec mélancolie :

— Dans ce cas, j'espère qu'il aime le porno BCBG.

En entendant ces histoires de coucheries entre gays, Renée prit la couleur d'un signal d'alarme. Je lui fis un clin d'œil rassurant.

— Alors, l'interrogeai-je, comment trouves-tu notre quartier général ?

— Très joli, dit-elle.

Puis elle jeta un regard au costume de l'elfe qui reposait dans sa boîte métallique :

— C'est... euh...

Je fis oui de la tête.

— Ouâââh ! s'écria-t-elle. Quelqu'un va venir t'aider à l'enfiler ?

— Tout à l'heure, répondis-je.

Renée s'efforça de sourire bravement et d'avoir l'air prête à tout, mais elle me fit plutôt l'effet d'être debout sur le parapet d'un pont, attendant peureusement son tour de sauter dans le vide, un élastique aux pieds.

Nous avions deux bonnes heures à tuer, que Renée et Jeff mirent à profit pour aller tour à tour explorer les coulisses, s'aventurant jusqu'à la salle de bal elle-même et revenant me rendre compte des derniers arrivages de figures célèbres. Renée repéra Meredith Baxter Birney, Tori Spelling et « ce type qui joue le débile mental dans *La Loi de Los Angeles* ». Jeff identifia Jonathan Demme, Michael Douglas et Jamie Lee Curtis. Quant à moi, je ne bougeai pas et sirotai du champagne, me concentrant du mieux que je pouvais cependant que me parvenait l'écho des bavardages du public toujours plus nombreux, en un ronronnement pareil au bruit étouffé d'une chaîne de montage.

Une grande heure passa ainsi, puis deux techniciens des studios Icon frappèrent à la porte de la loge. Ils tirèrent le costume de sa boîte et vérifièrent le système de circuits, tout en me faisant poliment la conversation ; l'un d'entre eux me demanda même de signer un programme pour ses enfants. Lorsqu'ils furent satisfaits du bon fonctionnement de mon armure, ils partirent, puis revinrent un quart d'heure plus tard avec une assistante de Philip : une jeune femme à l'air empressé, prénommée Ruth, qui me dit qu'elle venait seulement s'assurer que je n'avais besoin de rien. Elle s'attarda si longtemps que je dus lui présenter Renée et Jeff — « des amis venus pour me soutenir moralement », c'est ce que je déclarai avec la plus grande assurance, car c'était au fond la vérité. Elle les salua presque comme s'ils étaient du métier et sans aucune trace de suspicion. J'en fus très soulagée, et me sentis encore un peu plus près de la victoire.

Dès que le gala commença pour de bon, tout le monde disparut et il n'y eut bientôt plus que nous trois dans la loge, tendant l'oreille pour entendre Fleet Parker annoncer d'une voix tonnante les gloires qui se levaient l'une après l'autre, sous les feux d'un projecteur affamé de glamour.

L'hommage consistait plus en un raout haut de gamme — et moins en un concert — que je ne l'avais imaginé, ou que Leonard ne me l'avait laissé entendre. La plupart des interventions se bornaient à de brefs témoignages amusants et/ou touchants des amis et collègues célèbres de Philip. Madonna chanta (Jeff la vit même faire irruption d'une des loges), mais en play-back. Il n'y avait d'ailleurs pas d'orchestre. Tout cela était plutôt rassurant, car cela signifiait que la soirée serait consacrée à la célébration du vedettariat beaucoup plus qu'aux prestations des uns ou des autres, et mon humble petite entrée en paraîtrait moins déplacée.

Les techniciens revinrent à l'heure prévue et m'aidèrent à entrer dans le costume. Renée et Jeff nous regardaient faire bouche bée, avec des yeux si ébahis qu'on aurait pu croire que je montais dans une capsule spatiale. Leur conscience de plus en plus vive de la présence de toutes ces célébrités dans la salle voisine commençait, je crois, à leur faire paraître soudain plus délicate la tâche qui nous attendait. Je les égayai — ou plutôt, Mr. Woods les égaya — d'un clin d'œil électronique accompagné du sourire le plus craquant de son arsenal de mimiques. Renée poussa un tel cri d'authentique stupeur qu'il dut faire sursauter Mrs. Fortensky sur son siège.

— Je n'arrive pas à y croire, avoua-t-elle.
— Crois-y quand même.
— Ta voix est aussi étouffée que si tu étais sous dix mille matelas.

Je lui répondis que c'était effectivement la sensation que j'avais.

— Oh, à ta place, je me sentirais tellement cols... skol...

— Claustrophobe, lança Jeff, venant à son secours.

— Excusez-moi, pourriez-vous vous écarter ? pria l'un des techniciens, qui voulait s'occuper de la barbiche de l'elfe.

Renée fit un bond en arrière.

— Oh ! Je suis désolée.

— Nous ferions peut-être mieux de sortir un moment, suggéra Jeff.

— Non, l'assurai-je. Vous pouvez rester.

— Tu es sûre ? demanda Renée.

— Oui. N'est-ce pas, les gars ?

— Pas de problème, affirma le plus jeune et le plus mignon des deux techniciens, qui accrochait des brindilles à la barbiche.

— Mes amis n'ont jamais vu le costume, expliquai-je. Ou plutôt, Jeff l'a vu brièvement cet après-midi, mais pour Renée c'est la première fois.

Je ne pouvais plus dévisager Renée, bien sûr, mais je sentais qu'elle rougissait jusqu'à la racine des cheveux.

Désignant la carapace qui m'enveloppait, elle s'essaya au compte rendu de ses impressions.

— Je suis une grande fan de... enfin, de... J'ai du mal à croire qu'il me suffirait de tendre la main pour le toucher.

— Vas-y, ne te gêne pas, l'encourageai-je.

— Vraiment ? Je peux ?

— Bien sûr. Touchez tant que vous voudrez, dit l'adorable technicien.

Renée s'agenouilla et frôla délicatement de ses doigts la chair granuleuse du coude de l'elfe.

— Je n'en reviens pas, s'exclama-t-elle.

— Chaque poil a été collé à la main, confirma le gars des studios.

— C'est pas possible !

— Je vous jure.

— C'est incroyable !

— N'est-ce pas ?

Le technicien, s'agenouillant à son tour, commença d'étudier avec Renée les détails du corps de l'elfe. Ils étaient si près l'un de l'autre que je voyais leurs deux visages en même temps par le petit trou en gaze ménagé derrière la barbiche. Ils penchaient la tête d'un air emprunté, comme sur ces clichés où deux personnes se serrent devant l'objectif d'un Photomaton. L'expression du jeune homme se signalait à présent par un manque d'ambiguïté certain, et je me demandai s'il n'y avait pas déjà un moment que Renée l'excitait, si cette gourde s'en était aperçue, et quelles conséquences immédiates cette situation risquait d'entraîner.

Tout d'abord, cela m'inquiéta, car j'eus l'impression que ce séduisant jeune homme avait décidé de prendre racine. Bien après que son collègue eut déclaré Mr. Woods au mieux de sa forme et fut parti boire un café, le petit chéri, visiblement sous le charme, restait planté là et continuait d'éblouir Renée en lui décrivant les verrues et les cors aux pieds du malheureux elfe. Je dus bientôt me rendre à cette glaçante évidence : Renée était ravie de ce qui se passait et ne se rendait nullement compte que ces roucoulades pouvaient compliquer de manière catastrophique l'exécution de notre plan.

Jeff s'agenouilla devant moi et me jeta à travers la gaze un regard lourd d'anxiété.

— Je sais, soupirai-je.

— Qu'est-ce qu'on fait ? murmura-t-il, sans presque remuer les lèvres.

— Attends.

Je trottinai alors jusqu'au coin de la loge où Renée et son nouveau chevalier servant poursuivaient leur parade nuptiale.

— Mes enfants, je ne voudrais pas jouer les rabat-joie, mais... j'ai besoin de rester seule un moment.

— Oh ! Je suis désolée, pépia Renée, l'air terriblement gêné. Quelle heure est-il ?

— L'heure de commencer ma méditation.

— Pardon ?

— Tu sais bien, affirmai-je en appuyant sur chaque syllabe. Ma petite séance de méditation transcendantale avant chaque spectacle.

— Oh, oui, bien sûr !

— Alors, si vous voulez bien continuer votre conversation dehors...

— Non, dit Renée. Je reste avec toi.

Elle entendait évidemment par là qu'elle était bien décidée à m'aider dans ma métamorphose, négligeant avec la plus grande légèreté qu'il nous fallait absolument faire sortir le technicien de la loge. À travers la gaze, je lui lançai mon regard le plus menaçant.

C'est à cet instant que, bienheureusement, le régisseur passa la tête par l'entrebâillement de la porte.

— Dans dix minutes, Mr. Woods !

— Ça marche, répondis-je.

— Bon, alors je vous laisse à votre méditation, fit le technicien.

— Merci. Vous comprenez... c'est comme une façon de me concentrer.

— Je vois. Ça m'a fait plaisir de faire votre connaissance à tous.

— À nous aussi, répondit Renée avec regret.

Dès qu'il fut sorti, Jeff s'agenouilla de nouveau devant ma barbiche.

— Et maintenant ? s'enquit-il.

— Est-ce que cette porte ferme à clef ? demandai-je.

— Je crois.

— Alors, ferme-la bien.

Deux secondes plus tard, j'entendis le bruit rassurant d'un verrou.

Renée se jeta presque à mes pieds et parla à travers le petit panneau de gaze :

— Écoute, Cady, je suis vraiment désolée si...

— Laisse tomber, la coupai-je. Prends ta trousse. Nous avons neuf minutes.

350

— J'ai tout ce qui faut.

— Où est Jeff?

— Ici, dit-il quelque part derrière moi.

— Tu te rappelles où sont les fermoirs?

— Bien sûr.

— Vas-y.

L'instant d'après, je sentais la pression de ses doigts qui descendaient avec dextérité le long de mon dos et en arrachaient ce maudit latex comme un affreux cocon que j'étais sur le point de quitter pour toujours. Je me penchai en avant pour laisser la lourde enveloppe tomber lentement à mes pieds, sentant la plaisante fraîcheur de l'air sur mon T-shirt déjà trempé. Un bout de câble se prit dans mes cheveux, mais Jeff eut tôt fait de le démêler en quelques gestes précis. À peine m'étais-je extraite de ce carcan que Renée, serviette en main, s'affairait déjà à me tamponner le front pour sécher la sueur, soupirant avec ostentation devant l'énormité du travail esthétique qu'il lui fallait effectuer en quelques minutes.

— Ça va? demanda Jeff.

— Très bien. Retourne-toi, s'il te plaît.

— Je t'ai déjà vue toute nue, objecta-t-il.

— Je sais. Mais fais-moi plaisir.

Grommelant devant cette manifestation inattendue de ma pudicité bourgeoise, Jeff se tourna face au mur tandis que Renée m'ôtait mon T-shirt, me tamponnait à nouveau et m'enveloppait dans un nuage de talc pour bébé.

— Pas trop! m'écriai-je en me frottant le visage.

— Il ne faut pas que ta peau brille!

— Il ne faut pas que j'étouffe non plus! répliquai-je.

Elle prit dans son grand sac la robe en lamé vert, fit glisser mes bras par les emmanchures et la referma soigneusement à l'aide des bandes Velcro.

J'annonçai aussitôt à Jeff qu'il pouvait regarder.

— Tu es sûre que personne ne va revenir? demanda-t-il.

— J'espère bien que non!

Renée était maintenant passée à mes cheveux, qu'elle

brossait furieusement tout en activant par à-coups sa bombe de laque tel un tagueur avec la police à ses trousses qui s'arrête de temps à autre pour graffiter les murs. C'était étrangement impressionnant que de la voir ainsi, déployant le talent acquis dans les vestiaires de ses parades adolescentes — une allégorie de la grâce sous pression. Elle connaissait parfaitement son affaire, et cette maîtrise conférait à ses traits un air de force et de dignité que je ne leur avais jamais vu.

— Jolie robe, apprécia Jeff.

— Merci.

— Tu n'as pas oublié les paroles de ta chanson ?

— Non, maman, je n'ai pas oublié les paroles de ma chanson.

Il me sourit. Au même instant, quelqu'un toqua à la porte.

— Zut ! marmonnai-je. Demande qui c'est.

— Qui est là ? cria Jeff.

— Tout va bien ?

C'était le régisseur.

— Parfaitement bien, répondit Jeff.

— En scène dans trois minutes, indiqua la voix à travers la porte.

— Miss Roth est prête.

— Alors, je lui dis « merde » !

— Merci, répondit Renée à ma place.

Elle s'agenouilla et me tendit un miroir pour que je puisse rajouter un peu de rouge sur mes lèvres et de mascara sur mes cils. De près, l'effet était assez outrancier, mais comme maquillage de scène cela ferait très bien l'affaire.

— Et s'il est encore derrière la porte ? murmura Renée en pensant au régisseur.

Pour toute réponse, je haussai les épaules.

— Tu passeras devant lui sans t'arrêter ? continua-t-elle.

— Exactement.

Je me dirigeai vers la porte, puis m'immobilisai brusquement.

— Bon sang !

Jeff pâlit aussitôt, imaginant le pire.

— Quoi ?

— Le prix !

— Oh...

Il attrapa sur l'étagère la monstruosité phallique qu'il me fallait remettre au héros de la soirée et me la tendit.

— Heureusement que tu y as pensé !

J'attendis ensuite qu'il m'ouvrît la porte.

— Une seconde ! s'écria Renée en tombant à genoux près de moi. Il y a juste une toute petite...

Et, sans achever sa phrase, elle tripota un instant sur ma tempe une boucle presque raide de laque.

— Voilà. Maintenant, tu es parfaite.

Nos regards se croisèrent, dans un bref élan fraternel.

— Merci, murmurai-je.

— De rien.

J'inspirai profondément, et Jeff ouvrit la porte. Pour l'instant, la voie semblait libre : une vingtaine de mètres à parcourir tout droit jusqu'à la scène, sans le moindre chien de garde en vue. Je célébrai ce petit miracle en clignant cavalièrement de l'œil en direction de Jeff et Renée, et filai à la hâte vers l'endroit d'où venait la musique — Bette Midler chantait à ce moment —, serrant le trophée de Philip dans mes petites mains brûlantes. Bientôt, Fleet Parker commencerait le laïus un rien longuet qu'il devait conclure par ces mots : « Et maintenant, pour remettre son prix à Philip, voici quelqu'un d'aussi vieux que nous tous réunis. »

À cinq mètres de la liberté, je vis le régisseur surgir sur mon chemin comme par enchantement.

— Ah, vous voilà. *Mon Dieu !* Et votre costume ?

— Je n'entre pas en costume, déclarai-je.

— Quoi ?

— Il y a un changement.

— C'est ce que je vois !

— Les producteurs sont au courant. Ils viennent de téléphoner.

— Où ça?

— Dans la loge.

— Il n'y a pas de téléphone dans la loge.

— On en a installé un.

— Et Mr. Woods, alors?

— Il n'y a plus de Mr. Woods, répliquai-je en poursuivant mon chemin.

Arrivée à la limite des coulisses, je contemplai la petite scène où Miss Midler, dans toute sa majesté, chantait *I Remember You* avec des accents déchirants et extatiques. Je posai le trophée à mes pieds et repris haleine, tremblant à l'idée qu'en ce moment même le régisseur était peut-être en train d'appeler les organisateurs pour vérifier la véracité de mon histoire. Je laissai la mélodie de Bette me calmer autant que faire se pouvait, et je me sentis réconfortée par l'obscurité prometteuse et l'exaltante proximité d'un public décontracté et enthousiaste. Ça va marcher, me disais-je, le pire est derrière moi.

À moins que...

Le micro! Jeff devait en attraper un et le placer à ma portée!

Calculant déjà le temps qu'il me faudrait pour retourner jusqu'à la loge et l'alerter, je tournai les talons et m'élançai... tout droit dans les jambes de Jeff.

— Seigneur! murmurai-je.

— Je suis là, souffla-t-il. Ne t'inquiète pas...

— J'avais complètement oublié le micro.

— Le noir, c'est à quel moment?

— Quand Bette aura terminé.

— Tout de suite, donc. Quel micro veux-tu?

— Celui du milieu, décidai-je.

— Celui dont elle se sert?

— C'est ça.

Je lui adressai un petit sourire ironique, comme pour lui dire que je le méritais bien.

— C'est comme si c'était fait, m'assura-t-il.

Quand j'étais petite, maman me lisait souvent des passages d'un roman d'un certain Walter De La Mare, dont l'héroïne était une naine. Le livre datait des années vingt, je crois, mais son style alangui et fleuri était purement victorien. La narratrice, désignée seulement par une initiale — Miss M. —, était une sorte de petite sainte accablée de malheurs, qui avait pour principal objectif dans la vie de se rendre complètement invisible aux yeux du monde. Dans ces conditions, vous devez penser que je la détestais, mais vous vous trompez. Je ressentais comme s'ils étaient les miens les outrages sans fin qu'elle subissait, que ce fût sous la coupe de cruels bourgeois ou sous les roues de calèches lancées à toute allure. Elle était devenue un tel objet de culte à la maison, une telle référence, que j'ai réellement cru qu'elle avait enregistré un disque jusqu'au jour où je découvris qu'on affublait Bette Midler de son surnom.

Si je vous parle de cela, c'est parce que justement ce détail me revenait en mémoire tandis que je me tenais debout au bord de la scène, attendant d'entrer à mon tour sous les sunlights après cette autre Miss M., et que je sentais tout à coup comme un poids étrange, humide, m'écraser la poitrine. Ma première pensée, pour absurde qu'elle puisse paraître, fut que d'une manière ou d'une autre j'étais retournée dans ce satané costume, si lourd, si chaud, si étouffant. Celle qui me vint ensuite à l'esprit fut malheureusement la bonne : celle qui n'avait cessé de voltiger comme une buse autour de ma conscience depuis le jour où maman était tombée morte sur le parking du supermarché. Tendant la main, je me retins à la jambe de Jeff pour ne pas tomber.

— Qu'est-ce qu'il y a ? me demanda-t-il, inquiet.

Je me rappelle m'être efforcée de ne pas l'effrayer, d'essayer de sortir une phrase drôle sur mon incroyable sens de l'à-propos, mais le souffle me manquait pour produire un son, ou la force pour articuler un mot. Je n'étais plus qu'un bloc de ciment en train de durcir, voire la pauvre mouche prise au centre de ce bloc. La douleur, cependant, était en moi quelque chose de lisse, de métallique, quelque chose d'absolument nouveau. Avant que Bette Midler eût fini sa chanson, j'étais étendue sur le sol et Jeff, à genoux près de moi, me soufflait de l'air dans la bouche et appelait Renée dans l'obscurité.

La dernière chose dont je me souvienne, c'est le bruit des bandes Velcro de ma robe qu'on arrachait.

26

Évidemment, je ne suis pas morte. J'ai écrit ce dernier chapitre hier matin — ma première matinée ici — en cachette de mon docteur qui m'a bien sûr rigoureusement interdit toute forme d'activité. Au dire de mon voisin le plus proche, un vieux Grec bougon gisant dans le lit à côté du mien, on l'ordonne systématiquement aux patients du service de cardiologie, mais personne n'est vraiment forcé d'obéir : donc, je tente le coup une deuxième fois, en sachant qu'après tout on ne me filera pas une raclée si jamais on me surprend. J'écris pour le moment sur un bloc de papier rose que Renée a trouvé à la boutique de l'hôpital. D'abord, elle n'était pas d'accord pour aller me chercher de quoi écrire. Elle m'a même opposé une longue résistance, mais a fini par se laisser fléchir lorsque je lui ai rappelé gentiment que le film de nos vies ne verra jamais le jour si personne ne sait comment l'histoire se termine.

J'ai été victime d'un « infarctus bénin ». Rien de terriblement alarmant, me dit-on, à condition évidemment que je n'en aie pas un autre dans les jours qui viennent. Charmant !... En fait, je me sens plutôt bien, mis à part une douleur diffuse dans la poitrine — qui est plus un souvenir de mon corps qu'autre chose, je crois. Lorsqu'on m'a amenée ici, je suffoquais comme une asthmatique, mais j'ai reçu depuis des doses régulières d'oxygène et il me semble que tout est redevenu à peu près normal.

Au cas où cela vous intéresserait, sachez que mon collapsus pour le moins inopportun n'a pas fait la moindre vague le soir du gala. Avant que Fleet Parker eût terminé son laïus, le régisseur lui a apporté une note pour le prévenir de mon indisposition, et au bout du compte, c'est Fleet lui-même qui a remis son trophée à Philip. Personne, donc, n'a entendu la petite phrase annonçant « quelqu'un d'aussi vieux que nous tous réunis ». Comme Philip m'a envoyé un colossal pot d'hortensias, accompagné d'un petit mot étonnamment affectueux, j'ai un moment nourri l'espoir qu'il avait parlé de moi à la presse, mais il n'y avait rien dans le journal ce matin, et pas davantage à *Entertainment Tonight* hier soir. Le gala proprement dit a fait l'objet de comptes rendus scrupuleusement détaillés, jusqu'à la description des robes de ces dames, mais sans la moindre allusion à certain petit incident de santé survenu en coulisses.

Jeff et Renée sont montés avec moi dans l'ambulance qui m'emmenait à l'hôpital et ils ne m'ont quasiment pas quittée depuis ; c'est pourquoi nous ne savons plus guère ce qui se passe ailleurs dans le monde, excepté ce que nous en apprenons par les médias. Je ne suis même pas sûre que Philip soit au courant du crime de lèse-majesté que je m'apprêtais à commettre. Je présume que le régisseur lui en a parlé, ou en a parlé à quelqu'un qui le lui a répété, mais il est alors assez inexplicable qu'il se montre à présent si attentionné. À tout hasard, j'avancerais une hypothèse : il sait parfaitement ce qui se tramait, mais il est inquiet à l'idée que je pourrais tout raconter aux journaux à sensation, ce qui jetterait une ombre sur sa glorieuse soirée (EN COULISSES : L'ÉTRANGE MALAISE DU VRAI MR. WOODS). Ce qui, si l'on y réfléchit, n'est pas une si mauvaise idée. On dit que le *Star* paie très bien.

De Callum, pas le moindre signe de vie. Jeff pense que Leonard pourrait bien l'avoir persuadé de se tenir à l'écart, attendu que lui-même — Jeff — est ici la plupart du temps et qu'il ne pourrait en résulter que des complications. Comment savoir ? J'aurais cru qu'il téléphonerait, au moins — ne fût-ce que pour essayer d'en tirer un petit bénéfice médiatique.

Comme je viens de l'écrire plus haut, Jeff et Renée ne m'ont presque pas quittée depuis que j'ai échoué ici, même s'il leur arrive de se relayer pour que chacun d'entre eux puisse aller prendre une douche ou manger un morceau de temps en temps. Tous les deux sont rongés de culpabilité. Ils se sentent personnellement responsables de mon infarctus, car ils estiment avoir encouragé l'hyperactivité qui l'a apparemment provoqué. J'ai renoncé à gaspiller mon énergie aux seules fins de chasser de leurs esprits cette idée exaspérante, car je n'en ai pas beaucoup en réserve, mais je n'ai pas pris de gants pour les prier d'abandonner leurs airs lugubres.

Il semble que se soit formé entre Jeff et Renée une sorte de partenariat non déclaré, uniquement basé sur les exigences de la situation présente. En moins de trois jours, j'ai eu la surprise de les voir apprendre tous les deux à lire dans le regard de l'autre et à finir ses phrases en suspens comme un vieux couple marié. Ils s'adaptent l'un à l'autre d'une façon que je n'aurais jamais crue possible avant. Jeff ne hurle plus quand il voit Renée se plonger dans sa petite Bible blanche (et pourtant, elle remue les lèvres en silence autant qu'elle l'a toujours fait), et Renée n'a plus de haut-le-corps devant les T-shirts Keith Haring ornés d'énormes sexes en érection que porte Jeff. Notre vie à tous les trois s'organise en système, maintenant que l'un de nous est à l'hôpital. Jadis, il s'était créé entre Jeff, Ned et moi un système analogue, et ce qui se passe aujourd'hui fait naître en permanence d'étranges échos en nous, des sensations partagées de déjà-vu que nous éprouvons sans piper mot.

Il y a cinq patients malades du cœur dans cette chambre, chacun dans son box isolé par des rideaux. Je n'ai fait la connaissance que du vieux Grec et d'une femme à l'accent du Sud, de l'autre côté, qui, si j'en juge par le ton qu'elle emploie pour me parler, doit me prendre pour une fillette extrêmement précoce. Je n'ai pas vu les autres, car leurs rideaux sont toujours tirés. Mais je les entends — parfois en pleine nuit — et les bruits qu'ils font n'inclinent pas à l'optimisme.

Non, je n'ai pas appelé Neil...

Jeff et Renée ont pourtant insisté pour que je le fasse, mais j'ai résisté, du moins jusqu'à présent. Je n'ai jamais parlé à Neil de mon plan pour le soir du gala, et il croirait probablement que je recherche son approbation a posteriori. Pour le moment, je ne me sens pas la force de me lancer dans des explications. Je courrais en outre le risque qu'il essaie de me convaincre que ce qui s'est passé ce fameux matin dans son appartement ne rendait compte en rien de la vraie mesure de ses sentiments ; ou, pire encore, le risque qu'il n'essaie même pas. Je regrette, mais je ne suis pas prête à revenir sur toute cette histoire dans l'immédiat. Ni même, je crois, pour un certain temps.

Je ne lui en veux pas du tout. Le simple fait que j'aie une sexualité est pour la plupart des gens déjà difficile à avaler ; aussi n'ai-je aucune raison d'attendre de Neil qu'il soit différent, surtout s'il s'agit de défendre son propre rôle dans cette réalité inconfortable. À cause de ce qu'il est et de ce que je ne suis pas, il est forcément mal à l'aise dans une culture qui prétend voir dans la bonne entente sexuelle l'expression d'une union entre deux âmes sœurs, mais qui n'y croit pas vraiment — et n'y croira jamais.

Renée est assise sur une chaise près de mon lit, montant la garde pendant que j'écris. Elle lit un vieux numéro du *Readers' Digest* qu'elle a trouvé dans la salle d'attente. Elle est ravissante, aujourd'hui, avec cette merveilleuse peau de pêche qui reste éclatante même sans maquillage. Il y a dans ses yeux une petite lueur toute neuve et très seyante que je ne peux attribuer qu'à un certain Mike Gunderson, ce technicien des studios Icon que nous avons dû virer de la loge le soir du gala. Mike, m'a-t-on raconté, est tout de suite venu aider Jeff à éloigner les curieux lorsque je me suis écroulée ; après quoi, tandis qu'on attendait l'ambulance, il n'a pas quitté Renée un seul instant et a fait tout ce qu'il pouvait pour la rassurer en lui murmurant des paroles apaisantes. Depuis, Renée a parlé de lui plusieurs fois, toujours pour souligner combien il était doux, et gentil, et « absolument adorable ». Aussi n'est-il pas besoin d'être grand clerc pour comprendre ce qui lui arrive.

Il y a un petit moment, je lui ai dit qu'elle devrait appeler Mike aux studios Icon et le remercier pour le mal qu'il s'est donné.

— Pourquoi ? m'a-t-elle demandé sur le ton le plus méfiant.

— Pour lui faire part de ma reconnaissance ! ai-je répondu.

Elle a plissé les yeux :

— Pourquoi ne l'appelles-tu pas toi-même, dans ce cas ?

— Parce que ce n'est pas moi qui ai envie de m'envoyer en l'air avec lui.

— Cady !...

— Mais où est le problème, Renée ? Puisqu'il te plaît tant, pourquoi ne pas le dire franchement ?

— Parce que c'est vulgaire.

— Oh ! Et tes rendez-vous avec des inconnus, c'est le summum du raffinement, peut-être ?

Elle s'est replongée dans son magazine pour bouder un moment, puis elle a relevé les yeux :

— Tu n'écris rien là-dessus, j'espère ?

— Sur quoi ?

— Sur Mike et moi.

— Qu'est-ce que je pourrais bien en écrire ? De toute façon, ce n'est pas ton affaire !

Elle a baissé les yeux à nouveau.

— Ce que je sais, c'est que tu lui plais aussi, ai-je ajouté. Je l'ai tout de suite remarqué, quand nous étions dans la loge. Si tu le laisses filer, ce sera ta faute.

— Tu peux parler ! a-t-elle répliqué.

27

Quand on parle du loup...

Jeff vient de revenir avec un des plus sordides torchons de la presse à sensation, dont la première page est dominée par un portrait bien connu de Jeremy en compagnie de Mr. Woods, surmonté d'un gros titre : IGNOBLES ACCUSATIONS D'HOMOSEXUALITÉ CONTRE LE JEUNE HÉROS DE MR. WOODS. À l'intérieur, sous une photo récente de Callum, un article déclare que « des militants gays fanatiques » ont fait circuler des « rumeurs malveillantes » sur l'homosexualité supposée de l'ancien enfant-vedette, mais que « le célèbre agent des superstars », Leonard Lord, a « démenti catégoriquement » la véracité de ces rumeurs : « Callum Duff est un homme, et un vrai », aurait-il affirmé selon l'auteur du papier.

Jeff m'a vue sourire en lisant cette phrase.

— On a peine à y croire, pas vrai ?

— Il est trop malin pour avoir dit ça, ai-je remarqué.

— Je suis sûr qu'il ne l'a jamais dit.

Je lui demandai si, à son avis, c'était Leonard qui avait appelé les gens du journal ou le contraire.

— Je pense plutôt qu'ils ne se sont même pas parlé. Cette prétendue citation, c'est seulement la façon la plus adroite de divulguer leur histoire : sous la forme d'un démenti indigné. Ça leur permet de réaffirmer qu'être gay est une ignominie et de répandre leur merde en même temps. Leonard n'y peut strictement rien.

— Pourquoi ?

— Que veux-tu qu'il fasse ? Qu'il démente avoir démenti ?

Je lui ai demandé comment il voyait la suite de cette affaire.

— Oh... La presse soi-disant sérieuse va se prétendre atterrée qu'on diffame ce pauvre Callum et publier un tas d'articles sur la charmante jeune fille qui tient tant de place dans sa vie. Je ne sais pas quelle sera la starlette parfaitement gouine qu'on choisira pour ça, mais au bout du compte tout finira bien, parce que, comme chacun sait, il n'y a pas de pédés à Hollywood.

Il s'est laissé tomber sur une chaise en soupirant et a jeté un coup d'œil dans le sac en papier qu'il avait apporté.

— Est-ce qu'on peut être arrêté pour avoir introduit en fraude des beignets à la confiture dans un service de cardiologie ?

Je dois l'avouer, je n'aurais pas cru qu'il oserait faire une chose pareille.

— Sois sage, ô mon cœur ! ai-je déclamé.

— Oui, il ferait mieux.

— Combien ?

— Un seul, a-t-il annoncé d'un ton ferme, en me le tendant. Et tu es priée de manger lentement.

J'ai commencé à grignoter le beignet à une allure qui me semblait raisonnable.

— Qu'est-ce que tu as d'autre, dans ce sac ?

— Eh bien... Tout d'abord, *Big Ed*.

J'ai éclaté de rire :

— Tu mens !

— Dieu m'en garde !

— Jeff, tu es un cochon. Quoi d'autre ?

— Seulement quelques magazines... Et ton journal, au fait, ça avance ?

— Ça avance.

Comme le moment ne semblait pas plus mal choisi qu'un autre, j'ai ajouté alors :

— Il faut que je te demande un service, Jeff.

— Lequel ?

— Peux-tu le remettre à Philip Blenheim de ma part ?

— Ton journal ?

— Oui.

— Quand ?

— Quand j'en aurai terminé, ai-je répliqué sur un ton appuyé.

Jeff, saisissant ce que j'entendais par là, m'a fixée un moment en clignant des paupières, puis il a acquiescé.

— D'accord.

— Mais il faudra d'abord que tu en fasses une copie. Je ne veux pas qu'il en détienne l'unique exemplaire.

Il a fait oui de la tête.

— Et pas de coupures, hein !

— Bien, Majesté.

Je lui ai adressé un sourire qu'il m'a rendu.

— C'est tout ? a-t-il ajouté.

— C'est tout.

— Tu n'as pas l'intention de... d'« en terminer » prochainement, j'espère ?

Je lui ai répondu que je n'en savais rien.

28

De jour en jour, je me sens devenir comme la pièce à conviction numéro un d'un procès en assises. Des docteurs toujours plus nombreux se pressent autour de moi en permanence, et mon lit me fait l'effet d'être entouré d'une Grande Muraille de Chine faite de bloc-notes. Est-ce mon état physique du moment, ou ce qu'il est depuis ma naissance, qui suscite tant d'intérêt ? Je n'en ai pas la moindre idée. Ils me sourient beaucoup, prennent des notes et puis s'en vont, pour revenir quelques minutes plus tard avec des renforts encore plus dévorés de curiosité. Tout le monde a remarqué cette affluence, à commencer par Mrs. Haywood, la vieille dame revêche du box en face dotée d'un fort accent du Sud, qui me cache à peine son ressentiment pour toute l'attention que je reçois. Jusqu'ici, j'ai répondu aimablement à ses commentaires vinaigrés, mais je ne vais pas tarder à lui dire d'aller se faire foutre.

Renée est arrivée ce matin avec Mike Gunderson dans son sillage. Elle a finalement trouvé le courage de l'appeler, et hier soir ils sont sortis ensemble pour la première fois — disons plutôt *presque* sortis : ils ont dîné ensemble à la cafétéria de l'hôpital, c'est tout. Elle était très contente d'elle, visiblement : aussi fière qu'un matou qui vient de déposer la dépouille d'une grosse souris sur le paillasson de son maître. Ce qui ne veut pas dire qu'auprès d'elle Mike ait l'air soumis. Il se dégage de lui un vigoureux enthousiasme de bon garçon du Middle West, brave et sérieux, que Renée interprète comme le signe d'une « puissante personnalité ». Je croise les doigts.

Hier soir, alors que Renée et Mike venaient de partir, Jeff est arrivé et a fait exploser une petite bombe.

— Ne te mets pas en colère, a-t-il commencé.

— Qu'est-ce qui se passe ?

— Je n'ai pas oublié ce que tu m'as dit, mais...

— *Quoi*, Jeff ?

— Neil est dans le couloir.

— Oh, merde !

— Il a laissé un mot sur la porte. J'ai bien été obligé de lui expliquer.

— Un mot ? Où ça ? Ici ?

— Non. À la maison.

— Qu'est-ce qu'il disait ?

— Il s'inquiétait beaucoup de savoir où tu étais. C'est un très chic type, Cadence.

— Tu lui as parlé ?

— Un peu, oui.

Ne me demandez pas pourquoi, mais la paranoïa s'est aussitôt emparée de moi. La seule pensée de ces deux garçons s'entretenant en tête à tête à mon sujet avait quelque chose de terriblement perturbant pour mes pauvres petites forces. Je n'eus d'autre choix que de réagir par le sarcasme.

— Vous vous êtes mutuellement tapé dans l'œil, c'est ça ?

— Cadence, voyons...

— C'est la vérité, n'est-ce pas ? Comme c'est touchant !

— Ta gueule.

— Je vous imagine en train de vous lire les nouvelles d'*Iron John*!

— Tu veux ton sac?

Il me le tendit sans attendre ma réponse. Je le pris, l'ouvris et commençai à me remaquiller hâtivement.

— Tu sais, reprit Jeff d'un ton boudeur, ça montre à quel point tu me connais mal.

— Quoi?

— *Iron John* est la dernière chose que je pourrais avoir envie de lire. Les pédés n'ont pas besoin de ces conneries...

— Qu'est-ce que tu veux que ça me foute? Dis-moi plutôt de quoi j'ai l'air.

— Tu es normale.

— Normale?

— Ton rouge à lèvres est sur tes lèvres, Cadence. Que veux-tu que j'ajoute de plus?

Je lui ai tiré la langue.

— J'appelle Neil! m'annonça-t-il.

Neil entra, élégant comme une figure de mode. À la vérité, il s'était habillé et rasé avec tant de soin que c'en était alarmant.

— Bonjour, lança-t-il.

— Bonjour.

— Tu as bonne mine.

— Meilleure que tu n'imaginais?

Il se contenta de sourire en haussant les épaules.

— Tu es au courant, pour... ma petite farce?

Il fit oui de la tête.

— C'était assez fou comme idée, pas vrai?

Nouveau hochement de tête, nouveau sourire.

— C'est pour ça que je ne t'en ai pas parlé, ajoutai-je.

— C'est bien ce que j'ai pensé.

— Tu es tellement froussard!

— Je sais.

— Eh bien, si tu le sais, arrange-toi pour ne plus l'être! lui conseillai-je. C'est très mauvais pour l'équilibre d'avoir peur tout le temps.

La conscience aiguë de tous les comptes qui n'étaient pas encore réglés entre nous était suspendue dans l'air comme l'ozone après un orage.

— J'ai décidé de tout leur dire à notre sujet, déclarat-il.

— Faut pas. N'y pense plus.

— Si. J'y tiens.

— Ça n'a aucune importance, insistai-je.

— Pour moi, c'est très important.

— Pourquoi ?

— Je ne sais pas... mais ça l'est.

Il s'assit sur le bord de mon lit et regarda autour de lui.

— J'aurais dû t'apporter des fleurs. Celles-ci sont superbes.

— Les fleurs, j'en ai par-dessus la tête ! répliquai-je. J'en avais aussi une gerbe magnifique dans ma loge, mais elle y est restée.

— Je m'en doute...

Un peu timidement, il se pencha et me caressa la joue.

— Je t'ai apporté autre chose.

— Quoi ?

— Est-ce que le moment est bien choisi ?

— Puisque tu le demandes, non. Pourquoi pas jeudi en huit ? ironisai-je.

— Je craignais seulement de déranger les autres patients.

— Bon sang, vas-tu me dire ce que c'est ?

Il sourit et se leva.

— Je vais le chercher.

Il sortit de la chambre et revint quelques instants plus tard, l'air un peu penaud, avec un gros machin en bois monté sur quatre roulettes, qu'il lui fallut tourner de profil pour qu'il pût passer par la porte. C'est seulement lorsqu'il le fit rouler vers mon lit et que j'aperçus deux solides petites marches fixées sur un côté que je compris ce que c'était.

— Ma scène ! m'écriai-je.

— Ou ton piédestal, comme tu préfères !

— Disons mon « piédestal de scène ».

— Regarde...

Il s'agenouilla et manœuvra quelque chose au niveau des roulettes.

— J'ai installé un frein pour le stabiliser lorsqu'il sera à sa place.

— Pour éviter que je fasse un slalom dans le public au moment du grand finale ?

Il éclata de rire :

— Exactement.

— Excellente idée !

Depuis un moment, avais-je remarqué, Mrs. Haywood ne pouvait plus réprimer sa curiosité, et se penchait si fort de son lit qu'elle semblait sur le point de dégringoler par terre.

— C'est un piédestal, lui hurlai-je.

— Pour quoi faire ?

— Pour que je monte dessus.

— Oh !

— Elle me déteste, expliquai-je à Neil *sotto voce*. Avant que j'arrive, ici, c'était elle la star, tu comprends ?

29

Neil resta aussi longtemps qu'on le lui permit, puis il repartit avec le piédestal, car les infirmières n'arrêtaient pas de s'y cogner.

J'en ai rêvé, la nuit dernière, rêvé que cette petite estrade était toujours là, à côté de mon lit, me tenait compagnie pendant que je dormais. C'est le bruit de son arrivée qui m'a réveillée — ou rêvais-je toujours ?... — juste avant l'aube : j'ai reconnu le couinement de ces minuscules roulettes sur le sol recouvert de linoléum. J'ai ouvert un œil et j'ai attendu, sans oser bouger. La sombre masse de contreplaqué était tout près de moi, elle avançait lentement vers le pied de mon lit comme une tortue géante. D'où j'étais, je ne voyais personne ; par conséquent, la personne — ou la chose — qui la faisait rouler était très certainement *sous* le lit...

Je me suis redressée pour mieux voir. Le piédestal s'est alors soudain immobilisé, comme pour essayer de faire le mort. J'ai failli rire, car il me rappelait ces films où l'on voit un intrus faire semblant d'être une statue pour passer inaperçu. *Il n'y a personne ici, sauf nous, les piédestaux...* J'ai penché la tête d'un côté pour écouter, mais je n'ai entendu que le son métallique d'une sirène au loin et un sourd ronflement provenant d'un autre lit, probablement celui de Mrs. Haywood. La chambre était encore plongée dans l'obscurité, mais les fenêtres commençaient de prendre une teinte bleu pâle et nacrée. Je suis restée étendue un moment, faisant semblant de dormir, et bientôt le piédestal s'est remis en mouvement. Au bout d'un instant, il a heurté le pied du lit avec un claquement violent, et son conducteur a poussé un petit grognement agacé.

J'ai su qui c'était avant même qu'il ne se montre. Mes narines ont reconnu une odeur mêlée de terre mouillée, de fumée de bois sec et de vieille sueur, qui en couvrait partiellement une autre — un fort parfum d'herbes sauvages. C'était étrange de le reconnaître ainsi rien qu'en le sentant, car jusqu'alors ce n'était jamais par l'odorat que j'avais deviné sa présence. Comme tous ceux qui affirment bien le connaître, je me suis toujours limitée à ce que je pouvais voir et entendre. Mais j'ai soudain pris conscience que cette odeur lui convenait à la perfection, et d'une certaine façon cela m'a mise à l'aise. Je suis restée très calme, même lorsqu'il s'est hissé sur le piédestal pour me sourire.

— Peut-on savoir ce que vous fabriquez ? ai-je chuchoté d'un ton sévère.

Du doigt, il a désigné la petite estrade, puis la porte.

— Certainement pas ! ai-je protesté. Il restera ici.

Il a secoué la tête.

— J'appelle l'infirmière.

À cette menace, il a répondu par un ricanement de jubilation. J'ai regardé autour de moi pour voir s'il avait réveillé les autres patients, mais la chambre était silencieuse. Il est redescendu de sa plate-forme, en utilisant ces drôles de petites marches que Neil y a fixées, puis a sauté sur le lit avec une surprenante agilité. J'ai tiré les couvertures jusqu'à mon menton et essayé de lui faire baisser les yeux, tout en l'observant avec attention.

Dans la réalité, il semblait plus vieux de plusieurs siècles. Ce qui le rendait si évidemment authentique n'était pas tant ses yeux, bleus comme la Terre vue de l'espace et tellement familiers, que la crasse incrustant ses rides au coin des paupières. D'où je le regardais, je distinguais sur sa peau les taches de vieillesse, et les crêpelures de son cou fripé. Il a souri, et j'ai aussi aperçu dans sa bouche une dent cassée, jaunâtre comme un ivoire très ancien. Puis il a détourné la tête un instant, et dans les plis de son oreille pointue j'ai repéré un point noir. Chaque nouvelle imperfection que je découvrais ne me le rendait que plus réel.

Je me souviens d'avoir pensé : *C'est incroyable. Qu'est-ce que Philip va inventer la prochaine fois ?*

Pendant un moment assez long, mon visiteur s'est contenté de rester assis au bord du lit, les jambes croisées, les mains posées sur ses genoux, me laissant tout le temps nécessaire pour me pénétrer de sa présence.

— Vous arrivez drôlement tôt, lui ai-je fait observer.

Il m'a fixée avec de grands yeux et a haussé les épaules ; il a fouillé dans la poche de son vieux pantalon en tweed tout loqueteux et en a tiré une montre en or, ternie et de toute évidence cassée, qu'il a consultée d'un air grave et cérémonieux. Du bout de son doigt, il en a tapoté le verre, hochant la tête, comme si cela expliquait tout.

La lettre du réalisateur

Ma chère Dianne,

J'ai eu un immense plaisir à te retrouver la semaine dernière à la soirée d'hommage. Vous avez l'air en grande forme, Roger et toi, et j'ai été ravi d'apprendre que ton nouveau scénario avance bien. N'hésite pas à dire à Scorsese qu'il commettrait une énorme bourde s'il ne tournait pas la troisième partie comme tu l'as écrite.

Les trois cahiers que je t'envoie sont absolument confidentiels. *(Tu comprendras facilement pourquoi lorsque tu auras commencé à les lire.) Il s'agit du journal de Cady Roth, la naine que nous avions engagée pour certaines séquences additionnelles de* Mr. Woods. *Tu te souviens d'elle ? Les trois cahiers m'ont été remis, à sa demande, par un certain Jeff Kassabian, qui a débarqué chez moi voilà quelques jours, arborant fièrement un T-shirt qui représentait Clark Kent et Dick Tracy en train de s'embrasser. (Là encore, tu comprendras tout en lisant le manuscrit.) Quant à Cady, elle est très gravement malade. On l'a récemment hospitalisée à la suite d'un malaise cardiaque, et, d'après ce que l'on m'a dit, elle est actuellement dans le coma — ou peut-être même déjà décédée.*

Pardonne-moi pour tous ces détails, assez peu réjouissants, ma chère Dianne. La raison pour laquelle je t'envoie ce texte, c'est que je me fie à ton opinion plus qu'à toute autre, et aussi parce que la thématique sur laquelle tu as coutume de travailler est très présente dans l'histoire dont tu vas — j'espère — rapidement prendre connaissance. Il est bien sûr possible que je me trompe lourdement, mais j'ai le sentiment qu'elle pourrait constituer la matière première d'un film important. Cette pensée pourra te sembler surprenante à mesure que tu liras, car le moins qu'on puisse dire est que j'apparais au fil de ces pages sous un jour particulièrement déplaisant. Néanmoins, je suis sûr que tu comprendras sans peine mon enthousiasme devant une si belle occasion d'opérer une sorte de réflexion ironique sur mon œuvre (sur notre œuvre, devrais-je dire).

Le résultat serait sans doute ce qu'il est convenu d'appeler un « petit » film. Mais, petit ou non, il me semble qu'il pourrait être intéressant dans le sens où il ferait élégamment et subtilement écho à un classique très « grand public » comme Mr. Woods, sans lui porter ombrage de quelque manière que ce soit. Pour autant que je me souvienne, il s'agit là d'un exercice de style auquel aucun autre cinéaste ne s'est risqué. J'aimerais donc beaucoup être le premier à essayer. Bien évidemment, certains aspects du récit devraient être modifiés, tant pour des raisons dramatiques que juridiques, mais l'idée de base me semble réellement passionnante.

Quoi qu'il en soit, dis-moi ce que tu en penses. Considère ce journal comme un matériau brut, et vois ce que tu pourrais en tirer. De toute évidence, tu es la seule personne capable d'écrire le scénario d'un film comme celui-là.

Lucy se joint à moi pour t'envoyer toutes ses amitiés,

Philip

La réponse de la scénariste

Cher Philip,

Pour ne rien te cacher, les cahiers que tu m'as envoyés sont la toute première chose à laquelle j'ai pensé ce matin en me réveillant. Il est grand temps que tu le saches : à mon avis, tu es tombé sur un vrai trésor. L'histoire de ce minuscule petit bout de femme, ambitieuse, exaspérante, adorable, à la fois asservie et ennoblie d'avoir interprété un personnage devenu une icône de la culture populaire, me paraît totalement originale et nouvelle. En même temps, on peut lire son récit comme un bon vieux conte hautement moral, à la Dickens, ce qui est du meilleur aloi. Et puis, il y a aussi une possibilité de lecture féministe qui ne peut que me séduire, comme tu l'as sûrement pensé en m'envoyant ces documents.

J'imagine que tu voudras transposer l'histoire pour en faire une fiction ; donc, nous devrions nous orienter vers une parabole moderne plutôt que vers le docudrame. Cela nous donnerait la liberté d'explorer à fond notre thématique et d'en jouer à loisir, en évitant l'habituel fléau des tracasseries juridiques. (Je trouve passionnant d'imaginer ce que Mr. Woods pourrait devenir dans cette nouvelle version. Un extraterrestre ? Un lutin qui vit sous un pont ?) Quoi qu'il en soit, le fait que tu proposes un miroir où se reflète l'ensemble de ton œuvre, tout à fait comme Fellini dans Huit et demi, *n'échappera à aucun des critiques qui font autorité.*

La principale difficulté sera de faire en sorte que notre héroïne demeure toujours pleinement humaine, de manière que le public soit de son côté d'un bout à l'autre de l'histoire et, en quelque sorte, se positionne à sa hauteur, sans qu'il faille recourir lourdement à des effets de caméra au niveau des genoux. (Non que je te soupçonne d'envisager ce genre de facilités!) Inutile de souligner qu'un personnage aussi hors normes devra évoluer dans un environnement comportant des points de référence familiers et rassurants, pour que le public l'accepte et se prenne d'affection pour elle aussi naturellement que Jeremy quand il découvre Mr. Woods. Pour y parvenir, je te soumets quelques idées.

Premièrement, en quoi sommes-nous tenus de raconter la vie amoureuse de Cady? Les scènes de sexe m'ont mise terriblement mal à l'aise, je l'avoue, et je puis de surcroît t'assurer que je ne serai pas la seule femme à réagir de cette façon — même si cela peut passer pour de la pruderie ou de l'étroitesse d'esprit. Il me semble, à la lecture des cahiers, que le seul lien affectif qui compte vraiment est celui qui unit Cady et Renée : deux femmes qui sont l'une et l'autre les otages de leur corps, même si elles le sont pour des raisons radicalement différentes.

C'est cela le point crucial du drame, et c'est là-dessus que nous devons bâtir l'intrigue. Et puis, pourquoi ne pas nous prendre pour Dieu le Père et créer une autre histoire d'amour, mais entre Renée et Neil? Tout au long de ma lecture, j'ai eu le sentiment qu'il y avait là un vrai potentiel, et je trouverais beaucoup plus piquant (et, au final, plus émouvant) de faire jouer à Cady le rôle d'une messagère drôle et malicieuse entre les deux amants de taille normale. Savoir avec qui elle couche n'a aucun intérêt. Strictement aucun.

L'aspect interracial est intéressant en soi, mais risqué, car il encombrerait le film d'un deuxième problème de société, ce qui affaiblirait inévitablement l'impact de celui que nous voulons illustrer. Dans ce domaine, la frontière est parfois mince entre tracer un sillon et creuser un fossé, et nous avons déjà bien assez d'obstacles à contourner. En outre, si c'est Renée que nous plaçons au centre de l'histoire sentimentale, je l'imagine très mal tombant amoureuse d'un Noir : il me semble que cela ne correspond pas du tout à son caractère de petite banlieusarde craintive et un peu bêtasse. Nous savons déjà qu'elle se voit comme une réplique de Melanie Griffith : alors, pourquoi ne pas abonder dans son sens et lui trouver un Don Johnson ? Ou un Richard Gere ? Ou un Jeff Bridges ? Rien n'empêche pour autant qu'il reste l'accompagnateur de Cady, mais nous éviterions ainsi le stéréotype du pianiste black, qui pourrait offenser certains. Le petit ami de Renée pourrait aussi être ce technicien. Qu'en penses-tu ?

Quant à la vie privée de Callum (raison pour laquelle je ne te faxe pas cette lettre), il est évident que nous devons abandonner complètement cette piste. J'entends déjà les vociférations des avocats ! Et puis, cette histoire de drague dans le parc ne fait que donner un caractère sordide à une idylle au fond parfaitement innocente. Je suppose que tu seras de mon avis, étant donné ton affection pour Callum. De toute façon, il n'y a pas de place pour une histoire parallèle si nous décidons d'étoffer la relation entre Cady et Renée. Cela ne nous empêche pas d'introduire une scène où on la verrait avec un ami gay (si possible un peu moins revendicatif que ce Jeff), pour donner une petite touche de couleur au film et pour souligner combien Cady est profondément tolérante. Ce serait d'un bon effet, je crois, à condition que cela reste accessoire. Tout est question de dosage.

Autre chose : je ne suis pas d'accord avec toi lorsque tu dis que tu apparais sous un jour déplaisant. De mon point de vue, tu es seulement le bouc émissaire que Cady s'est tout naturellement choisi pour justifier ses illusions déçues et son besoin de croire en elle-même à tout prix. Peut-être, d'ailleurs, avait-elle vraiment du talent comme elle l'imaginait (les cahiers ne permettent de se faire aucune opinion sur ce point), mais j'ai tendance à en douter. À ce propos, je suis émue à l'avance en pensant à tout ce qu'une actrice bien choisie pourra tirer de cette volonté d'espérer envers et contre tout, en termes de nuances tragi-comiques.

Trouver les bons acteurs, c'est ça, le vrai challenge — même si un casting intelligent aura toutes les chances de nous attirer une bonne pub. Pour le rôle principal, il faudra évidemment trouver une actrice bien plus grande que Cady — à moins que nous ne décidions d'en faire une Yougoslave. (Je plaisante!) L'histoire passera mieux avec une actrice un peu plus proche d'une taille normale, et à long terme le film serait peut-être plus facilement vendable. Une chose encore : je sais que je prends beaucoup de libertés avec la réalité, mais je pense qu'il vaudrait mieux engager une actrice toute petite mais normalement proportionnée plutôt qu'une vraie naine. Cela aussi passerait mieux.

Pour l'instant, je me borne bien sûr à te faire part des idées qui me passent par la tête. Mais j'ai tenu à relancer la machine le plus vite possible. Crois-moi, il y a des lustres que je n'ai pas été aussi enthousiasmée par un projet!

Amitiés,

Dianne

P-S : Pour le titre, que dirais-tu de Maybe the Moon ? Cette idée de « décrocher la lune » que j'ai trouvée dans les cahiers semble évoquer très justement l'idée générale de quête de l'impossible.

PP-S : J'ai découpé l'article ci-joint dans le numéro d'aujourd'hui de Variety, au cas où il t'aurait échappé.

CADENCE ROTH

Cadence Roth, l'actrice de 79 centimètres principalement connue pour avoir joué le rôle-titre dans *Mr. Woods*, de Philip Blenheim, est décédée mardi dernier à l'âge de 30 ans.

La jeune femme, qui était hospitalisée au Medical Center de North Hollywood, a succombé à une insuffisance cardiaque et respiratoire, nous a indiqué l'un de ses amis de longue date.

Cadence Roth avait été découverte par Blenheim au *Farmers' Market* à Los Angeles, et immédiatement engagée pour jouer le rôle de l'elfe dans son film, devenu depuis un classique.

Bien que le réalisateur eût souhaité ne pas révéler si les effets spéciaux de *Mr. Woods* avaient nécessité le concours d'un acteur, Cadence Roth avait publiquement déclaré avoir incarné le personnage lorsque celui-ci se déplaçait, tandis qu'un robot était utilisé pour les gros plans.

Elle ne laisse aucune famille.

Les obsèques auront lieu demain à 11 heures au Forest Lane Memorial Park, North Hollywood.

Remerciements

Je suis particulièrement reconnaissant envers Leonard Maltin qui m'a permis de prendre quelques libertés avec son précieux guide et, pour les mêmes raisons, le *Livre Guinness des records*. Je remercie également Gavin Lambert et la regrettée Dodie Smith pour *Inside Daisy Clover* et *I Capture the Castle*, qui ont été pour moi une source d'inspiration; Marie Behan, Patrick Janson-Smith, Susan Moldow, Joseph Montebello, Nancy Peske, David Rakoff, Deborah Rogers, Bill Shinker, Binky Urban et Irene Webb, qui m'ont permis de mener ce projet à bien; Jerry Kass, qui a lu le premier état du manuscrit et m'a fait part de ses judicieux commentaires; Glen Roven, pour ses paroles de chanson; Greg Gorman, qui m'a fait connaître Michu; David Sheff, pour ses précieuses suggestions; mon vieil ami Steve Beery, qui a assuré l'intendance à San Francisco pendant mon séjour aux antipodes; et mon cher Terry qui était à mes côtés dans les deux hémisphères.

MIXTE
Papier issu de
sources responsables
FSC® C003309

10/18, une marque d'Univers Poche,
est un éditeur qui s'engage pour
la préservation de son environnement
et qui utilise du papier fabriqué à partir
de bois provenant de forêts gérées
de manière responsable.

Impression réalisée par

BRODARD & TAUPIN

La Flèche (Sarthe), 67198
Dépôt légal : février 2002
Nouvelle édition : janvier 2012

Imprimé en France